齐善鸿中华三圣经典心读丛书

道德经心读

悟圣人智慧

齐善鸿 著

图书在版编目（CIP）数据

道德经心读 : 悟圣人智慧 / 齐善鸿著 . -- 北京 : 华夏出版社有限公司，2024.9

ISBN 978-7-5222-0700-1

Ⅰ . ①道… Ⅱ . ①齐… Ⅲ . ①《道德经》— 研究 Ⅳ . ① B223.15

中国国家版本馆 CIP 数据核字 (2024) 第 083919 号

道德经心读：悟圣人智慧

作　　者 齐善鸿
责任编辑 赵学静
责任印制 周　然

出版发行 华夏出版社有限公司
经　　销 新华书店
印　　装 河北宝昌佳彩印刷有限公司
版　　次 2024 年 9 月北京第 1 版
　　　　 2024 年 9 月北京第 1 次印刷
开　　本 710mm × 1000mm 1/16 开
印　　张 25.75
字　　数 380 千字
定　　价 99.00 元

华夏出版社有限公司 地址：北京市东直门外香河园北里 4 号 邮编：100028
网址：www.hxph.com.cn 电话：（010）64618981
若发现本版图书有印装质量问题，请与我社营销中心联系调换。

总序

中华有“三圣”：老子李耳、孔子仲尼、六祖惠能。代表他们智慧的《道德经》《论语》《坛经》，是中华优秀传统文化中的三部经典，它们犹如中华历史文化中的“北斗”，为一代代华夏儿女照亮心路。

人首先是自然的，但其本质又是社会性的，人不是单独的个体，而是众生和天地万物的集合体。人生的本质，不是为自己谋取物质的私利，而是集合众生与天地万物的能量，构筑一个超级的自我——超我，并为现实中的众生创造价值与幸福，从而使自己成为有价值的人和幸福的人。这就是中华文化中“无我”的本质所在——无小我，造超我，福众生。由此让自己走向人生的富足和圆满，而让精神与心灵获得绝对的自由。

一、忧心与庆幸

可惜的是，现实中的一些人陷入了自我和自私的泥潭中。陷入自我的人，总是自以为是，总是在用个人的有限经验和知识去理解无限的世界和与自己不同的其他生命，甚至还会去诋毁别人、抬高自己。有的人还将这种思维方式和做法强加给自己的亲人、朋友、部下和整个社会。于是乎，他所到之处都是“要求、指责、抱怨和愤怒”，一片乌烟瘴气，一片肮脏和混乱。为自己构筑出这样一个充满负面能量世界的人，当然过得并不快乐。令人唏嘘的是，在我们所处的这个时代，这样的人似乎有点多。正如一位觉者所说的那样，现今的人类正处在“科技文明日新月异与人文精神日落西山”这两种不同力量的反复绞杀中。值得庆幸的是，越是这样的局面，越容易促进人类的觉醒，也确实产生出一大批觉者。只是不知道，你是否是觉者之一？这是这个时代涉及每一个人利益的核心问题。

可惜的是，在教育普及率日益提高的当下，仅学习科学知识似乎无法让人们活得快乐和幸福。这就需要人生和人文智慧的教育，也就是说，在主流的科学教育体系中，需要加强人生与人文智慧教育比例。众所周知，知识不能等同于能力，能力不能等同于品德，科学知识不能等同于人生智慧，归根结底，对教育的检验是要看是能否有效促进人类自身的进化和增进人类福祉与促进文明的发展。

可惜的是，很多人被眼前的物质利益所迷惑，沉湎于物质享受中，从而沦为赚钱机器。正如圣人所警示的“君子役物，小人役于物”。世间还有一个很尴尬的景象：没有人想成为“小人”，但因为自己不明君子与小人的区别，在厌恶小人的同时，自己却成了小人。实际上，维持生命活动所需要的物质资源是极其有限的，如果物质资源的消费超过生命活动之所需，人就会生病，寿命就会缩短，精神生活就会变得空虚与扭曲，就会与自己的人生目标相背离，就会成为自己的敌人！于是乎，哲学家们提出了一个著名的论断：世间只有一个敌人，那就是迷失的自己。这也就意味着，人一旦迷失了精神方向，就会成为自己人生中的敌人，就会自我伤害，直至自我毁灭。经历过人间繁华的人会意识到，真正的人生不是物质的饕餮盛宴，而是精神对物质的胜利，是在战胜物质的同时，让自己的精神持续不断地成长和壮大！

值得庆幸的是，中华民族拥有一万年的文化史、五千多年的文明史，并且正处在国势国运上升的光明时期。正是因为拥有了这样悠久的文化与文明的历史，每个华夏儿女都先天拥有一座智慧的宝藏。只是要看谁能够打开这样一座宝藏的大门。纵观历史，我们不难发现，历朝历代，只有少数人才有机会进入文化传承的这座宝藏。现如今，随着知识形态和科技手段的日新月异，许许多多的人都拥有了这样的机会。拥有机会并不等同于掌控机会，更不等同于将智慧的宝藏变成自己的能量。若是忽视本民族的文化宝藏，只依靠个人经验和有限的科学知识，外加个人不断膨胀的物质欲望去为自己奋斗，无异于捧着金饭碗要饭吃，那可就成了人间最大的笑话。遗憾的是，很多人陷入了只重视科学知识、只相信个人经验、只为自己谋私利的危险漩涡中，甚至有人因此出现了中毒症状：用自己掌握的有限科学知识去排斥甚至诋毁悠久的文明传统；活在自己的认知中，不接受甚至排斥其他人的认知；只为个人私利而无视社会公益。也许，人们正在忘记人生的真实目的——人文精神也好，科技文明也罢，再加上自己个人的想法和追求，这一切都是为了让人活得明白、活得快乐和幸福，并能走向更加光明的未来。若是离开了这一目的，只沉迷于现在的认知与追求，就不可能找到人生幸福与健康发展的真正答案。

值得庆幸的是，我们这个时代出现了一大批觉醒了的智者，正在领导这个国家前行并日益强大。尤其值得注意的是，中华文明是一种追求真理的文明，因此是一种开放和不断吸纳、创新与持续壮大的文明。我们不仅尊重自己的历史，不仅在历史的基础上不断开拓创新，还同时保持着对人类一切先进文明的尊重、接纳、吸收、转化和凝练。众所周知的自强不息和厚德载物，正是华夏子孙自我建设和勇猛开拓的哲学与辩证的智慧信条。“为学日益，为道日损，损之又损，以至于无为，无为而无不为”，正是华夏儿女“去伪存真、去粗取精、纲举目张、透过现象看本质”之哲学智慧的体现。世间众生，人生万象，“若见一切法，心不染着，是为无念。用即遍一切处，亦不着一切处；但净本心，使六识出六门，于六尘中，无染无杂，来去自由，通用无滞，即是般若三昧，自在解脱，名无念行”，则为华夏儿女提供了“心不为奴，心定为主”这一人生功夫的秘诀。

令人忧心的是，无论是受过良好教育的社会精英，还是略有知识的普通百姓，已经有不少人陷入了焦虑、烦躁和抑郁中。这正说明：拥有知识不足以支撑人生，缺乏人生智慧，人生正能量不足，就很容易导致诸多病态现象的出现。许多人不知道的是，历史上的圣人智慧和现实中的觉者智慧，正可以解决这些问题。关键是“文化之药”就在那里，可很多人要么视而不见，要么听而不闻，总之就是够不到，因此也进不到心里。

令人欣喜的是，许许多多有志之士正在勤奋地学习圣贤智慧和当今的觉者智慧，并在不同程度上提高了自己的人生质量。一些觉醒了的家长，带领孩子学习圣贤智慧，让一个个小生命焕发出生命的力量。

说到圣人和圣人智慧，有人在问，难道他们说的就是真理吗？这个问题要是去问圣人，圣人肯定不会承认。真理一旦经由语言表达，就会因文字的局限性而生出障碍，以致无法淋漓尽致地表现出真意。同时，对于同样的文字，读者总是带着自己的主观局限性去理解，很少有人能把圣人智慧准确无误地吸纳进自己的生命。关键是，圣人智慧是引导众人接近真理的一座桥梁。这一点，恰恰被很多人忽视了。

可能有人会说，凡是人说的肯定有局限性，也免不了会有糟粕出现。这话不假。文化，是经历历史的洗礼而不断地推陈出新，但绝对不会因为有糟粕而全部被否定掉，就如同给孩子洗完澡时要把脏水倒掉，但不能把孩子一起倒掉一样。也就是说，对历史文化、圣人和经典进行全面的、绝对的肯定，显然是有违科学精神与追求真理的理性精神的。但同时，将某些自己还理解不了的思想斥为糟粕，甚至连同其思想体系也全面排斥，是过于武断和轻率的，也是不可取的。

更具普遍性的一个问题是，许多人将中华文化当成一种知识，并用自己的知识和经验去评价和审视之。虽然文化在形态上表现为一种文字与知识的形态，但其本质却是要用自己的人生和生命亲证的智慧体系。一定要明白的是，读圣贤书确实可以增加知识量，但并不能直接增加智慧。因为智慧是知识与实践结合后的体悟与提升，绝对是获得智慧过程中不可或缺的环节。若是离开了这条核心主线，仅仅用自己的知识和经验去评价中华文化，就很难得到什么益处。在三十多年的知识学习与人生修行历程中，我接触到很多修行者，那些不断地领悟智慧的人，都是将圣贤智慧与个人的人生与生命连续不断进行结合和验证的人，他们都从中获得了诸多益处。

在讨论上述问题时，曾经有修行者说出这样的话：先不论对自己的祖宗是否尊敬，那些以为自己可以评说圣贤的人，自己此生真的有把握成为高于圣贤的圣贤吗？换一种说法，若是承认圣贤智慧是产生自高维的智慧，那我们还处在低维状态的普通人又如何才能看清或者真正理解圣人的智慧呢？

二、中华三圣智慧的精髓

老子及《道德经》。老子用五千言的篇幅，阐释了道学智慧的核心思想：人的主观不能脱离客观事实与规律，人的主观活动必须依靠客观事实和规律。纵观人间所有的苦难与灾难，都与人的主观膨胀与自以为是有关，核心就是主观一旦膨胀或者以自我为中心，就会脱离客观规律和事实，就会制造灾难和痛苦。尤其是人类还创造了自己的知识体系、道德准则、权力与制度等，就更要小心和认真地审视这些人为的、主观的产物是否合于客观规律。否则，脱离了客观规律的主观认识，就一定会因为违背客观规律、对抗客观规律而让人的行动与结果出现错误。若是再将错误归于外界和他人，而死守着所谓正确的主观愿望与道理，那就无法从根本上解决问题，错误、痛苦与灾难就会持续不断。尤其要注意的是，人类时时刻刻都会产生出无数的念头和难以遏制的欲望，这些主观力量会将人诱导到偏离客观规律的方向上。若是不能解决这样的主观问题，若是不能通过修行升级自己的思维与观念而让自己脱离客观事实与规律，就极有可能理直气壮地犯错，以致害人害己。当然，老子不仅仅是对现实主观的批判者，更是给出解决问题“药方”的智者。“多言数穷，不如守中”“致虚极，守静笃，万物并作，吾以观复，夫物芸芸，各复归其根。归根曰静，是谓复命，复命曰常，知常曰明，不知常，妄作凶”。老子的教导，就是告诉我们要不带任何偏见地接近客观事实，去洞察客观事实的规律，也就是贴近大道。同时，老子也在思维方法上给了我们很多指引：有无相生，难易相成。反者道之动，弱者道之用。知雄守雌，知白守黑，知强守弱。故贵以身为天下，若可寄天下；爱以身为天下，若可托天下。上善若水，水善利万物而不争，处众人之所恶，故几于道。善者不辩，辩者不善。天之道，利而不害。圣人之道，为而不争……老子也为人们提出了立世的坐标：上善若水，少私寡欲，虚极静笃，为道日损，玄德无我。如此这般，就可让真我中的道心呈现，就能去除主观干扰，就能与大道合一，就能时时刻刻按照大道的节律思考和行动。如此这般，就能将万物与众生视为大道的显形，就不会对这些显形的现象进行人为的、简单粗暴的指责、评价与判断，就能够以天道之心为万物与众生"代言"，就能够达到"无为而无不为""不争而天下莫能与之争"的自由和逍遥的境界。

孔子及《论语》。在世人看来，孔子是一个年少时遭遇父母离世的可怜的孩子。但孔子关心的却不是自己的温饱，而是天下人的命运。固然，想重新回归周礼的愿望让人觉得有些"愿望主义"的迂腐，但孔子毕其一生与弟子们共同讨论人生各种问题背后的规则法则，为后世子孙留下了"向道宏愿""仁德之道""好学之道""内省之道""中庸之道""忠恕之道""君子之道"等思想，尤其是开创了私学教育的先河，打破了官学的垄断，为众多普通人提供了开化明智的机会，也因此被后世尊为"至圣先师"。孔子的"向道宏愿"以"朝闻道，夕死可矣"而名传于世。孔子所崇尚的"好学之道"也超越了一般的知识学习，进入了"参悟大道"的境界。孔子又将天道的法则演化成人间的"仁德之道"，为人与人的关系确定了最高的价值准则。与此同时，孔子将"内省之道""中庸之道""忠恕之道"确立为红尘中人修习"君子之道"的基本方法，如此就能够领悟基于天道的人间智慧。人若是能够在现实中领悟天道在人间的运行规律，也就能修成人间的君子，甚至成为人间的圣人。

六祖惠能及《坛经》。**六祖慧能**童年时家道中落，没有机会读书认字，与老母亲相依为命。但其慧根甚利，听闻经书中充满智慧时心生向往，关键是其不俗的根性令五祖弘忍大师十分欣赏，进而生出怜惜、悯爱之意，收留其在东山道场做点杂役。是金子总会发光。人若有光明的向往，不管身在何处，不管做什么，总能接近大道。惠能在做杂役时，就表现出一心为道的可贵品质。在弘忍大师出题考弟子时，他以一首《菩提偈》——菩提本无树，明镜亦非台。本来无一物，何处惹尘埃——脱颖而出，表现出了不俗的领悟力，得到弘忍大师的认可，从而继承中华禅宗的衣钵。尤其是在继承衣钵的当晚，他顿然领悟"自性"，可谓是觉悟中的极致："何期自性，本自清净；何期自性，本不生灭；何期自性，本自具足；何期自性，本无动摇；何期自性，能生万法。"六祖对"自性"的顿悟，成了修行者觉醒的根本法则。六祖继承衣钵之后，面对所发生的是是非非，领悟到"衣钵之相"也是人间的祸端，于是，他弃"衣钵之相"而以智慧思想留世传承，后经弟子整理而成《坛经》。尤其难能可贵的是，惠能大师对当时世间传播的深奥的佛理进行了改造以适合平民学习参悟，使得深奥的智慧与人间的生活得以紧密连接，让人们懂得了"修行就在世间，生活就是修行"的妙理。

说起中华传统文化，往往离不开儒释道三家，无数受儒释道文化滋养的华夏儿女成为时代的觉者与精英，让中华文明代代相传，并不断创造出各种奇迹。儒家孔子发现了生命中的"仁心"，只要人能够以此心待人，就能够摆脱世俗功利和邪恶之心，就能够建立和谐的关系。道家老子发现了真命中的"道心"，这是联通天地万物和人间众生的关键法门，也是摆脱主观有限的认知，洞察天地万物与人类自身规律的心智节点。禅宗六祖惠能发现了生命中的"自性"，这是生命本自具足的核心能力，一旦自性觉醒，人就能摆脱一切外相的束缚，而见得万物与生命的真相，就能摆脱被幻相迷惑的幻觉，就能够了悟一切。这三家祖师和他们的智慧，在当世流行的科学与知识之外，为人们打开了一扇高维智慧的天窗。尤其重要的是，借助儒释道的智慧，人们能够破除对外部世界的迷惑和迷信，将心智的焦点转向自身，如此修行就能让自己成为真正的主人——既不是外物的奴隶，也不是自我中心的牺牲品。同时，儒释道的智慧也为人类的信仰提供了一个正确的方向，从过去久远的崇拜外物或者编造神灵并让自己匍匐在地的那种“神奴”幻象中走出来，懂得了人类这种高智能生命心智进化的方向：人不是做什么神灵的奴仆，而是要通过领悟大道让自己成为人生的主人。若是人间有神，那也是觉悟了的人，绝不是人造出来的虚幻的偶像。特别值得一提的是，历史上的圣人和大觉者，都反对人们将其作为神灵进行膜拜，只是世人大多痴迷，宁愿将觉者作为神灵膜拜，就是不愿意去遵循觉者的指引去悟道。这就是迷信——因为心智痴迷而将觉者作为神灵膜拜，就是不去参悟大道真理！

三、中华智慧破解人性之谜

人们总会提到人性，但对人性深入系统的思考却不多见，更多是对现实中的人性表现进行简单的概括，如“性善”“性恶”之类的说法，但却没有真正深入到人性的本质中。可以这样说，人类生活中的很多认知，都离不开对人性的认识，对“人性”认知之正误，直接决定了对人生中很多现象的认识，而由这种认识所决定的行动及结果，就会决定人的命运！

用哲学的智慧看文化，透过现象看穿本质，透过文字洞察智慧。综合起来看，儒释道三家祖师的智慧为中华儿女揭示了“人性”的本质，破解了常规认识中对人性的错误认识，也让一些流行的“人的本质就是神的奴仆”和“人性就是自私”等论调成为被人唾弃的文化垃圾。马克思站在人类社会的角度，提出了“人性”的“二重性”——自然属性与社会属性，并揭示了人的自然属性是基础，但又附带着人类社会的社会属性，又是在社会属性的制约与引领下活动的。若是将人置于天地宇宙中，中华文化告诉了我们“人性”的进化系统：人性，是关于人之属性的总称，由三个阶段和它的动态进化组成。最低级的是人的“自然性”，准确说就是，人性最初始和最低级的状态，就是人的“动物性”，极端点就是“兽性”。随着成长与进化，就会进入到一个中间的状态，这就是人在社会中发展出的“道德性”，是人在文明发展中被赋予的符合社会规范的自我与人际的关系之价值与行为属性。而人性最高级的形态，就是人的神圣性，也就是超越经验与知识、超越自我认知局限性、超越外部物质与世俗利益的高级心智状态。人生的本质，就是人性从自然性向道德性的进化，并以神圣性作为人生的最高追求。有的人更多地表现为自然性和动物性，这样的人连社会化的、起码的或者足够的道德属性都没有发展出来，因此很容易沦为社会中的落魄者和失败者。离开了向神圣性的进化，道德性也往往会成为内外不一、状态不稳定的生命属性与状态，在无关紧要时会表现出浅层的道德性，却在紧要关头又会失去道德性而退化到动物性。那些能够进化出足够强大的神圣性的人，会有彻底断绝退化到动物性的可能，也会让道德性在人间具有稳定性和深刻性，让自己的心灵彻底摆脱外物、主观、经验与知识的羁绊，得到真正的自由。正如人们所说的那样，真正的人生不是物质的饕餮盛宴，而是精神对物质的胜利。真正的人生不仅仅是对物质的胜利，还是对自我、经验与知识、科学局限性以及基于模糊认知的迷信的连续不断的超越，持续的逼近真理。人性的这样一个进化的序列，才是人性动能的本质，也是主观能动性得以发挥的必然的轨道与方向。掌握了这样一个人性的动能体系，就可以理解和解释人世间各种各样的错误、痛苦和挫败。掌握了人性的这样一个规律体系，就可以为每个生命的人性进化找到一个光明而正确的方向。

四、从“传统文化”到“文化传统”

说起中华传统文化，人们往往会聚焦于古文化，但其本质上是一个民族“文化传统”的根基部分，又是代代相传中不断进化的鲜活的文明体系。若是孤立和静止地看待文化传统，就会失去对其文化“动能”的理解力。中华传统文化，是经历历史上无数人发现、提出、提炼并经过无数人验证，又被代代传承和发展，最终形成的民族文化之“道统”的文化精髓与文化基因，因为有传承的价值而成为文化道统的，这才是我们所说的传统文化之真谛，也就是从“传统文化”到“文化传统”的动态历程，也即鲜活的“文化道统”，这就是理解中华文化的历史与现在、内部与外部、现状与发展的关键所在。当然，各民族的文化，也是在与其他民族的各种形式的交流中相互交融、相互吸纳并不断推陈出新的。也就是说，任何一个民族的文化也是时刻处在发展过程中的，是一个开放性的文化发展系统。自然，强势的文化会吸纳或者最终同化弱势的文化，这也是文化发展中的一个客观规律。纵观中华民族文化的发展历程，就是一个不断吸纳、不断融合的过程。而经历了五千年人类历史检验、交流与融合的中华文化传统，是仍然具有强劲发展力的、具有鲜明优势的文化道统。

需要特别说明的是，“中华道统”，包含着一万年前直至今日的所有经过历史检验后的文明内涵。尤其特别值得注意的是，在“中华道统”传承中，近百年来由无数中华优秀儿女前赴后继，经历了艰苦卓绝的伟大奋斗所形成的伟大成果，也是中华道统在当代最鲜活的表现。众所周知，近百年来，中华伟大的精英们引领中国人民走出了黑暗，并成为世界强国，成为人类近百年历史上最能代表人类先进文明的代表。在近百年的历史发展中，一代代中华优秀儿女带领着广大的中国人民，引领中国从黑暗走向光明，从弱小走向强大，并一直保持着发展和前进的强劲动力。而一代代中华精英，也正是那些参悟了中华智慧道统的精英，他们是实事求是的精英、与时俱进的精英、不断进行自我革命和自我超越的精英、全心全意为人民服务的精英。同时，中华精英也是不断吸纳各民族先进文化、人类科技新文明，并推动中华文化传统不断发展的精英。由此可见，中华文化传统的发展，是“参悟中华文化传统 + 不断进行自我革命并超越自我 + 吸纳融合各民族先进文化 + 掌握人类科技文明 + 实践中不断验证与优化 + 以无我境界全心全意为人民服务”的“六合一”的文明发展模式。中国近百年的国势逆转、复兴与腾飞，也充分证明了以中国共产党为核心的中华精英和广大中国人民所创立的新文明所具有的先进性。当今世界，身处百年未遇之大变局，世界格局正在发生剧烈的变化，这背后的力量，就是旧文明的不断腐朽与衰败，就是新文明对旧文明的替代，这就是我们有幸正在见证的人类新旧文明交替的伟大的时代。

落后的必然腐朽，落后的必然会被淘汰。即使一时先进的文明，也可能在发展变化中落后，或者在自我的停滞与倒退中走向衰败，这是人类文明兴衰的基本规律，也是文明的周期律。因此，充分、完整、准确地理解中华文化传统，紧紧把握文化发展的规律，始终保持中华文明在世界变局中的先进性和方向的正确性，让中华文化始终保持发展的动力，自信但永不自满，自豪但永不骄傲，这是让中华民族打破文化兴衰周期律的关键所在。

祝福祖国！祝福中华文明！致敬推动中华文明发展的所有使者们！

《道德经》的逻辑与思想学说

为什么是老子发现了大道呢?

那定是老子有一些不同于常人的特别之处!

老子又是如何发现大道的呢?

那是在没有科学仪器可用的时代，用自己修行的功夫帮助后代发现的智慧大宝!

老子本没有打算写出这本《道德经》，无奈尹喜的诚恳相求。后人有人质疑，既然老子开篇就讲“道可道，非常道”，但他自己竟然写了一本《道德经》，这岂不是自相矛盾吗? 回答这个问题并不复杂，对于老子这样得道的人来说，一切皆是道，著述自然也是道的表现，就看读书的人自己的道行是否能够理解了。

在那些有学问的人眼里，老子是个哲学家。可他的那本哲学著作《道德经》却奠定了中国道教的基础。对于这样一个历史事实，很多人往往忽视了由哲学而产生宗教的这样一种特别意义。毕竟能够启发创立一门存蓄已经将近两千年宗教门派的哲学著作，老子和《道德经》可谓是唯一的了吧?! 难怪在西方有不少哲人将老子视为中国的“先知”呢!

我们现在能够知道的是老子当初写出来的那本小书，名字并不叫《道德经》。据历史记载，“道德经”的名字是后人给起的。我们也知道老子当初写出来的时候并没有分成八十一章，这也是后人为了阅读方便给分出来的。

人们甚至还把八十一章的《道德经》分成上下两篇，一篇是“道篇”，另一篇是“德篇”。后来考古发现的版本，对这两篇谁在前、谁在后产生了争论。于是，人们就看到了关于《道德经》这本书的两种叫法，一个版本叫作《道德经》，另外一个就叫作《德道经》。关键是，关于何者为老子正版的争论，终因历史过于久远而一时难以得出结论。若是真想知道老子说的是“道德”还是“德道”，仔细看看《道德经》自然也就明白了，其他形式的编排终究要服从内容的核心逻辑。

一、基础性交代:《道德经》的阅读者、学习者和修行者

我三十八年前开始阅读《道德经》，之所以叫阅读而不称学习，是因为自己的境界与老子的思想实在相差太远，当时以为学明白了的，实际上是学错了的；以为没太大用处的内容和思想，后来才发现那是有大用的；以为是玄学的，后来发现那是自己缺乏理解能力，而在老子那里却是实学；当时以为书中存在着历史局限性的，后来才知道那是积极的远见和有预见的思想。总之，二十五年前，我对《道德经》的理解，很多地方都错了。所以，那时只能叫阅读，还够不上学习的境界。

自二十年前开始，我对《道德经》的学习启用了一种新的方式，同时并行着六条路线：一是每年会结合很多权威注本，综合起来新注一版《道德经》。当然，这只是自己学习中的基本功课或者叫作业，也不是为了出版，因为离出版的水平还相差甚远。二是在越来越多的《道德经》课程讲授当中，我给自己定下了一个硬规矩——每次讲完课都及时进行总结，然后对课件进行新的升级和完善，绝不重复讲过去的课件。这样的过程近乎偏执，甚至有人还不太相信。有的学员为了检验我讲的是否有足够多的新内容，连续重复听我的课达十次以上。当然，他们发现，我绝不讲重复的内容这个说法是真的。直到现在，我依然是这样做的，因此，《道德经》的课件我可能会有二百多个版本。三是广泛地学习和请教，无论是学者还是修行者，或者相关领域的人，甚至是刚刚开始学习的道友，都是我学习和请教的对象。四是我在学习和请教中懂得了一个重要的原理与做法，就

是对经典的学习，不能只是看书、写书和讲课，必须把自己的生命、生活和事业当成验证圣人思想的实验对象，于是乎我开启了自己二十余年作为圣人智慧检验的“实验动物”的人生历程。我在学医的时候做过很多动物实验，只感觉自己这样一个历程，有点像是小白兔或者小白鼠，只不过是一个非常幸福的小白兔或者小白鼠。因为运用圣人智慧进行实践检验的历程，是提升与完善自我生命的过程，时常会有意想不到的惊喜出现，因此是幸福的。五是开启了我撰写修行日记的历程。在这一过程中既有学习的收获，也有实修的体验，当然还有对自己的问题与错误的洞察与纠正。前期的记录有点零散，经过反思和重新思考与设计，近十年的修行日记就比较规范了。当然，中间也转换了几个不同的版式。但就修行日记的条目来说，已经有几万个了。偶尔翻看起来，感觉就像在积累自己的无形资产一样，当然这样的资产是世间少有的，这也是自己略感欣慰的地方，总算是不负圣人的教导，也不负自己的人生。六是在这样的学习和修行过程中，我同时承担了大量的辅导其他道友和朋友的任务，这中间既有我的学生也有我的朋友，还有朋友介绍来的朋友，一方面这是检验自己修行功夫的实践，另一方面也是丰富自己修行内涵的历程。帮助别人也是帮助自己，在这个过程中自己受益良多，也激发出了很多事先想不到的灵感。

二、这部书稿的创意与由来

这部书稿也是我自己学习和修行的一份作业。很幸运的是，近五年来我完成了十年前的两个小小的梦想。第一个梦想是，十年前我曾有个奇思妙想，也可以算是妄想，就是做一个对话版的《道德经》解读，请出老子和弟子进行对话，展现出老子辅导弟子悟道的画面与过程。想法挺好的，但自己当时的功力实在太差，真正做起来才发现根本无法往下进行。2022年得到善品堂朋友的邀请，参加国内著名学者、北大教授楼宇烈前辈主编的“中华优秀传统文化经典丛书”的编写工作，我有幸被安排注解《道德经》。于是，对话版《道德经》的梦想得以实现。第二个梦想是，限于当时的条件，古人著书没有我们今天这样在电脑上反复修改的便利。于是在文字形式和编排上定会留下一些遗憾，但我们这些弟子和后人应该去帮助圣人完成这样的技术性工作，也可以作为帮助自己学习与修行的一种特殊的方式。许多研究者都对《道德经》的思想脉络和逻辑关系做了研究，给了我很多教益。我突然有了一个想法：能否将老子在《道德经》中的奇思妙想作为老子的理论学说提炼出来呢？能否用现代人更容易阅读和理解的方式，把老子深奥的思想用比较平白的方式为大家进行说明呢？这就是本书最原始的创意。本书以通行本为主，参照了陈鼓应等版本，最终形成了自己的认识。

三、这部书稿的特别之处

想起三十多年前自己学习《道德经》的情景，手里捧着一本繁体字、竖排版、没有白话翻译的小本本，一遍遍翻看着里面的内容，稍一认真，就发现自己的大脑内存十分紧张，根本无法精准领悟老子八十一章的思想。当时就想，要是有人能够告诉我一种简捷的方法、至为简单的一个核心思路或者核心逻辑，那该多好啊！只是自己当时见识浅薄，没有机缘得到那样的启迪和引领。也正是当初的这样一份期望，就变成了今天这个版本的特点之一。本书用“第一篇章”介绍老子与《道德经》最简捷的逻辑，并延伸开来，与中国人的“道德主义信仰”联系起来，既是对历史思想脉络的梳理，也是对自己确立在中华优秀传统根基上的信仰的一种表述。

对老子的《道德经》，世界上有一种公认的说法，这是一部哲学著作。但在特别钟情于老子思想的修行道友们看来，老子的《道德经》又是一部修行的宝典，指引着我们解开现实人生中的困惑，并借此了悟人生中一些重要的规律与原理。是啊，圣人的经典就是服务于红尘众生的，就是为了帮助现实中的人们解开困惑，走向悟道和得道道路的。鉴于从学术角度对《道德经》进行解读的版本已经足以满足学习者参照，本书就循着圣人的心思，直奔人间困惑之解析，希望能够帮助阅读此书的道友们感受到比较直接而强大的圣贤智慧的力量。这就是本书“第二篇章”的创意与写法。

本书笔墨最重、花心思最多的就是“第三、四、五、六”四个篇章了。这四个篇章抽取了老子思想智慧的二十个“理论学说”：朴素本源——道名说、道性说、道主说；玄妙辩证——不二说、有无说、无为说、柔强说、平衡说、反成说；人生灵慧——保全说、智慧说、贵贱说、不争说、玄德说、自胜说、自私说；信念正法——皈道说、善法说、悟道说、修道说。每一个理论学说的展开，都编排了一个小小的体系，通过“题目、箴言、反问——撞见智慧、世俗的定势、心灵的拷问、老子的思想原文、思想要义、陷阱与破解、智慧与觉悟”这样一个系列，展开对老子“理论学说”的深入解析。希望能以此方式，让道友们能够在纵横之中观察并体验到老子智慧的另外一种景象。

在第七篇章中，对相关版本与内容进行罗列，其中有“道德三字经”“昆仑仙本”（亦称“道德四字经”）“吕祖道德真经”“道德心经”和“大觉经”，大家学习时方便参考。

每一次做这样的学习与修行的功课，都会有再次打开和进一步扩容自己智慧心量的感觉。原本不想出版这样的作业体例，但经修道挚友的开导，终于又打开了一扇心门——就权当是与道友们进行交流的机会和媒介吧。因此，也诚恳地欢迎修行的道友们给我批评和指正。谨此！

目录

第一篇

老子的天道与圣训

篇首语

历史上的圣人，都是他们那个时代的先知——先于众人而率先觉醒。

看起来，圣人之所以成为圣人，皆因他思虑比常人深刻并能找到人生的终极答案。

实际上，用常人所说的思虑深刻来形容圣人，可能本身就是错误的，因为圣人的思绪早已超越了普通人的思考。

圣人老子发现了天地人间的一个重大秘密：世间的一切皆由大道所决定，人生的一切也是由人是否合于道所决定。

世人的心思与圣人的思虑相比，不仅浮于表面而且会因为肤浅的认知而导致命运与大道方向相悖。于是，起起伏伏就成了人生的常态，关键是痴迷之中会在错误的方向上不断努力，造就了人生的苦海！

老子的《道德经》将“道”展示在人类面前，为人类指出了一条光明大道。

本篇概述老子的天道为何，引出《道德经》的核心思想，揭示了老子的思想脉络，将圣人之圣言拆解剖析，让世俗众生了解圣人之所想、之所愿，从而找到自己人生的道。

圣人讲“无我”“无小我，才有大我”，是告诫众人不要被“小我”困住，为了蝇头小利而出卖人格，损毁自我。

圣人讲“道可道，非常道”，是告诉世人不要因为自我的主观道理而远离客观真理，不要让肤浅的认知困住自己而让自己停滞不前。

“从无到有”又“从有到无”，当然，又会“从无到有”，如此循环往复的奇妙运动，向世人展示了《道德经》所发现的宇宙、万物与人生的基本运动规律，更重要的是向人们揭示了一种新的宇宙观与人生观。这也正是老子《道德经》“玄之又玄”“众妙之门”的神奇所在。

老子的天道

老子是如何发现天道的呢?

老子为什么要对着人间说天道呢?

搞清楚了这两个问题，也就抓住了老子《道德经》的核心主脉。

老子自幼就是一个对问题穷根问底的人，常常会问到教他的老师也回答不上来。这样一种探索精神，无疑是老子发现天道的内心动力。否则，当时有那么多人，为什么就没有人发现天道呢?

随着老子自身的成长，他成了一个研究者和修行者。这让老子在当时那个没有任何科学仪器可以利用的时代，能够一念洞察万事万物的宇宙本源，从而发现了那个主宰宇宙一切的本源性力量。

当然，老子并不是一个纯粹的天文爱好者。老子也继承了中华文化的一贯传统，就是一切的探索最终还是为了服务于人。在老子的一生中，经历了乱世人心的种种苦难与纠结，最终，他将对人世间的感受与他对天道的探索，建立起一个因果逻辑。这就是为什么老子要对着人间说天道的原因。

众所周知，从古至今，芸芸众生大多只关注自己的想法，若是能够跟别人的想法有一丁点的联通和对接，就是很有修养的人了。正因为大部分人只关注自己的想法，也就意味着大部分人不会关注别人在想什么，即使有时在形式上关注他人的想法，更多的也是为了实现自己的目的。由此可见，大部分人只是活在自我当中，每个人都很孤独。

作为哲学家的老子，发现了大于个人想法和力量无数倍的那个叫大道的力量。这种力量决定着每一个人的一切，自然也决定了每一个人的想法所产生的最后的效果。这种力量是客观存在的，是个人的主观意志改变不了的，是周而复始永恒存在的。这种力量无形无相，但又无处不在。这种力量缔造了世间万事万物和人类，甚至包括所有生命，同时又存在于万事万物和各种生命之中。人类用自己的肉眼无法寻觅，但同时又无法摆脱。这种力量是万事万物的源头，在人未出现之前，在很久远很久远的过去，它就已经存在了。而且，还将继续存在下去。人类的文明中并没有记载这种力量是什么，许多人也搞不清楚祂到底是什么，用生活和科学中的概念也无法概括祂，这种久远而永恒的存在，决定一切的巨大的力量感，犹如世间的神灵神秘莫测。

老子对于道的发现，揭开了人类理解自己生命和生活的新篇章。

一、“道”是人类与万事万物的“共母”

没有母亲的孤儿是可怜的，母亲怀抱里的孩子是最令人羡慕的。

孩子在断乳时是非常痛苦的，小的时候离开父母被送去幼儿园，孩子感到了巨大的恐慌，像是面临死亡，躺在地上撕心裂肺地哭喊……

长大了，孝敬父母就成了人类的基本伦理。若是一个人不能善待自己的父母，周围的人就会怀疑他的人性。

这些都是人们关于生活的基本感受和常识。

可是，又是谁缔造了地球、宇宙和人类以及世间的万事万物呢？换句话说，人以及天地间万物的父母又是谁呢？人类的文明已经进化了几千年，人们找到自己的父母了吗？我们是父母怀中幸福的孩子，还是找不到父母时那个可怜的孩子？对于这些问题，许多成年人已经不再思考了，因为他们觉得，他们已经长大，似乎不再需要父母。或者，他们已经为人父母，也就失去了依赖自己父母的那种情怀。也许正因为如此，许多成年人开始变得冷漠。

作为哲学家的老子，发现了人类与万事万物的“共母”，也就是道。老子智慧的贡献在于，他试图唤醒人类恢复与母亲的这种母子依恋关系。

于是就出现了人类文明史上一个重要的哲学问题：人类的主观思想如何恢复与客观规律之间的有机联系。

在人类个体幼小的时候，母亲负责照顾我们肉体生命的成长。个体成年之后，肉体生命的成长不再是主要任务，人们渴望得到更多的智慧。每个生命都有两个“母亲”，一个是生育自己生命的母亲，另一个就是赋予我们智慧的“母亲”。每个人的肉体若是没有母亲的养育，很难长大，甚至无法生存。每个人的精神，如果没有智慧的养育，可能无异于动物。

由此可见，健康、健全的生命，都是超越了自己肉体范围的，一个人若是离开了自然和人类社会，将无法存活。因为每个生命与周围的自然环境和人文环境，都有着密不可分的联系。于是，人类发现了三种智慧，用于保障个体生命与环境的和谐关系。

一是联通智慧。生命不是孤立的存在，而是与宇宙万物联通的实体。人生活在地球上，也生活在宇宙中。关键是，人的生命与宇宙的可见与不可见的各种存在都是有联系的，只是我们身处其中，没有足够的感知罢了。由于人类感知能力的有限性，人们只能感受到与自己生命相连的少数可见的存在，比如，我们在地面上行走，无法脱离地心的引力、没有人能对抗四季的变化、耕种要根据节气来安排……世界上只有极少数人拥有更加强大的感知力，能够感受到与周围万物之间的联系，比如与周围的大树、花草等各种生命之间的联通，甚至包括与自己远古祖先之间的联通。但对于大部分人来说，真我被封闭，自我的意识只是和自己的欲念目标相联系。除此之外的存在都会被自己的自我意识所屏蔽，处于近乎隔断的状态。

二是天道智慧。在确立和确定了“联通智慧”的基础上，真我觉醒，人的意识就会超越狭隘的欲念目标，就能够和自然环境中的一切存在、社会环境中的一切客观规律之间建立起畅通的联系，从而走进“天道智慧”的境界。如此这般，人类对自然环境的理解与保护、对其他生灵的爱护也就变成了对自己的爱护之本能。人的主观之外皆为客观，皆是那个不以人的主观意志为转移的客观规律。用主观意识去对抗客观规律，就是真我没有觉醒的状态。在这种对抗中，任何努力都是徒劳的，任何与大道规律相对抗的努力都是人生的挣扎。如同人们所说的那样，在错误方向上的任何努力，都不会达到所预期的目标。而主观与客观大道对抗，就是典型的错误路线。

客观大道有自身的动能与规律，人类的主观只有认识了这些规律，才能运用这些规律，而不能违背这些规律，否则就会受到规律的惩罚。这也是现实人生中痛苦与挫败产生的根源。

当然，需要特别明确的是，真我是人的生命的真正主体。相对于人的真我而言，每个人用自己的主观意识所认识的那个所谓的自己和自己的主观活动，是人类创造出来的次一级的客观存在。唯有当真我觉醒的时候，才可能将主观的自己和自己的主观作为对象进行审视。这既是真我觉醒的前奏，也是真我觉醒之后的状态。

需要特别提出的是，有一个往往被众人所忽视的客观存在，那就是自身的生命。如果此生能够发现那个真我的存在，那人的肉体躯壳或者皮囊就是人的真我寄居的载体或者道具。

人类或者人生，唯有在真我这个生命的主人觉醒之后，主观能动性才能在真我的引领下，洞察自己主观意识与客观大道相对抗的真相，才能让主观意识服从、顺从于客观规律的大道。纵观古今人类历史不难发现，人类正常的生命活动都不能超越大道规律的边界，而只能在规律的疆域中摸索、证明、印证和应用。自然，“合于道”才是真我主导下的人生，也才是真正的人生。当一个人明白并遵守“合于道”的法则时，做事就轻松快乐，与人相处就和谐共进，生命就可能健康和长寿。当一个人真我觉醒时，就会站在智慧的巅峰，就会从容面对、悦纳、接收并感恩与生命发生联系的一切。

三是人伦智慧。在远古时期，人类产生了懵懂的觉醒，似乎在我们的生命和我们的主观意识之外，还存在着无限的存在和巨大的能量。在那个时代，人类还没有现代人的科学技术可以使用，完全凭借人类这种高级生灵的一种灵性的感觉。有趣的是，远古人类创造出了巫术和一些祭祀活动，作为完成不可思议的沟通与联通的方式。尽管现代科学技术已经有了突飞猛进的发展，尽管当代人自以为是地在嘲笑古人的幼稚可笑，尽管他们自以为得意地享受着自己所创造的物质生活，尽管他们都在费尽心机地构筑自己的小日子，却遇到了一个天大的难题——一个用科学技术很难解决的难题，这就是心灵的焦虑和苦苦追求但又难以得到的幸福生活。实际上，造成这种困境的原因只有一个——人们所有的思虑和努力都在围绕着自己的小我在旋转，越来越多地割断了与宇宙、地球、万物、祖先和他人之间的联系。

中华文化的“道德五典”——父义、母慈、兄友、弟恭、子孝，很显然，是人间的伦理道德，但在其背后隐藏着远古的天道逻辑，也就是父母、兄弟、儿女相互之间的联系保持畅通的基本法则，这也是维系中华文明五千年没有中断和不断走向强盛的关键所在。进一步观察我们的现实社会不难发现，那些缺乏历史文化积淀的民族与国家，往往都是以主张“小我优先和自私自利”作为其核心理念的，这种理念的低级和错误，也给他们的民族与国家带来了难以摆脱的困局。这种基本层面的理念，中国人在几千年前就已经搞清楚了。当代中国人正在观察着这样一个历史大势的演变。当然，中国文化功底深厚的人，会看得更加清楚。

想想看，难道现代化或者时代的进步就是让人类重新回归小我和自私，就是要隔断和其他亲人、周围自然、社会环境以及民族历史的联系吗？难道一个人只为自己，甚至独居才是一种现代生活的标志吗？或者，从当事人的角度来看，这不正是他们试图联系而未能通畅或者干脆放弃联系、切断联系之后出现的一种人生的卡顿吗？静心想想，如果一个人只顾自己眼前的物质利益，没有精神生活，没有与历史文化和祖先的联系，甚至与父母的联系都很少，最终与其他人的联系也越来越少，这种状况还能保障自己心智与精神心理处在正常状态吗？实际上，我们在医院中所见到的类似情况，更多的是一种人生困境的表现。小我、自私、物质和遇到联通不畅时的决绝，恰恰是东西方文明公认的一种人生问题。

明白了上述原理，当然就懂得了确立自己与民族历史、祖宗先辈、父母和兄弟姊妹、相遇的人之间关系友善与畅通的重要性——这种关系恰恰是生命的本质所在！离开这一点，我们就无法保住自己的正常状态。说到这里，我们就有希望恢复生命的联系和生命的正常状态：对在世的亲人要孝敬、友善、帮助；对逝去的亲人要缅怀、祭奠、感恩。一个民族有自己的血统，有自己光辉灿烂的历史，更有创造光辉历史的祖先。为此，我们要学习并传承自己民族的优良传统，要敬重和祭拜自己的祖宗和圣人，才能重新恢复正常的状态：自我、小家、大家、国家、人类以及万物融为一体。因此，相应地就发展出有关的道德准则——对朋友要真诚，对陌生人要友善，对同事要关怀，对差异要体谅，对国家要忠诚，对同类要友好，对万物要敬畏，对未知要谦卑。人类生活在宇宙中，自我无法孤立存在！人类生活的地球就是一个“地球村”，因此，面对不同国家、不同民族、不同文化，要倡导互相尊重、求同存异、友善合作、共同发展。这都是依循天道法则建立的，离开“联通状态”，离开“天道智慧”，人类就会将“道德”变成“伪德”，甚至会蔑视道德的存在，最终就会向着低级动物的方向滑落。

若是此生能够让真我觉醒，若是能够领悟天道智慧，若在此基础上坚定不移地确立人伦法则，人类才能真正进化。

作为人类个体，如能将人类“联通智慧”“天道智慧”“人伦智慧”做到畅通和完美，就有希望在真我觉醒的基础上做个好人和善人，就有希望将主观与客观完美地融为有机的整体，就能够成为悟道的圣人、伟人。

二、“道”对着人说：“从小我这儿走出来吧！外面的大道才是自由！”

动物的感情是多种多样的，既有长相厮守的爱侣，也有交配后就吃掉对方的夫妻；既有一夫多妻的大家族，也有交配完后各奔东西的“露水夫妻”；既有耐心教自己孩子一步步成长的父母，也有吃掉自己幼崽的真正的畜生。

人类自诩进化到了高级阶段，渐渐摆脱了动物般的孤独、自我、本能和自私自利。其实任何发展与进化都是曲折的，每个时代，进化与退化的现象都同时并存。

君不见，有不少人只学科学，不学文化，只向往未来却忘记了历史，只爱自己顺便爱一下自己的儿女，却无暇顾及父母或者已经去世的祖先，只管自娱自乐、自私自利，却忘记了民族和国家。

君不见，尽管父母对自己的子女抱着美好的愿望与幻想，却将很多自我的主观臆断强加给孩子。幼小的孩子被父母美好的“自我”不断影响着，要么是硬性的强迫，要么是软性的纵容。他们在按“自我”的指令行动着，这样的父母真的懂得作为一个独立生命的孩子的成长规律吗？由此可见，在最亲密无害的关系中，父母和长辈的“自我”主宰着一切。我们摆脱了动物界的很多兽性，但又被一种难以识别的“自我性”禁锢了。我们能从“自我”中走出来吗？

君不见，在与朋友的交往中，有很多人只关心自己的利益和诉求，只会说自己的道理，却没有耐心去听对方的道理；即使听了对方的道理，也先急着去争辩或者反驳，因为他觉得只有自己才是正确的。又有几个人愿意去说对方的道理呢？当然，这种人现实中还是有的，大多数时候是那些别有用心的小人在这样做，至于那些自诩为君子的人，是很难去理解对方的道理的。你看，走出家门后，在与朋友的交往中我们依然戴着“自我”的枷锁。我们何时才能从“自我”中走出来呢？

君不见，在芸芸众生当中，学习也好，工作也罢，还不都是为了满足自己的生存需要？有几个人想过或者想明白了自己的精神生活是怎样的？有几个人想明白并愿意将自己奉献给众生？又有几个人在自己的尊严和利益受到触犯时，能够保持平静和微笑？“我”，还是那个“自我”，那个“小我”，束缚着无数人的心智。也许有人会说，你有什么权力要求我们放弃自我？是啊，我们谁也没有这个权利。可是，你说的那个自我并不是你的真我啊！你越是为自我，你的真我就越是痛苦啊！一心为自我，就会跟很多人发生冲突，就会在许多事情上受到伤害，就无法在人生中触及最高价值，就无法在人生中得到彻底的解脱！一个人明白了这些，还会坚持那个为自我的权利吗？许多人所维护的自我的权利，在结果和实质上也就是自己受伤害的权利，也就是自己受苦的权利，也就是自己永远得不到解脱的权利。

悟道的圣人，不仅看清楚了这一点，也在自己的人生中做到了。他们能够跟万事万物、万人万象自由顺畅地对接，没有对立和冲突，没有纠结和痛苦，没有损失，只有自然的万般收益，没有小我却有大我，超越大我而达无我，因无我而永恒！

圣人老子以俯视人生和众生的高度智慧，呼唤人们走出自我，认识小我，先成大我，再达无我，从而达到悟道的高度：无忧无惧，无损无益，无我无他，自在逍遥。

人类与万物都是大道之子，来自大道的造就，活在大道的运行之中，最终又回归大道的怀抱。明白并做到这一点，犹如得到大道的护佑，实质上是得道的自己在护佑自己而已。

圣人苦心告诉众人生命和天地的规律与秘密，唤醒人们重新回到大道母亲的怀抱，让人们忽视或者断绝了的与大道母亲的关系重新得以恢复，从而成为一个完整和健全的生命，从而有希望让真我复苏。道缘、天缘、命缘，再续前缘，人类才能在小我、自我的一次次蜕变中重生。

《道德经》的核心思想与中华信仰

一、《道德经》的核心思想是什么？

《道德经》的核心思想是什么？

有人说，《道德经》五千言，都在说一句话，就是顺应自然，遵守自然规律。

有人说，读经千遍，大道至简，剩下的核心内容就四个字——顺应规律。

有人说，《道德经》为人们指出了一条光明大道：唯有战胜小我，才有大我，才能无我，才能无限！

有人说，《道德经》的核心要义，就是“内圣外王”的逻辑，自己的内心强大到、智慧到什么程度，外部的人生和事业就达到什么程度。

有人说，《道德经》就是唤醒生命的真我，从而让有限的主观认识服从于客观规律，走出主观与客观对抗的无尽深渊，走向光明的无限天地！

有人说，《道德经》简直就是一本百科全书，领悟《道德经》的思想，可以用来保护自己的健康，可以养生；管理自己的家庭，可以兴家；管理自己的事业，可以兴业；治理一个国家，则国家兴旺，天下万安。

有人说，《道德经》的思想精髓是“自然”，也就是一切存在都是有其必然性的，一切相遇与发生都是有着必然的关系的。在一般人看来，“道”在老子的《道德经》中处于核心地位，但别忘了老子还这样说过，“人法地，地法天，天法道，道法自然”，最后，“道”还要法“自然”嘛！所以说，“自然”才是《道德经》的最高范畴。这里说的自然有两层含义，一是包围着我们的大自然，它既托载着我们，也为我们所拥有，既孕育了我们，又在我们中间。二是自然而然，自自然然。“谁挥鞭策驱四运，万物兴歇皆自然。”人类有限认知中所感受到的“不自然”皆是因为主观意见掺杂其中所出现的一种假象。

有人说，《道德经》的思想核心就是“道”和“德”二字。宇宙中存在着一个亘古不变的永恒的大道，人行于道上，叫作德。但要注意的是，在老子的《道德经》中，“道和德”并不是并行的两个概念，而是逻辑上存在先后顺序的两个概念，也就是说，道生德。

有人说，《道德经》就是中国人的核心价值观——尊道贵德！

有人说，《道德经》的中心思想是“无为”。此无为非不为也，乃是指真我觉醒的人，也就是拥有大道智慧的人，放弃自我私念，顺乎天道，合乎阴阳，如水利万物般不争之思想。以道为本，悟道者则知“民心为上”，此处所指之“民心”，并非民粹之恶俗，而是民未觉之前的状态之合理性和走向觉醒的必然性之间的联系，也即人心向往并合于天道的必然。故有“得民心者得天下”之断言，即是如此。若是错误地将民心锁定在民粹上，即会发现一个历史周期律背后的秘密：当人心走过了低维而渴望高维时，若是身在高位的人没有处于高维的自我觉醒状态，就会与民众的真我渴望相背离，就会出现“虚位无用”的尴尬，最终就会被推翻、被淘汰。这就是历史周期律背后的秘密。

说到底，不管人们如何理解和概括，《道德经》的思想精髓离不开一个“道”字。

老子把道作为最高信仰符号，告诫世人要顺应大道。

《道德经》开启了人类心智真正步入正途的光明大道——清静无为，道法自然。

世间君子，皆以静修身，以俭养德，非淡泊无以明志，非宁静无以致远。其核心说的就是让人的心智“熄火”，人算不如天算，实则是老天根本不算，只是俗人在那里枉费心机。若是能够明白这一点，主观与客观的这场无休无止的战争就可以烟消云散了。

老子身体力行，一生恪守“三宝”：一曰慈，二曰俭，三曰不敢为天下先。老子的“三宝”，正是老子悟道和悟道后的人生模式。到如今，谁人可与老子相比？故而有后人的“老子天下第一”之赞誉。

二、中华民族到底信仰什么？

文化说到极致，自然就到达信仰的层面。

实际上，信仰是一个涉及人类的极其久远的精神状态与活动。

说到人类历史，常常会提及太古、上古、远古等词语，都指向人类古老的年代。太古时代，是目前划分的最为古老的时代，也就是我国传说中的盘古开天辟地的时代。远古时期也就是指从原始人类出现到文明初步出现的这段时期，同时也是中国神话较为集中的时期，女娲造人之类的故事便产生于这一时期。上古时代是指现存文字记载出现以前的历史时代。世界各地对上古时代的定义也因此而不同。中国的上古时代一般指夏以前的时代。“中华文明探源工程”研究成果表明，在距今五千年前，中华大地已出现了国家形式，与传说中所描述的天下万国、天下万邦的情景相吻合，该时期称为上古时代。中华文明的起源和早期发展，是一段没有被文字直接记录下来的历史。“中华文明探源工程”的另一重要成果是丰富了对人类文明起源的认知。中华上古时代的人物有：有巢氏、燧人氏、伏羲氏、神农氏、轩辕氏等。

据传，在中国历史发展中，也出现过崇尚超自然力量并将其神格化的状态，甚至也出现过“天帝”“上帝”“神帝”的一些说法，巫师和一些祭祀活动常常就是人类与超自然力量沟通的桥梁。直至殷商时期，依然存在着“天选之人”“天子”的身份法统，这也说明中国人曾经有一种想象出来的将人间和人之上的世界联系起来的特殊方式。

在殷商与周朝交替的那个时代，中国文化中出现了一种极其重大的文化事件，即使是作为天选之人的天子，在人间也要恪守人伦之德，正所谓有德者居之。随后的周朝替代了商朝，以“周公制礼”为代表的“人德”开始成为新的核心。请注意，这样的一个变化并不是人德对神权的替代，而是从神权到人德的延伸，或者说是天神与人德的连接。从其逻辑上看，对人德的重视并不是对神权的否定，而是神权与人德的统一。可惜的是，由于人德的现实性和易感受性，人德在周朝大行其道，而那朦胧意识下的神权和不易感知的神权背后的真实性力量却渐渐被弱化了。

从“神权”向“人德”的信仰文明进化，华夏民族可谓是一马当先，甚至可谓是一骑绝尘。在三千年前的古人类文明中，只有华夏独自走出了神权的掌控，成为一个“异类”。中国人三千年前完成的这样的一种文明进化与跨越，于那个时代而言实在是过于早熟的世俗文明。即使与今天世界上普遍存在的信仰形态相比，依然是处在信仰的巅峰的。

到了两千五百年前，以人德为核心的弊病日益凸显，兴盛的人德渐渐出现了礼崩乐坏的局面。毕竟十分重要的“人德”一旦沦为纯粹的人的主观意志的产物，也就注定了其局限性。幸运的是，在中华文化的进化历史中，总会在恰当的时候出现相关的人和进化接续的思想指引，这就是老子和孔子两大圣人思想的出世。老子与孔子这两大圣人的相会，也正反映了这个时期中国文化所出现的一种特殊形态。随后出现的诸子百家的文化繁荣，背后也是老子提出的“天道”与周公和孔子所不断强化的“人德”相互交融的一种特殊的景象。

毫无疑问，信仰不管其形态如何，都是人类精神或者心灵生活的必需品。在这一点上，它是超越了历史和民族的。为了更好地理解天道与人德的关系，我们有必要观察一下西方信仰诞生之初的景象。回到其源头进行观察就会发现，那些创立西方信仰的特殊人物——“先知”或者“神之子”，他们本身也遵循着“天道”与“人德”统一的逻辑，否则就难以取信于人。只是他们的后人在利用他们的思想做工具去谋取自身利益，但在心性和言行上却背离了先知们给予他们的思想教化。

老子《道德经》中所表述的天道思想，无疑是那个时代极具里程碑意义的一个创举，其所提出的“天道思想”，以“有物混成先天地生”和“象帝之先”，直接对宗教式的神权信仰进行了“道式”摧毁，将周朝之前的以“天帝、上帝、天神、天意”等上天意志为主流的原始神权信仰，直接推进到对“天道”的信仰：人与天地万物皆是天道造化的结果。天道无处不在，人也是天道显化的存在。在客观上，人与天道是一体的。正是基于这样的一种逻辑，人的生活要遵循天道，要在遵循天道的基础上细化成人间之德，如此才能成人。若能觉醒就能够运用人生中的一切修道，进而悟道得道。这也就成为中国人最高的理想，得道成圣！从此之后，“信道崇德”“天道人德”“遵道成人”“合道成圣”就变成了中国人信仰的基因。这也是两千五百年前中国的圣人们所完成的对信仰这一重要主题的科学人文化成果。

直至今日，在科学如此发达的今天，“崇尚客观规律为真理，恪守人文道德为人性，修道悟道成圣为目标”依然是中国人最为主流的信仰思想。这里需要提到中国人信仰的三个核心信条：一是“因果律”，这是一个贯通自然和人文的科学规律，是一切人文法则必须遵守的客观规律；二是“良心律”，这是一个以人之人性和每个人的良知良心作为人间生活核心法则的信条，是属于人的类的自我规定性。而且，这两个规律又相互作用。在人与事经常交叉的区域，会联合使用“因果律”和“良心律”，“善有善报，恶有恶报”这样的信仰信条，就是最为典型的表现；三是“修道律”，人生就是一场修行，就是借助于所遇到的一切人、事和物，勘破其表象，深入到真相中，领悟天地人间的大道。这样就能从世俗生活的纷乱中走到根本之处、源头之处，洞悉生命的真相，也是人生的终极学问与答案。也正因为如此，中国人的常规信念思维就有了三个法则：遇事首先要看事物本身的客观规律，遇人首先要用良心作为思考法则，借助于一切来修行悟道，让自己的真我觉醒，在人生的结果的综合判断中，使用“反求诸己”“自省改过”“修道改命”“回归真命”的原则与方法，最终实现一个本来自然的人生目标——成为自己的人生主宰。

在近两千年的中国文化发展历程中，中国本土宗教和外来宗教虽然对中国人的信仰文化产生了十分重要的影响，但深入观察中国人的信仰就会发现，在文化形式和心理活动层面上，人们对抽象的、无法全面准确感知的、超出人类能力的存在保持着敬畏。在重大或者涉及生死的事物上，绝对地相信人自身的努力，不会相信那种超自然力量的帮助。在一般和具体事务当中，人们恪守着良心的法则，也就是同理心和利他心，“己所不欲，勿施于人”“己欲立而立人，己欲达而达人”。在遭遇一些不和谐的事件时，强调“相互让步”“自我反省”“重回和谐”的恢复正常和“不打不成交”的借事深化友情的美好追求，正所谓“和为贵”。在中国近代史上又进一步向前做了更深入的演化：以斗争促团结，斗理不斗人，斗争是为了团结，斗争是为了明确真理。这也构成了团结和斗争的真理。

不得不说，中华文明所完成的这样一个文明的跨越，原本是本自自然的，但对于现实来说，又有着或多或少的玄幻。甚至对于很多人来说，在自己为生存奔波的时候，根本无暇顾及这样的超现实思想与超现实的目标。在人生历程渐渐超越了一般的生存状态后，又会莫名其妙地转向这样一种超现实的目标。若是自己的生存没有更高目标的指引，或者生活已经超越了生存，但又没有更高级的目标出现时，人往往容易陷入精神的迷茫。这就形成了人类现代精神类疾患发生的现实土壤。

不得不说，中华文明所完成的这样一个本质自然的对现实的超越，形成了中华文明生生不息的一种巨大的生命力。当然，这还是在绝大多数华夏儿女未能明白，只是少数中华先知洞察和无数精英朦胧感知的状态下，就已经形成了中华文明生生不息的大势。许多先冷静下来的观察者，发现了中华民族的这种奇观，但他们很难深入中华文化的深层去发现答案和密码。反观西方的神权信仰和世俗模式，西方人停留在对神权的梦幻般的信仰中，却又在现实中选用了世俗模式来诋毁自身对神权的信仰。说到这里，想起西方一位心理学家所说的一种奇怪的现象，记在《我们时代的神经症人格》这本书里。而两千多年来的中国人早已经做了一种笃定的选择——我命在我不在天。此处所言“我命”之“我”，是觉醒了的“真我”，是大道造化生命的“真我精灵”。这就是中国人修道的真言，也是中国人从神权统治下的奴仆转化成自己生命主人的智慧与壮举。

中国人找到了自己生命回归的修行思想：“我命在我不在天！”虽然民间有许多求神拜佛的人，但跟西方的宗教信仰不同，中国人的那些貌似宗教仪式的举措，更多的是一种心理游戏，他的真我一直眯着眼睛在审视：一时迷惑时可以做做仪式，关键问题上只能相信自己、依靠自己。很显然，这个自己既不是红尘中痴迷的自己，也不是肉体的自己，因为这些都不是真我的智慧与力量。如《易经》乾卦所言，“天行健，君子以自强不息”，唯有让红尘中的那个虚假的自己进入“虚极静笃”的状态，才能让真我回归天道，才能出现“静极生慧”的奇迹，也是真我觉醒后的平常！

中国人骨子里就不相信有什么外在的力量可以赦免罪恶和拯救自己。说来说去，“唯有觉醒的自己——真我，才能真正地救自己！”这句话，概括了中国人的人生观。看看世界上各个民族，如中国人这般勤奋勤劳、善良智慧的，能有几个？这是一种持续了几千年的早熟的文明思想与智慧，成为中国人内心深处的思维而达智慧的基因。

中华民族，看似只重德，不畏威。但中国人的本质却是，对于那些真我觉醒后的奉献者，也就是我们所熟知的“全心全意为人民服务”的先知们，中国人会自动地将他们视为神一样的存在。在中国人的心目中，所谓的神灵就是能够达到神格高度的人。如同佛教中所说的那样——佛就是觉悟的人，人就是没有觉悟的佛。

中华民族曾经以其文明普照四海。时至今日，中国在国际上对待其他国家和民族，也是以德为先。在对待所有人都“以德为先”的背后，是真我觉醒后的文明已经登上了人类文明信仰的巅峰。在真我觉醒的实践中，中华祖先几千年前就明白了这个道理：以真我觉醒为根基的德教，加于百姓时，百姓才会敬服君主。实则不是君主的肉身，而是君主的真我——奉献自己为百姓的真我，这才是“真命天子”的真意。当然，华夏文明也对真我境界与世俗凡恶之间的差距有着足够的认知，你对他们好，他们就会对你更好。若是你对他好，他却视你为懦弱，那就要时不时地加力给他们。一旦他们有所觉醒，就又会回归到天道人德的轨道上。不懂得此道此理，就难懂华夏文明的真谛。

这就是中国人信仰的“天道”智慧：“顺天者昌，逆天者亡”“逆天之小胜，必生自毁之大败”。无论万事万物，都是如此。《道德经》的思想精髓，就是阐释“道主生”的核心逻辑，就是告诉芸芸众生，要相信天道，方能做到“顺天者昌”。

概括起来，中国人的信仰可以表述为“中国式的道德主义”——笃信天道规律，运用天道演绎人德法则，通过人德的实践去接近天道境界，并让自己的生命和人生最终与大道合一。

三、中国人的“道德主义信仰”之优越性

读《道德经》可知，老子早在两千多年前就指出了，有一种比我们现在所说的天帝、上帝还要久远的、巨大无比的、真正具有源头和终极决定性的力量——道，也由此奠定了中华民族“道德主义”的信仰根基。从现代意义上说，老子应该算是最远古的无神论者了。老子的发现，对于中华民族来说，拥有什么样的意义呢？

老子在《道德经》第四章中说：“道冲而用之或不盈，渊兮似万物之宗。吾不知谁之子，象帝之先。”在第二十五章中说：“有物混成，先天地生，寂兮寥兮，独立而不改，周行而不殆，可以为天下母。吾不知其名，强字之曰道，强为之名曰大。大曰逝，逝曰远，远曰反。故道大，天大，地大，人亦大。域中有四大，而人居其一焉。人法地，地法天，天法道，道法自然。”对于之前也信仰天帝、上帝的中国人来说，这样的一个论断，实在是太惊世骇俗了。对于直到今天还信仰人造神的许多国家和民族来

说，文明的差距至少也要有两千五百年。

毫无疑问，老子这一思想具有极其重大的价值：一是老子思想所奠定的中华民族道德主义信仰与西方实用主义哲学相比较具有明显的优越性。二是道德主义信仰与西方对于神的信仰所导致的人的心智所出现的不同的发展方向。

中华民族信仰“道德主义”，有道方有得，此谓德；无道就无得，若是得之也实为负债，这就是无道、无得、无德的模式。故而古人说，君子爱财取之有道，君子以义生利。

实用主义貌似很务实，但因为没有回答四个关键问题，从而使其丧失了真正的哲学价值：1. 有效即真理，关键是对谁有效？如果只限于对自己，那岂不就是自私或者精致的自私吗？不也是得小失大吗？ 2. 是一时有效还是长期有效？如果只是一时有效，这不就是短视吗？ 3. 有效中包含提升人的精神和促进心灵的强大吗？精神功能与物质功能是联动的吗？如果只是物质功能，岂不是将人变成了低级动物？ 4. 在一系列有效性中，能够为长远的连续有效性、放大有效性提供良性动力吗？若是植入了恶性动力，那不是自掘坟墓吗？

所以说，看不懂一个国家和民族背后的哲学驱动，很难说清楚兴衰的交替！

按照中国人熟悉的常理来说，真正有信仰的人应该是心里边相信着，在生活中处处践行着，这才是真正的信徒啊。若是在某个地方相信着，但是换个地方就完全背弃了那些信仰的信条，这不就是两面派吗？这哪里还是信徒啊？是啊，对于很多并不熟悉西方信仰的朋友来说，我们无须讲得过于复杂。但凡跟信仰有关，基本上都离不开三个条件，一是信仰的虔诚，二是要消除自我的傲慢，三是要去爱别人。若是仅仅按照这三条来衡量他们的做派，恐怕他们的虔诚也只是局部的，自我的傲慢却是骨子里的，至于爱别人吗，那肯定是假的。

说到这里，不由得让我们想起了西方某些政客曾经叫嚣过的论调。他们自视是有信仰的，而且引以为豪。相反，他们却认为中国人是没有信仰的，还以此来诋毁中国人。岂不知，他们形式上似乎有信仰，但在本质上却是时时都可能毫不犹豫地背叛信仰的人，因为他们信奉实用主义啊！有人曾经分析过西方人的实用主义，发现实用主义是存在于宗教信仰的原教旨主义和纯粹的世俗主义之间的第三种形态。这种形态不就有希望摆脱原教旨主义的僵硬刻板，又能超越世俗主义的野蛮与功利吗？但真正的现实却是，他们的实用主义把原教旨的信条放进了教堂和仪式中，却把野蛮与功利放在了国内的文明背后，同时也放在世界其他地方的会议室和舞台上，乃至于协议中。明白了这一点，我们就能够明白西方人的文明其本质内涵和结构是什么样子的了。

与西方人的信仰形成鲜明对比的是，中华民族的道德主义信仰，以天地自然和人间社会人心的规律作为最高的法则，无论是从个人还是从集体，乃至于国家层面，一切思考和行动都要以这个最高的法则为自己信仰的出发点。关键是中华民族坚信有道才能有得，也就是人间所谓的有德。否则，违背了最高的法则，就是无道，也就不可能得到自己真正的利益。即使侥幸得到一部分，也将会失去更多，这就是所谓的得不偿失，这就是中国智慧的优越之处：将天地、自然、人心、社会的规律完全贯通，即“天人合一”；关键是还要在自己的内心和言行中坚定不移地去贯彻和执行，这叫“知行合一”；如此这般，才能够形成自我人格的统一性，因而避免了人格和精神的分裂，这叫“自我统一”。这三点构成了中国人“道德主义信仰”的三大支柱。当然，从现实性的角度来说，并不是每一个中国人都能达到这种信仰级的智慧高度，但方向却是明确的。因此就能解释和理解，那些在现实中努力但又痛苦的人，往往就是没有完成“天人合一”和“知行合一”以及在此基础上完成的“自我统一”的人。解决这个问题十分迫切，因为随着社会快速的发展，很多人伴生了精神痛苦甚至焦虑抑郁。好在中国很幸运，在近代中华民族命运最低谷的时刻，出现了一批先知般的人物，其中的领袖就是深悟“天人合一，知行合一，自我统一”这一中华民族道德主义信仰三大法则的人。正是因为有了这样的领袖的引领，正是因为有无数精英对这一信仰的领悟，中华民族的国运国势才会有今天如此强劲的状态。

老子的《道德经》是奠定中华民族“道德主义信仰”的关键，也是如今社会主流的道德价值观体系背后的哲学支撑。中华民族的复兴是道德主义信仰实践的成功，也是中国人“道德主义信仰”的优越性所在。

由此可见，老子《道德经》中的思想不仅推翻了两千五百年之前的天帝、上帝的有神论信仰，还创建了中国人的“道德主义信仰”的哲学思想逻辑。比起西方人的信仰和实用主义，至少先进了两千多年。作为中国人，你对中华文化的自信是不是更确定了呢？感受到老子《道德经》的美妙了吗？

老子与《道德经》之心迹寻踪

人们总会问，为何是老子发现了“道”？老子又是如何建构起《道德经》的思想体系的呢？

一、圣道之四大背景

要理解老子对“道”的发现，就要从老子本人和他所处的时代去寻找蛛丝马迹。

第一，上乘根器

任何时代都有众多优秀的人，又有几个能成为圣人的呢？世界上最崇高的理想是人人平等，但是很遗憾它是不可能实现的，因为人生来就不平等的。这一点，无论是谁、无论如何都是要承认的。后天努力归后天努力，先天的差别是不能抹杀的，只是我们不能轻易地给自己和他人得出“宿命论”的结论，因为人很难根据世俗表现来判断一个人的根器高低。毫无疑问，从老子小时的好学究问和发现天道人道规律来看，其根器绝非一般人可比。实际上，根器根性人人都有，只是谁能较早甚至一直能够让这个“至宝”显露，并成为生命中的主频。

第二，广博信息

有时候，一群人的头脑相差无几，可随着各自生活的变化，人与人之间的差异变得越来越大，其中一个重要原因就是可用信息的多少以及信息的等级。老子任职周朝图书馆管理的官员，他能接触诸多国家文献，这是一般人不可能获取的大量信息资源。老子勤学好问，这是从平凡中获取诸多信息的一种方法，他遍观人间世态，收入自己的心中而不是狭隘地视为无用，更不是“事不关己，高高挂起”。当然，若是根性敏锐，自然也能处处、时时与万物接通，自然就能获取无限的信息。

第三，伟大情怀

在老子周围的人中，能够像他一样接触国家级信息的人也是有的，可他们没有成为一代圣人。看来，信息资源固然关键，可为什么面对同样的信息，老子成了圣人，其他人却归于平庸了呢？原因就在于，不同的人内心有着不同的处理信息的心智程序。有伟大情怀的人，从信息中能够发现滋养人类的智慧。相反，信息要么只是知识，要么只是历史。

第四，反面教材

“乱世出英雄”，这几乎成了历史的铁律。老子所处的正是乱世，只是在那个乱世中，当时各方领导者不作为，相互之间尔虞我诈，钩心斗角，哪还有人一心为民办事呢？可最终谁又是胜者？老子看穿了当时的那些“反面教材”，进行了彻底且深刻的思考，找到了一切问题背后的原因，成就了其千古不朽的哲学思想经典《道德经》。

二、发现了世间一切的根本——“道”

人类的一切思考，都与哲学的“本体论”有关。比起古希腊或者古印度的“要素说”，老子对本体论的阐释才真正算得上是哲学。

老子对人类的思想贡献远远胜于西方宗教对人类与天地规律的揭示。如果说西方的思想很多来自神话般的描述，那么，老子的思想更像是古代的超级科学。

老子发现的决定一切的那个力量，既不是一般人心中的神，也不是什么莫测的神秘，而是一种叫作“道”的力量。正是这种力量决定并主宰着一切。老子认为，世界不是神创造的，也不是宇宙大爆炸产生的，而是有一种力量，我们无法具体描述，如是称为“道”。如果把世界比作一款游戏，“道”就是这个游戏里的所有规则。

老子没有走向宗教，也没有走向神秘主义的不可知论。尤其重要的是，老子把道的规律在天地人间的显现进行了总结：虚而不屈，动而愈出。负阴抱阳，冲气为和，谷神不死，恍兮惚兮，物象精信，天地不仁，上善若水，其犹张弓欤，利而不害，等等。

三、美妙的演绎：天道与人道

天地与人间，本来就是一体。人道来自天道，天道无言，唯有圣人代言，唯有悟道者印证。一部《道德经》，可以说就说了一个主题——道，一说天道，二说人道。

天道如橐籥，如虚空，又如神灵附体；人道则因此有了谦虚谦卑、尊道贵德、处处道场的领悟。

天道可说，可说又非真道；人道则因此有了自知、尊重和协商，有了对自我的节制。

天道无言，决定一切；人道则倡导不言之教和行胜于言。

天道不仁，利而不害，常与善人；人道则是上善若水，善利众生与万物，不争名夺利，自处卑下。

天道公正，损余补缺，执掌平衡；人道则是慈俭不争，知足、知止、质朴和真诚，善待一切则可自保。

天道独立周行，循环往复；人道则有虚极静笃、克服急躁、避免浮华的冷静。

天道无为而无不为，为而不居功、不自是；人道则有修行静心、欣赏众生、成就众生、服务众人、甘做公仆的境界与感恩一切的玄德。

天道不争，一切自足，一切都是一体；人道则有静心节欲、珍惜拥有、悦纳一切的智慧。

四、击中要害：五类自私

《道德经》的核心思想指向，是教育现实中的领导者和普通百姓，唤醒痴迷众生。

人间万苦，皆来自五类自私。

一是追求个人过分的、无限的物质利益。

二是固守自我有限的知识经验、停滞不前的思想观念。

三是一旦有所成即居功自傲，一旦有所长即自以为是，一旦对人有所助即自以为有恩于人，一旦有优势即自觉优越于别人。

四是因为自己发心良善，则不再重视方法策略，不顾及别人感受，形成了一种友善的霸道。

五是遇到问题缺乏自省的能力与勇气，反而责难外界与他人。

正是因为以上“五私”，尤其是后面几个“隐形自私”，构筑了一个自我毁灭的、自动强化的自我恶化程序。

老子给出了破解之道：节制自己的欲望，首先关注别人的利益，定位为众人付出，愿意奉献自己、造就别人。如此“无私”，即合大道，方可获得大道的力量与智慧，一切自足方可实现。“后其身而身先，外其身而身存，非以其无私，故能成其私”，说的就是这个道理。

五、圣人之道的启示

首先要搞清楚“天之道”与“圣人之道”。

圣人之道就是领导者法则。领导者要尽量放下自己的欲望，放下自己的名利和地位，为所管理的老百姓谋福利，这就是领导者法则。

老子认为“天之道”是模糊宽泛的，那“圣人之道”就是具体的，是可以在生活中实践的原则、具体的方法论。“圣人之道”必须依附“天之道”而存在。

人乃天道所造，是天道的载体，也是天道的具体呈现。然而，天道无言，圣人代言，故而天道自在，圣人法天道，世人法圣人。

世人皆可成圣，唯有抛弃俗人之见，效法圣人之法，领悟天道无言之教。

六、凡事一体两面：真正的智慧思维

天道以阴阳两股力量推动着一切事物的运转，执掌着世间的平衡。

人往往被个人欲望、个人见识、个人主张、个人爱好等驱动，要么看事物只看一面，要么在事物中只选取自己喜欢的一面。然而，这一切都背离了大道的属性，每当只重视一面时，就会无意中强化其反面，于是，人的选择往往是从喜好开始，以激发厌恶增长而终。

悟道者，明白凡事都是一体两面，于是，见正面而识其反面，见反面而识其正面。故而能够做到“喜无狂，逆无嗔”，平和冷静，喜不至于生悲，悲不至于转灾，这才是人世间真正的平安。

七、天道唯善：一切围绕着上善主轴

世人痴迷，凡事利己。

利人也假，贪图回报。

利人有别，善变生意。

人若不报，善改怨恨。

善本自性，俗人积德。

行善是本，怎能自夸？

大道执掌着公正的利剑，伪善者露出真容！

大道巡视着人间的一切，让恶者自食恶果！

大道对待众生不偏不倚，都会以因果报应！

故而：

明道者一心为善，也不自以为善。

明道者诚心改过，绝不自我掩饰。

明道者静心悟道，故得大道神助。

明道者杜绝居功，故有功更谦卑。

明道者省察自心，故时刻保平和。

八、明道而心明：皈道而管理自己

俗人之愚，以为自己最大。

俗人之痴，在于自贱自卑。

俗人之灾，在于无法承受。

俗人之祸，在于贪多求大。

俗人的错误，皆来自自我认识，皆来自过分相信自我主张，皆来自有所成时即走向失智，皆来自无所成时盲目奋进！

实际上，人来到世上之前，就已经被大道的规律决定着。来到世上之后，更是被大道统帅着。只是，人顺利时，以为是自己聪明，或者认为祖上积德，却不知这是无意中合于大道的结果；一旦顺利，人就会产生虚幻的自我认知，就会自我膨胀，于是开始肆意妄为，于是遭到大道的惩罚；遭到大道惩罚，仍然不知真相，于是怨天尤人，急于翻身，进而犯下更大的错误。在这一系列过程中，幡然醒悟者寥寥。

悟道者，自知愚钝，故而不动心机。

悟道者，潜心皈道，自知大道主宰。

悟道者，静心悟道，无我而合大道。

悟道者，不再妄为，得到大道奖赏。

悟道者，平心静气，外境不乱其心。

悟道者，虚极静笃，于是真相自现。

悟道者，善于处下，处处犹如神助。

悟道者，质朴纯真，人生得以悠闲。

悟道者，人生修行，懂得管好自己。

悟道者，合于大道，于是处处神奇。

九、天道级智慧：无为不争

世人痴迷，凡事算计。

世人愚昧，自以为是。

世人忙碌，自充英雄。

世人自私，自我表现。

悟道者，懂得了自己的知识十分有限，故能终生学习、时时学习。

悟道者，明白算计只是自困的表现，一旦明白大道，就将自己交付。人做人事，不问天事。

悟道者，知道自己忙碌是无能的表现，故而能够尊重别人，自己不越雷池，让每个人自担责任，让每个人有机会表现和证明自己。

悟道者，清楚自己的责任，处处帮人进步，以成就别人作为自己的成就。

悟道者，不在自我表现，而是为众人搭建平台；不再自我夸耀，而是懂得欣赏别人，却又能冷嘲自己。

悟道者，能够激发每个生命的活力，让人人奋进，打造众人生龙活虎的局面。

悟道者，不再以功劳自居，而是让人人自我突破，人人时时新生，构筑了一个美妙的道场。

悟道者，放弃私念，利用人心的力量，铸就了一部人生的“永动机”——群体成员自蓄能量、相互学习与激励、人人自我管理、上级帮助部下进步。

这就是“无为智慧”的绝妙境界，这就是“无为智慧”缔造的美好局面。

世人恶争，相互伤害，为一句话、为一个理、为一分利、为一个虚名，甚至凡事都有人要争。实则是，很多人忽视了几个重要的事实。

一是争的几乎是毫无意义的事情，一个观点的争论你赢了，难道你成了真理的代言人？若是懂得真理，又怎么会跟别人因为一句话而争论不休？一分利或者一个虚名，亦是如此。

二是因为将精力花在没有意义的事情上，真正有重大价值的事情，哪里还有精力去思考、去谋划、去行动？真是“捡了芝麻，丢了西瓜”。

三是凡人所争皆是俗事，争到了也不足以决定一生的成就，失去了又让自己郁闷，这是何苦呢？

四是沉湎于赢别人的误区。在小事上、没有意义的事上赢别人，岂不遭人怨恨，又让旁观者笑话，自己那点赢了的感觉又能持续多久呢？

五是与俗人争没有意义的事情，忘记了自己的成长，让自己也沦为自己瞧不起的俗人。

悟道者，知道了俗人所争皆是没有意义的小事，于是放弃了“争小”，于是有了看到“大”的机会。

悟道者，明白了只要看清俗争的错误本质，就能让自己跃升到俯视众生的高度，就能摆脱世俗名利的羁绊，就能瞬间获得解脱与自由。

悟道者，跃升境界后才知道，人生重大利好皆在俗利之上，那里的境界富裕而辽阔，人只要进入那种境界，即是一切富足。

悟道者，到了高境界方知道，真正人生大利好，是没有竞争的，也没有因竞争而产生的是是非非，比如人生的幸福、全高的觉悟、融洽于万物的神通、摆脱一切羁绊的自由，乃至悟道成仙、成道、成佛之类的最高人生境界，又有几人去争呢？这样的人生境界，没有名额限制，没有资源紧张，没有外部对手，因为一切都是在自己的心中完成的。这样的美妙有几个人会成为你的对手呢？谁会跟你竞争呢？

这就是道家“不争而达不可争”的至高智慧啊！

十、大道哲学智慧

识得本体：大道主宰一切，断绝个人愚痴之年。

认识阴阳：凡事一体两面，断绝片面喜好之痴。

皈依上善：天地唯有至善，断绝自私自贱蠢行。

超越自我：解开自我羁绊，断绝自以为是贱识。

走进心道：无我而进心道，所做恪守客体思维。

明了生命：生命大道主宰，断绝贪占一身轻松。

无我合道：祛除自我合道，世间一切再无秘密。

老子的大道思想与人生的奇妙结合

人类自有文明以来，就在探索天地万物规律的路上不断摸索，但是往往因为我们的知识、智力和经验，无法触达这些根本规律。于是我们常常会发出“世事无常”的感慨，也渐渐有了“吃亏是福”的自我安慰。

很多人的一生是这样过的：

有自己的心思，自以为是，有时灵验，有时却荒唐！

有自己的盘算，都为自己，有时赚了，有时却赔了！

年纪渐长，慢慢知道了“因果大律”：一切都是自己种的“因”，往往能看到“果”，却不晓得和自己“种因”的关联。种过庄稼的人知道，播种什么就会收获什么，正所谓“种瓜得瓜，种豆得豆”。人生的一切都是“报应”。

再活上一些年，我们渐渐相信了“人各有命”的背后原来是自己的心一直在作怪，渐渐相信了“人算不如天算”，渐渐相信了“人在做，天在看”的背后是人心的规律。失去人心，就是行走人间最大的损失！

刚觉得好像活明白了，很快就会有个让你不明白的事情发生，好像命运就是来捉弄人的，就是容不得你骄傲自满。

尘世中的人都是追求事事顺遂，可是一顺利，人就会得意忘形，就会失控。失控了，就会发生灾难！

人都是回避困难与灾祸的，一旦发生，就会倍感恼怒，就会灰心丧气，就会怨天尤人！于是，在这些负面情绪的驱动下，灾难反而会持续，会加强。

你看，不管是遇到好事还是坏事，人心总是能够把这些都变成坏事！

人心能让事情变得复杂，变得祸福相依，究其根本是因为“人为财死，鸟为食亡”，人的一生就几十年，有多少人能过得了金钱这一关？

金钱再多，都敌不过人生苦短。

费尽心机得到功名的人，突然死了，一切都跟自己没有关系了！

废寝忘食挣得财富的人，突然发现，财富跟幸福完全不是一回事！

人，还在不断地探索，不停地思考，可是，又有几个人想得明白呢？

圣人心思

圣人虽然是红尘中人，却是脚在红尘，心游天际的开悟之人！

人这辈子，你可以有很多不服气，但就是别对圣人不服气！否则，你就犯了天大的错误！

想想看，几千年的人类文明，有几个人能够成为圣人呢？

即使你日日苦读，也未必能够成为圣人，又有什么资格去挑战圣人呢？

世间的人好像都在忙忙碌碌，忙什么？无非就是盘算着自己的利益。是啊，谁不为自己忙碌呢？你不为自己，又有谁会为你呢？

于是，众多人被“小我”困住，为小利出卖自己的人格，这哪里还是为了自我？纯粹是毁了自我！

老子告诉人们要“无我”。实际上，圣人关于“无我”的告诫，就是要人们去掉损毁自己的“小我”，“无小我，才有大我”！等真正到了“大我”的境界，你才能体会和认识到“无我”才是真正美妙的人生！

你能主动让利给别人吗？

你能心甘情愿地吃亏吗？

你能把别人当成自己吗？

人喜欢在自己头脑中进行各种思考。可是，老子告诉人们“道可道，非常道”。

是啊，人们总觉得自己认为的、自己正在讲的，都是有道理的！

于是，人们在自认为正确的道理中不断犯错，犯得很有道理，错得理直气壮！

实际上，我们认为有道理的，都是有限的主观对无限客观的局限认识。既然是这样，我们就要随时想着否定自以为正确的道理。只有这样，我们才会不断地超越自我，才能不断地进步。否则，固守一个自认为正确的念头，就会让自己停滞不前，也就会落后！

你能放弃说自己的道理吗？

你能专门说别人的道理吗？

你能为厌恶的人做辩护吗？

你有胆量说自己没有理吗？

人总是喜欢自己喜欢的，厌恶自己厌恶的。可是，老子告诉人们“万事反成”！

人，喜欢自己喜欢的，这不很正常吗？厌恶自己厌恶的，难道还有错吗？

于是，喜欢的人或事渐渐走向了反面；厌恶的人或事渐渐走向了恶化！

实际上，喜欢与厌恶是人的情绪反应。不管是什么情绪，都会降低人的理性水平，都会让人忘乎所以。得意忘形、悲观失望，这样的情绪都是来给人添乱的！

你能在遇到好事时保持平静吗？遇到好事后会想到可能产生的问题吗？

你能在遇到坏事时保持冷静吗？能够看到坏事背后隐藏的人生机遇吗？

人们总是希望占有更多，吃穿更好。可是，老子告诉人们一切“复归于朴”！

是啊，人们有了钱之后，谁不想穿好的、吃好的、住好的呀！

于是，穿戴越来越奢华，吃得越来越昂贵，住得越来越宽敞。

实际上，穿戴追求奢华，让心变得不安定了。吃好的，身体负担越来越重了。住的是宽敞了，可是越来越不接地气了。总之，这些所谓的好，却把人引向越来越糟的方向！

你能明白简朴养人的道理吗？

你能以大方得体为穿戴标准吗？

你能明白“吃得多，死得快”的道理吗？

你能理解住得太大反而让人消耗生命吗？

圣人心思——“不德”

世俗中的人大部分还是看重道德的。

可是，老子告诉人们“不德”。

有人可能会问，世间那么多人，没有道德还不乱了套啊！

很多人喜欢不断地跟别人讲道理，不断地指责那些不道德的行为，自己也在有意地去做很多符合道德的事情。

实际上，老子早已经看穿了世间道德的本质，也看穿了讲道德、做道德和内心深处违背道德的各种念头、思维与情绪。老子直接揭穿了这一切：正是因为不明白“道”，所以才会强调人间的“德”。正是因为道德在自身上的脆弱性，所以才会不断地被强调。因为明白大道、皈依大道的人，是会自动生出人间道德的。到了悟道的境界，也就不用总是强调道德和显示自己有道德了，此为“不德”。如《道德经》第三十八章中所言：“上德不德是以有德，下德不失德是以无德。”

想想看，墙上挂着“厚德载物”的横匾，目的何在？还是为了“载物”啊！

问问自己，你是如何建设自己的德性的。如果不懂天道人道，你的德性是真的吗？

做点小善事好像自己很心安，是在平衡自己的罪孽吧？

你能明白德性之母是什么吗？不悟天道人道，你的德性极有可能是假的！

世俗中的人还是看重多行善事、多积德的，可是，老子告诉人们“玄德”。

嗯？难道“行善积德”还有错吗？

君不见，现实中普通百姓重视积德行善，甚至连皇帝也都敬佛行善，难道这些都错了吗？

人难道不应该行善吗？不应该敬重圣贤吗？

既然是应该做的，也就是本分了。既然是本分，怎么又变成给自己增加收益的筹码了呢？

父母养育儿女，本身是人伦本分。若是借助养育之恩要求儿女什么，不就成了一种变相“投资”了吗？这份亲情和爱也就不纯粹了吧？

你爱别人是你的心愿，如果你因为爱别人而要求别人必须爱你，这不就成了一种变相的“霸道”了吗？

如果你是老板，员工为你工作，也养活了自己，你若是认为对员工有恩，那员工的贡献岂不就被抹杀了？如果你是员工，老板为你搭建平台，给你机会历练，让你提高和成长，你若是认为对老板有恩，岂不就是将老板对你的恩情给抹杀了？

说到这里，很多人可能会觉得有些眩晕：说来说去，不还是老板对员工有恩、员工对老板有恩吗？实际上，老板对员工的恩只能由员工说，而不能由老板自己说；员工对老板的恩，也只能由老板说，而不能由员工说。于是，大家都在说别人对自己的恩情，而不是说自己对别人的恩情。这就是道德的定位，这就是人道之妙。若是各自说自己对别人的恩情，而不说别人对自己的恩情，就是无道。你看，现实中父子之间、上下级之间、夫妻之间、朋友之间，有那么多的纠纷与恩怨，不都是因为人们只说自己对别人的恩，忘记或者淡化了别人对自己的恩吗？不都是因此而觉得自己做得好、别人做得不好吗？这就是人间恩怨的心智谬误。

说到这里，你能明白“玄德”的真意吗？

你为人做点事，心里还觉得对人有恩吗？

你的恩人有多少？他们的恩情还能记得多少？

你能说出多少恩人对你的恩情故事呢？

你能对别人的恩情和自己的过失念念不忘吗？

如果能真正明白圣人口中的“玄德”，就能更纯粹地看待道德与恩情了。

圣人心思——“上善”

世俗中的大部分人是相信善良的，尤其相信“善恶因果报应”。

可是，老子却告诉我们——“上善”。

难道人世间还有“上善”与“下善”的区别吗？

那就看看人间的善到底是什么模样吧！

你对人好，是对所有人好，还是只对少部分人好呢？

面对那些对你不好的人，你还能对他们好吗？

除了对人好，你对其他生命和物质形态也始终满怀善意吗？

你对人家好，能够让他感受到是一份真心吗？有没有可能你觉得是对人好但别人却不舒服呢？

你对人好，对别人有回报的期待吗？如果别人没有按照你期待的形式、时间、数量来回报你，你还会对人家好吗？会对别人产生怨恨吗？

假如以上你都能做好，别人会把你当成恩人，你会反过来把别人当成恩人吗？你能历数别人对你的恩情吗？

假如你都能做好，你会因此而有自豪感或引以为傲吗？你会变得更加谦卑而无怨无悔吗？

即使别人误解了你、贪欲变大或者恩将仇报，你会伤心吗？你会反过来自省吗？你会坚守正道不改而去优化方式方法吗？

如果你做到了上面的每一条，你就做到了“上善”。

如果你做不到，你的“善”就是不干净的，是藏着私心的，是打着“善”的旗号跟人做交易，这就是人间的“下善”！

人间的觉者，都是“上善者”！

人间的苦恼，皆来自自身的“下善”！

圣人心思——“绝学无忧”

世俗中的人多看重增长知识和变得聪明。

可是，老子却告诉我们“绝学无忧”。

想想看，现实中有谁不重视知识呢？“知识就是力量”嘛！

想想看，现实中有谁愿意被人说成傻子呢？“你家孩子真聪明”，父母听到这话心里多高兴啊！

难道这些都错了吗？老子为何说“绝学无忧”？道家为何推崇“大智若愚”？

君不见，有知识没德性的人有很多，学知识也只是为了自己当官发财，那知识的本质还是用来为自己谋私利的呀！

君不见，很多人有专业知识，却没有做人的常识与教养，你会喜欢这样的人吗？

遇到事情总是动心机，总是不吃亏，时时为自己盘算，眼珠滴溜溜乱转，这样的人你敢信任吗？

你心中有被一种真诚感动的经历吗？

你知道如何向人表达一种感动人心的真诚吗？

你知道为自己算计的人都会被人瞧不起吗？

你做过多少让人记住你的人品和让人感动的事情呢？

圣人心思——“复归于朴”

世俗中很多人追求名牌和奢华的生活，甚至以此标榜自己的成功。

可是，老子却告诉我们一切最终“复归于朴”。

过去的日子很穷，但人们很朴实。今天日子好了，可狡诈骗人的也多了。

吃喝不愁，一心想自己幸福的人，却得抑郁症了，你说这是怎么回事？

古往今来，那些追求奢华生活的人，有几个不是自己败家的？

圣人孔子说“君子役物，小人役于物”，被外界奢华迷惑的人，有几个不迷失自己的？

看看历史上那些功成名就的人，他们都是在此方面善于约束自己的人，他们都是修行者。

试问：

你会接受自我约束吗？

你能明白始终保持质朴的重要性吗？

你能不再为外物所奴役吗？

你能保持简朴而心中没有躁动吗？

老子的话可是让我们管好自心的良药啊！

圣人心思——“少私寡欲，少则得，多则惑”

世俗中的人总是喜欢多吃多占，好处从来不嫌多，好吃的也想多吃点。

可是，老子告诉我们“少私寡欲，少则得，多则惑”。

可是现实中的人，有谁不想让自己的利益再增加一些或者很多呢？

人的欲望是无限的，需求是有限的，可很多人被无限的欲望牵引着，变得越发贪婪。

后来我们渐渐知道，所有的事情都有一个度。

吃得太多会影响身体健康，过分运动会伤到身体，生活需要有些储蓄和储备，但并不是一味地追求更多。

人们一定会觉悟，自己占有的多了，一定会伤到自己。

最终，人们都会明白，生不带来，死不带去。所有的贪婪和贪腐是一条自我毁灭的路！

圣人心思——“无为”

世俗中的很多人，非常努力地想要有所作为。

可是，老子告诉我们“无为”。

很多人会很困惑：老子作为圣人，他自己是不是很逍遥？是不是以为人世间可以什么都不做？在红尘中，我们怎么可能什么也不做呢？最起码，这“无为”不太适合现实中的人吧？

这是很久以来许多人的困惑和误解。

老子看到了现实中的人因为一心为自己——私欲、一心按照自己的想法——私念，而偏离了天道正道，辛苦异常，自贱自毁，所以才给世人开出了“无为”的“药方”。

老子的“无为”之所以遭人误解，是因为人们不懂得“无”在人间的重要性和价值。

老子的《道德经》中讲的“无”，实际上就是“道”，就是人主观之外的规律。老子洞察人心，用“无”来医治人们因私欲膨胀而自我卖弄与自我毁灭的困局，用“无”来根治人们自以为是的愚蠢。老子的“无为”是让人从自私的陷阱中走出来，从主观的局限性中走出来，根据大道正道来确定自己人生的方向，根据规律来思考自己的目标与行动。只要合于正道和规律，就犹如神助一般。这可不是什么也不做，而是坚守正道，运用规律做好一切的前提。

试问：

你能领悟老子的“无为”的真意吗？

你能去除私欲而一心为众人吗？

你能放弃自己的主观认识而激发出众人的智慧吗？

你能找到任何人、任何事的规律而遵从吗？

红尘中充满了各种各样的人间恶争，无非是争名夺利。可是，老子告诉我们“不争”。

对于老子“不争”的思想，不少人觉得不适合现实生活。

很多人认为，你不争，难道等着天上掉馅饼啊？！

可是，人间的那些无休无止的恶争，又真的是让人痛苦不堪！

出路在哪里呢？

老子洞察了人间苦难的根源，并且找到了道家独到的解法——让自己变得更优秀！

你跟人争，说明你跟别人在一个层面上。鸟和羊会争吗？鸟吃虫，羊吃草，各得其所，各得其乐。高出你很多的人会跟你争吗？你在意的，人家根本不屑一顾，争什么？

如果你自己足够强大和优秀，别人跟你争什么呢？实际上，你的人生“领地”就是你拥有的实力和优势。若是没有这些，你又靠什么争呢？

你跟人争，恶化了彼此间的关系，恶化了自己的心情，更主要的是你把人生精力的分配方式搞错了，一方面恶化了彼此间的关系与心情，另一方面也耽误了自身的提高。你看，这不是双重损失吗？这样下去，未来还有什么希望？《易经》说：“天行健，君子以自强不息。”

如果再加上一个人的贪欲，那就什么好处都想得，得到再多也还是要去争，如此下去，这不就是一个饿鬼吗？没有尽头、没有满足、没有节制、恬不知耻，这样的人生会成功和幸福吗？这样的人会有人格与尊严吗？

一个人若是明白了这些道理，就能懂得老子“以其不争，故天下莫能与之争”的大道之玄妙了！

第二篇

人间错误与圣道引领

篇首语

本篇用世间八十一种各式各样的“俗象”，来解剖八十一种错误观念，再通过一字一句地拆解老子的圣训，一一点明圣人的心思。【修行妙法】指明正确的人生路该怎么走，【老子心说】把圣训总结成世人能理解的普惠通达的语言，把哲理普及给世人。

在八十一个主题中的光怪陆离的各色俗象里，世人从“道可道，非常道”的人生辩证第一步，到悟道者自足的心明无祸，见自我、学圣心，诠释出圣道为世人解惑的根本意义。

在人的一生中，所有的努力都指向一个共同的目标，这就是离苦得乐。

虽然痛苦有各种各样的形式，有各种各样的原因，归结起来只有一个：自己的主观心智脱离了客观大道，也就是“非道”。老子指出“非道”在人间的各种各样的表现形式，用八十一个处方来对治世俗中的各种“非道”。

第一章

【主题】可道非道，可名非名，有无妙门。

【道门玄机】都认为自己有道理，实际上那只是自己的理，并非真正的道。

【圣训】

道可道，非常道。名可名，非常名。无名天地之始，有名万物之母。故常无，欲以观其妙；常有，欲以观其徼。此两者同出而异名，同谓之玄，玄之又玄，众妙之门。

【关键字词】

[道]缔造万物之源，万物生存之魂，主观之外的客观规律。

[可道]可说之意，人之说为“私理”，而非大道与客观规律。

[名]万物无名，名字都是人的想法，并非万物自身。

[无]是道家哲学核心概念之一，并非人们熟悉的“没有”之意。相反，是“无限”“无极”“无形”“无穷”之意。

[有]特指无形之道孕育出的产物，是“有限”“有形”之意。

[同谓]指“有无”本是一体。

[玄]指“有无”相互作用，成为万物生生死死的基本模式。

[众妙之门]理解了“玄”的运动方式，就能理解天地万物的规律。

【解剖俗象之“可道非道”】

人们总是错误地以为自己的主观认识就是客观规律，将自己说的道理当成真理。

实际上，每个人的认识都是有局限性的，怎么可能代表真理呢？我们能够说出自己所认识的理，却无法保证自己所说的都合乎客观规律与真理。

如果人们明白这一点，就会遇事与人商量，多听取不同意见，向长者请教，向专家请教，而不是自以为是。

为什么在现实中有那么多人会自以为是，或者总是认为自己是正确的呢？

原来人们把自己被证明了的有限经验当成了绝对真理。

原来我们证明自己的方式是与那些不如自己的人进行比较。

领导总是在部下面前表现聪明，老师总是在学生面前表现博学，但是可道非道，他们由此获得的感觉是虚幻的，他们个人身处其中很难突破。

实际上，真理在客观当中，在群众那里，在你所面对的对象那里，这就是“道”——你的主观面对着的一切背后的规律。

明白了这一点，我们就会变得谦虚，就懂得了协商，就会不断地学习和自我超越，就会破除个人经验主义，就有可能走上客观规律的大道。

悟了道的人，就不会再将自己的个人认识视为真理，就会去讲别人的道理，并能找到别人的合理性，给予赞赏和认可。

会讲别人的道理，就是自己有道。只讲自己的道理，不懂别人的道理，就是自己无道。

若是能将自己没有道理的错误，作为对别人有理的一种反面陪衬，就是有很高道行的人。

对此，老子告诉我们一个认识自己的理性态度——“道可道，非常道”。这个态度是我们走上修道悟道的第一步。

俗人质问，老子既然说“道可道，非常道”，为何自己又写了《道德经》呢？他说的难道就是常道了吗？实际上，老子是得道之人，也就是与道相合之人。这样的人，自己与大道相合，一切就都是道了。唯有参悟者，才能懂得老子的“道态”。

【修行妙法】

见到任何现象，绝不轻易下结论。

听到任何消息，绝不盲目地相信。

表述自己观点，绝不把话说绝对。

遇到不同意见，要去谦恭地请教。

对于自己经验，绝不顽固地坚守。

寻找他人长处，去说别人的道理。

对于厌恶之人，小心情绪生偏见。

对于新鲜事物，敞开心扉去思索。

遇事生出痛苦，查找自心的病根。

【老子心说】你说的只是自己的理，可那不是道！

【人生智慧】能够说出别人的理，就是你有道。只说自己的理，总在说别人的错，就是无道。

【解剖俗象之“可名非名”】

人们在用概念认识这个世界的同时，又执着于这些概念，逐渐形成了一些难以突破的成见。“可名非名”为我们指出了世俗中“名”的假象，告诉我们超越世俗之“名”的认识论。

一个人若是被一堆概念困住了，心智就会变得僵化。比如：

我们经常会提到性格，但很多人并不知道性格到底指什么，以为就是自己现在的习惯和做法。

我们也会经常提到个性，但很多人错误地将个性理解成了与众不同的个别性。

我们很多人喜欢金钱，却忘记了金钱的由来和金钱服务于人的真正目的。

我们把人分成好人和坏人，却不知好人也有缺点，坏人也有优点。

我们总是说要感恩，实际上是希望别人感恩于我们，自己却忘记了感恩于别人。

我们使用了太多的名头，总是喜欢在自己的名片上印上各种头衔，却忘记了其实自己名不符实，这些头衔都是光环。即使成了名人，也往往会为名所累。

我们那么在意别人对我们的称呼，以至于当别人忽略我们时会感到不快。

人们创造了各种说法，又受困于各种说法。

实际上，一个人或者一个东西的名字，并不等同于这个人或者这个东西本身，只是赋予它的一种符号。

以名为实，就是一种糊涂，就是自我标榜。

圣人老子告诉了我们“名可名，非常名”的道理。

【修行妙法】

只唯实，不唯名。

用概念，明内涵。

戒虚荣，求实在。

【老子心说】任何名，都是人说的，不是事实本身，别把名当真！

【人生智慧】为别人的一个说法生气，就是缺乏幽默感。

【解剖俗象之“有无玄牝”】

世俗中的人，总是不明白自己主观感知能力的局限性，将看不见的视为没有，又将看得见的有限的部分视为全部，以有限来推断整体，使“盲人摸象”的错误变得非常普遍。

在每个人的人生经历中，随着对未知世界感知的积累，往往将其看作玄不可知，或者神秘莫测的力量，又进一步将其定义为“神”或者“主”这样一种神灵般的存在，对其顶礼膜拜，或者祈祷求福，放弃了个人的修行和接近大道的机会。

老子以哲学的高度为人们开启了真实世界之门，告诉我们“有”只是世界的局部，“无”才是世界的整体，“有”就在“无”中，“有无”只是我们肉眼的区别，它们本是一家，也是一个有机的整体。

领悟这一点，才能知道世界的玄妙，才能走进悟道之门。

【修行妙法】

无大于有，有在无中，有无同根。

识有局限，借有通无，接近无限。

有无一体，连续破有，回归道一。

【老子心说】“有”就是有限，有限在无限中，玄妙在借有限达无限。

【人生智慧】能够突破自我的有限，借有限而达无限的人，都是世间的“神人”。

第二章

【主题】相反相成

【道门玄机】人们总是喜欢用两极思维思考世界，于是撕裂了原本的完整。

【圣训】

天下皆知美之为美，斯恶已；皆知善之为善，斯不善已。

故有无相生，难易相成，长短相较，高下相倾，音声相和，前后相随。

是以圣人处无为之事，行不言之教，万物作焉而不辞，生而不有，为而不恃，功成而弗居。

夫唯弗居，是以不去。

【关键字词】

[美、恶]指世间人们熟悉的“美丑”两极概念。

[善、不善]指的就是人们熟悉的“善恶”两极概念。

【解剖俗象】

人们将对立思维变成了认识世界的思维模式，凡事都要分成美丑、好坏、高低、上下、你我、顺逆、得失、苦乐、喜厌等对立的两极，在用自己的主观撕裂这个世界整体的同时，也使自己的心失去了平静，时常处在纠结焦虑之中。

我们定义了美，世界上就有了丑。我们定义了善，世界上就有了恶。我们喜欢善和美，厌恶丑和恶，却无法永远占有善和美，因为没有丑和恶，就没有善和美。

实际上，善往往是在恶中成就的，美又是由丑来陪衬的，他们相互之间是不可分离的，是相辅相成的，容不得我们挑挑拣拣，或者人为地把他们分开。

◎ 现实中的人们往往喜欢荷花的美丽，但很少同时欣赏荷花下面的泥土。我们赞赏一个人的优点，却往往难以包容他的弱点。我们都喜欢顺利，却少有人懂得挫折的价值。大多数人都活在自己的喜好中，于是忽略了自己厌恶一极的意义；我们都活在自己熟悉的事物中，丢掉了陌生事物的价值；我们总是努力去证明自己，却忽视了证明别人才是智慧；等等。

◎ 老子为我们揭示了客观世界的真相，让我们有机会认识自己主观思维的偏颇。

◎ 同时也告诉了我们，圣人认识世界和处世的基本法门，就是“无为”“不言”和“不居”：主观认识越多，错误就越多；说得越多，过失也就越多；自己越是居功自傲，就越是无功而有过。

【修行妙法】

万事阴阳，和合为道。

对立统一，莫要喜好。

相反相成，莫丢一极。

小心心贼，顺应大道。

少说多做，有功不居。

【老子心说】相反相正是“孪生兄弟”，反面的成就正面的，相生相长。

【人生智慧】失败者看对立，成功者找统一。

第三章

【主题】乱心治心

【道门玄机】人心总是追求外在的难得的东西，于是心被绑架了。

【圣训】

不尚贤，使民不争；

不贵难得之货，使民不为盗；

不见可欲，使民心不乱。

是以圣人之治，虚其心，实其腹；弱其志，强其骨。

常使民无知无欲，使夫智者不敢为也。

为无为，则无不治。

【关键字词】

[无为]此处指不要以人间的名利诱惑扰乱人们的心智。引领人们的心灵皈依大道，才是长治久安之策。

【解剖俗象】

◎ 世俗中的人们，时常心悸躁动，皆因凡事为我，莫不是为了让自己多得利益。

◎ 争到利益时，快乐很短暂；争不到利益时，怨恨很长久。

◎ 追名逐利，崇贤尚贵，欲望之门从此开启，心灵也就此得不到安宁。

◎ 年轻的人自然看不清楚，因为名利贤贵尚未得到满足，也没有付出足够的代价，因此很难回头。

◎ 经历过人生风雨的人，品够了名利背后的心酸，看破了世俗贤贵的虚伪，方有了回归的力量，才会明白平平淡淡才是真，真诚与质朴才是人生的真谛。

老子告诉我们，悟道的人自心是平和的，也是富足的，并不追求额外的东西，反而能够使自己安闲自在，这也是治国安邦的基本策略。

【修行妙法】

人生历程，就是来往。

年轻时去，年长时回。

年轻不去，难有经历。

年长不回，再行无路。

【老子心说】外求多必心乱，守自心则心安。

【人生智慧】奴性重的人为外物所主，开了悟的人能找回自心。

第四章

【主题】万物之宗

【道门玄机】万事有宗，找不到宗，自己就成了流浪者。

【圣训】

道冲而用之或不盈，渊兮似万物之宗。

挫其锐，解其纷，和其光，同其尘。

湛兮似或存，吾不知谁之子，象帝之先。

【关键字词】

[宗]万物的根本。

【解剖俗象】

世俗中的人们总是被自己的欲望引领着，久而久之就会变成欲望的奴隶，反而迷失了自心。

很多人追求物质和世俗的名誉，即使得到了也还是不满足。

很多人拼命工作去挣钱，却没有时间花钱去养命。

很多人被外在的诱惑牵引着，却忘记了自己人生和生活真正的意义和价值。

作为高级动物的某些人，似乎缺少了一种有别于低级动物的高级程序，于是在很多时候，自己变得比动物还累、还坏、还惨。

诸如此类的问题，都是因为人们不明白生命的原始驱动力——一个容不得人们主观欲望膨胀的客观规律的存在。

这就是很多人之所以陷入这种困境的原因。

老子发现了主宰万物的那样一个本源性的力量，为人们的心性依归找到了一个方向。

【修行妙法】

人小道大，人大也在道中。

人迷道在，回归才能解脱。

大道如神，万物皆在掌中。

【老子心说】一切都在道中!

【人生智慧】小智的人怀疑一切，中智的人相信经验，大智的人相信大道。

第五章

【主题】大道之性

【道门玄机】人间偏爱，让自己的少数与众生的多数对立。

【圣训】

天地不仁，以万物为刍狗；圣人不仁，以百姓为刍狗。

天地之间，其犹橐龠乎？虚而不屈，动而愈出。

多言数穷，不如守中。

【关键字词】

[刍狗]用草扎成的狗。古代专用于祭祀，祭祀完毕，就把它扔掉或烧掉。比喻轻贱无用的东西。

[橐龠]tuó yuè，古代的风箱。

[守中]守住虚静。

【解剖俗象】

人们在身份卑微时追求高贵，当自己有了高贵的地位时，又往往会蔑视那些卑微的人。

岂不知，人类对自身这种滑稽可笑的分类，在天地大道面前，只是一个笑话。

老子告诉人们，天地万物在大道面前是没有分别的，是平等的，由道而生，又最终回归大道。

对于大道的运行与生生不息，多说无益，多想无用。

唯有那生生不息的大道，才是天地间永恒的存在！

【修行妙法】

人有分别，天有大爱。

万物平等，没有贵贱。

草木一生，回归大道。

大道玄牝，用之不勤。

【老子心说】大道永恒，生生不息。

【人生智慧】悟道者，以慈悲心和平和的笑脸看待人间的一切，不指责、不笑话任何人和事。

第六章

【主题】真神不死

【道门玄机】大道生育万物，离开大道，人即是短命。

【圣训】

谷神不死，是谓玄牝。

玄牝之门，是谓天地根。

绵绵若存，用之不勤。

【关键字词】

[谷神]据古文字学家高亨说，谷神者，道之别名也。

[玄牝]在这里指玄妙的母性，指孕育和生养出天地万物的母体。

【解剖俗象】

俗世中的人们都渴望基业长青，也希望好事连连，更希望自己长命百岁。

可是，这些如意算盘，大多都会落空，只是人们到死也不明白。

当然，人们似乎也知道，只有像神一样的存在才是永恒的。

圣人老子观察到天下这样一个规律，揭示出世间万物背后的这一真相。

老子提出“谷神”“玄牝”“天地根”等概念，也是在告诉人们只有皈依天地大道才能死而不亡。

谷神大道不死，在于祂生育万物的生生不息，在于祂是万物原发之根，生育万物而不据为己有，也不会居功，这样的玄德才是根本。

【修行妙法】

谷神玄牝，万物之根。

皈依大道，方是正道。

生育万物，万物同体。

戒除私欲，方可近道。

【老子心说】大道谷神永恒，生育万物，永不枯竭。

【人生智慧】谷神大道永恒，无私养育万物，成就天下正道。

第七章

【主题】天长地久

【道门玄机】自私即是自我出卖。

【圣训】

天长地久。

天地所以能长且久者，以其不自生，故能长生。

是以圣人后其身而身先，外其身而身存。

非以其无私邪？故能成其私。

【关键字词】

[天长地久]以天长地久比喻大道的存在。

[邪]yé，同“耶”，助词，表示疑问的语气。

【解剖俗象】

◎ 人们不仅仅追求荣华富贵，还渴望能够长生不死。

◎ 但因为这些往往是个人的欲望，背离了大道的宗旨，最终落得徒劳无功。

◎ 老子慈悲，告诉了我们“天长地久”之道，也就是每个人成就生命最高价值的途径，也揭示了人间最高的机密。

【修行妙法】

天长地久，其不自生，故能长生。

圣人悟道，后身身先，外身身存。

无私成私，私也非私，允公永恒！

【老子心说】天道圣道，无私永恒！

【人生智慧】悟道得天机，去身而身存，去私而成私，大身乃天，大私即公。

第八章

【主题】上善若水

【道门玄机】世间人不知真善，将伪善当成真善误了一生。

【圣训】

上善若水。

水善利万物而不争，处众人之所恶，故几于道。

居善地，心善渊，与善仁，言善信，政善治，事善能，动善时。

夫唯不争，故无尤。

【关键字词】

[上善]对应于世俗功利之善的大善、真善。

[几于道]接近于道。

【解剖俗象】

许多人崇尚善良，也时常能做些行善的事情，但往往又不知道自己处在“下善”的水平，不知道“上善”的境界。于是，往往打着善良或者行善的旗号，追求“善有善报”，实则还是为了自己的私利。一旦没有善报发生，往往会表现出疑惑，甚至放弃善良和行善。

实际上，世俗中的许多人虽然也有善良的愿望，难以区分真善与伪善，但往往不掌握最终形成善果的“善法”。

老子以人们所熟悉的水为例，讲解了人间这一深刻的道理。

首先，人间上等的善如同水一样，利万物而没有分别，没有亲疏，没有任何功利的选择。这是一种彻底的慈悲心，一种善待万物的真诚心。现实中的人，又有几个人能够将善做得这样彻底和真诚呢？那种基于自我功利的善，那种自以为是的善，在现实中实在是太普遍了，真善和上善又有多少呢？

其次，水之善，能随形就势，没有自己的固执，能够与万物完成最顺畅的对接，这是水的善法。现实中，许多人用自以为是的善心，用自以为善的方法，对待别人和万物，根本不考虑万物的特点和别人的感受，在结果上，往往是好心办坏事，自己还觉得冤枉，这怎么能算智慧呢？

再次，许多人用上述方式对别人做了所谓的好事，往往自视为别人的恩人，高高在上，而当别人不能以他所期望的方式回报时，心中往往生出对别人恶劣的评价："忘恩负义""小人""无情无义""恩将仇报"，等等。许多人自觉有恩于别人，期望别人此生将其视为永远的恩人，并要"滴水之恩，涌泉相报"！实际上，这样的准则是每一个人要求自己的，而一旦变成对别人的要求，实则已经转换成了一种极度的贪婪。可很多人并不知道这个问题存在严重错误，还往往自视为有理。

最后，做了好事不留名，很多人不愿意，若是做了好事还情愿默默无闻，主动放低姿态，甚至承受误解和委屈，又有几个人能做到呢？

老子看清楚了上善的几个核心本质，以此作为对现实中那种伪善的对治药方：无条件地利万物，娴熟地运用善法，功成而不争名夺利，永远谦卑守弱。

同时，老子还告诫人们，自己要居于善地，莫为外物所惑；心胸要博大包容，不要小肚鸡肠；学道待人慈爱，莫要害人害己；说话要讲信用，莫要口是心非；永远坚守正道，莫要恃强凌弱；做事以道为能，莫要自以为是；学会把握时机，莫要冲动蛮干。

如此作为，不用与人相争，就可无忧无患。

【修行妙法】

上善若水，能利万物。

心有善法，总有善果。

功成不居，谦下守弱。

身居善地，心善如渊。

慈爱众生，知行合一。

恪守正道，顺道而行。

行看时势，无为不争。

【老子心说】上善真善，伪善自贱。

【人生智慧】真善利众，绝不动摇，善法善果，仁者无敌！

第九章

【主题】越求越惨

【道门玄机】总想自己好，越想越糟糕。

【圣训】

持而盈之，不如其已。

揣而锐之，不可长保。

金玉满堂，莫之能守。

富贵而骄，自遗其咎。

功遂身退，天之道也。

【关键字词】

[不如其已]不如适可而止。

[自遗其咎]自己招来灾祸。

【解剖俗象】

许多人只是活在自己的欲望当中，期望自己占有的越来越多，希望自己拥有的美好能够长久不变，渴望自己永远占据高位而不愿让贤。

一旦获得了富贵的地位，就又会变得骄傲自满，失去了对自心的把控，最终给自己带来麻烦、耻辱和不幸。

老子对人们进行了规劝，也提出了自然、自安和自保之法：莫求过分圆满，莫求一味强大，莫求占有太多，富而骄者不贵，功遂身退明道。

这一切，都是在节制自我的欲望，避免欲望膨胀而导致灾祸。

一个能够自律的人，一个能够自我节制的人，就是接近天道的人。

【修行妙法】

妄求完美，不懂完美，破坏完美，不得完美。

妄求强大，不懂强大，自我削弱，越求越弱。

妄求全玉，欲望膨胀，终将自毁，自成贱人。

富而骄横，自是命贱，难有贵气，空忙一场。

贪恋权位，做官骄横，为官不仁，自绝人道。

【老子心说】纵欲必将坏事，节欲方能自安。

【人生智慧】完美不是完整，幸福不是占有，心明才懂一切。

第十章

【主题】 自心玄德

【道门玄机】 人生悲剧，在于选择了错误的思想。

【圣训】

载营魄抱一，能无离乎？

专气致柔，能婴儿乎？

涤除玄览，能无疵乎？

爱民治国，能无知乎？

天门开阖，能为雌乎？

明白四达，能无为乎？

生之畜之，生而不有，为而不恃，长而不宰，是谓玄德。

【关键字词】

[营魄] 魂魄。

[抱一] 合一。一：指道。

[专气] 集气。专：结聚之意。

[涤除] 扫除、清除。

[玄览] 指人心灵深处明澈如镜、深邃灵妙。玄：奥妙深邃。览：镜子。

[疵] cī，小毛病。

[知] zhì，通“智”，指心智、心机。

[天门] 这里指人的耳目口鼻等感官对世间万物变化的反应。

[开阖] 阖，hé。动静、变化和运动。

[雌] 宁静顺乘的意思。

【解剖俗象】

人长大后似乎成熟了，但面对着众多的诱惑，却往往魂不守舍。看着很成熟的人，实则成了欲望的奴隶，被世俗中的名利所绑架。

长大了，身体看起来强壮了，却变得僵硬而没有生命的活力。实际上，随着个人的知识和经验越来越多，思想与身体的僵化程度变得愈发严重。

经历的事情多了，思虑变得越来越复杂了，但绝大多数人却很难真正做到周到。有些人越来越圆滑了，各种“术”玩得越来越熟练了，但却始终没有找到正道。

有些人运用权力时动了很多心机，却发现治理的难度越来越大，以为权力可以主宰一切，却失去了人心，于是陷入与人心的恶性博弈当中难以自拔!

有些人自以为强势或者威武雄壮是有力量的表现，却制造了越来越多的对立。实际上，这样的人不懂得柔弱的道理，不懂得保持谦卑和帮助别人成长，才是世间的硬道理!

有些人似乎明白了很多道理，却没有领悟万事万物真正的规律，还是在用自己有限的知识和经验，去与规律和人心抗衡。

老子告诉人们，要按照事物的规律办事，不要动用私心，做事也不要以为自己有功或者有恩于别人，老子将这一智慧称为“玄德”。

【修行妙法】

面对浮华，守魂如磐石。面对大道，柔弱如乖宝。

去除私见，皈依于大道。爱民治国，绝不动心机。

保持雌柔，绝不能张狂。领悟大道，守无为妙法。

大道无限，能生养万物。消除私念，成玄德之妙。

【老子心说】成长背离初心，成熟回归初心。

【人生智慧】圆滑不是成熟，摆架子不是自信，知道不是悟道，聪明不是智慧，有主张不代表能干。心中悟道，助人于无形，才是玄妙。

第十一章

【主题】有利无用

【道门玄机】追求有形有限的，失去了无形无限的。

【圣训】

三十辐共一毂，当其无，有车之用。

埏埴以为器，当其无，有器之用。

凿户牖以为室，当其无，有室之用。

故有之以为利，无之以为用。

【关键字词】

[辐]车轮中连接轴心和轮圈的木条，古代的车轮由三十根辐条构成。此数取法于每月三十日的历次。

[毂]gǔ，是车轮中心的木制圆圈，中有圆孔，即插轴的地方。

[无]此处是指毂中间空的地方。

[有车之用]有了车毂中空的地方，才有了车的功用。

[埏埴]shān zhí，和陶土做成供人使用的器皿。埏：和、搅和。埴：土。

[户牖]门窗。牖，yǒu。

【解剖俗象】

在现实生活中，人们被不断膨胀的占有欲驱动着，拥有的东西越来越多。

在人生中，最荒唐的事情莫过于最终发现自己所追求的东西是错误的。拼命占有的很多东西，竟然是没有升值空间的，甚至是多余的，而且还占据了自己生活的空间。

现实生活中的人们，追求的更多的是眼前的、有形的价值载体，并非价值本身，更顾不上那些决定有形价值和长远价值的力量。这就是人们通常所说的短视、功利和缺乏战略眼光。

记得冯友兰先生在回答别人的提问时曾经这样说过，哲学是无用之学。这个无用，当然是相对于获取眼前的利益和有形的价值来说的，哲学本身就是人的精神食粮，也是决定现实价值的未来和未来战略价值的关键力量。

老子用人们很熟悉的“车、器、室”等物件告诉人们，有形的东西只是个工具，无形的空间往往才是对人们真正有用的。

【修行妙法】

无形决定有形，未来决定现实。

人生关键价值，永远都在未来。

眼前决定生存，未来决定命运。

【老子心说】有形的只是工具，无形的才是价值。

【人生智慧】以有形换无形即是增值，以无形定有形即是智慧。

第十二章

【主题】花哨乱性

【道门玄机】追求形式上的多姿多彩，却迷乱了人生方向。

【圣训】

五色令人目盲，
五音令人耳聋，
五味令人口爽，
驰骋畋猎令人心发狂，
难得之货令人行妨。
是以圣人为腹不为目，故去彼取此。

【关键字词】

[口爽]意思是味觉失灵，生了口病。

[驰骋]纵横奔走，比喻纵情放荡。

[畋]tián，打猎获取动物。畋：打猎的意思。

[行妨]伤害操行。妨：妨害、伤害。

[为腹不为目]只求温饱安宁，而不为纵情声色之娱。腹：在这里代表一种简朴宁静的生活方式。目：代表一种巧伪多欲的生活方式。

[去彼取此]摒弃物欲的诱惑，保持安定知足的生活。“彼”指“为目”的生活；“此”指“为腹”的生活。

【解剖俗象】

人类属于高智能动物，突出的特征就是能够透过现象看本质，通过局部深入整体，通过外相观察自身。

不修行的人是无法达到人类高智能境界的，要么就现象做出结论，要么就局部推测整体，要么为外部现象所迷惑。

老子看到了现实中众多迷惑的人，许多人总是追求五彩缤纷、五光十色的生活，往往迷惑其中，甚至让自己的心智迷乱。更为严重的是，人们错误地以为这就是享受生活，却不知这正是人性的堕落！

老子指出了这种生活方式的危害性，告诫人们不要追求过分的东西，越是朴实就越是真实。

追求的过多，就会成为生命的负担。明白这一点，生命才会变得轻松自在。

【修行妙法】

追随纷繁的外相，自性就会迷失。

沉迷繁华的享受，人性就会堕落。

回归生活的质朴，方能完成自救。

【老子心说】为外相迷即是迷失！

【人生智慧】破一切相，得见真相，即是开悟。

第十三章

【主题】有我有辱

【道门玄机】为自己的小我，反而失去了成就大我的机会。

【圣训】

宠辱若惊，贵大患若身。

何谓宠辱若惊？宠为下，得之若惊，失之若惊，是谓宠辱若惊。

何谓贵大患若身？吾所以有大患者，为吾有身，及吾无身，吾有何患！

故贵以身为天下，若可寄天下；爱以身为天下，若可讬天下。

【关键字词】

[宠辱若惊]受到宠爱和侮辱就像受到惊吓一样。若：相当于“乃”。

[贵大患若身]重视大患就像重视自己的身体一样。贵：珍贵、重视，此处是以……为贵。大患：大的祸患。

[为吾有身]是因为有我身体的存在，意指个人私欲。

[及]若，如果。

[讬]tuō，通“托”，托付。

【解剖俗象】

现实中的许多人喜欢追求恩宠，却往往因此而受辱。于是，在宠辱的这种变动当中受尽折磨。

追求恩宠往往都是出自功利之心，或者因为自卑。《易经》中说，“天行健，君子以自强不息”，追求恩宠的人，往往放弃了自强的努力，反而通过献媚或者屈从来追求外部的利益，这是一种苟且般的生活。

既然追求恩宠，就必然受辱，因为其功利性和自卑的状态，贬低

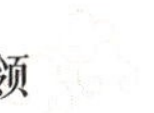

了自己的人格，也往往让人瞧不起，这就奠定了受辱的基础。

一个人看重外在的得失，也就失去了自尊的基础，会随着得失而让自己的心性摇曳变幻，自身也成了外在力量的一个木偶。

相反，那些自强不息的人，一方面将精力用于提升自己，另一方面在做事时奉献自己。因为不为自己，因为去掉了私心，甚至达到无我的境界，也就不存在自己受辱的情况了。

老子揭示了这一苦难背后的真相，告诫人们不要为自己追求恩宠，否则迟早会受辱。

老子告诉人们一个成就大我的美妙途径：为天下奉献自我、奉献爱，如此才能成全伟大的自己和有价值的事业。

【修行妙法】

求宠不自强，必然丧失尊严。

求宠不自尊，必然导致受辱。

唯自强不息，奠定尊严基础。

唯奉献天下，方能成就大业。

【老子心说】有我即愚，为我即辱。

【人生智慧】不求荣，远离辱。苛求荣，自取辱。

第十四章

【主题】大道无形

【道门玄机】依赖有限的五官功能，让人失去了真正的灵性。

【圣训】

视之不见名曰夷，听之不闻名曰希，搏之不得名曰微。此三者不可致诘，故混而为一。

其上不皦，其下不昧，绳绳兮不可名，复归于无物，是谓无状之状，无物之象，是谓惚恍。迎之不见其首，随之不见其后。

执古之道，以御今之有，能知古始，是谓道纪。

【关键字词】

[夷]无色。

[希]无声。

[微]无形。

夷、希、微三个名词都是用来形容人的感官无法把握住“道”。这三个名词都有幽而不显的意思。

[诘]jié，追问、究问、反问。

[皦]jiǎo，清白、清晰、光明之意。

[昧]阴暗。

[绳绳]不清楚、纷纭不绝。

[无物]无形状的物，即“道”。

[御今之有]驾驭现今的万事万物。御：统御。有：有形的具体事物。

[古始]宇宙的原始，或“道”的初始。

[道纪]“道”的纲纪，即“道”的规律。

【解剖俗象】

◎ 现实中的人们总是太在乎自己知道的那点有限的东西，知识也好，经验也罢，往往以为自己知道和认为的是最好的，并且很喜欢在别人面前显摆一下自己的这点儿资本。

◎ 实际上，即使拥有某个方面的专业知识，在其他方面也往往是无知的，这是一个客观事实，也是专业教育所导致的知识结构的缺陷。

◎ 很多人只是在自己的专业范围内活动，很多时候又是对着那些不懂此专业的人在卖弄自己的专业，时间久了，在专业上不如他的人会将他视为专家。专家的头衔一旦被扣到头上，人们就会产生一种虚幻，以为自己无所不知。

◎ 把这样一个现象说清楚了，人们都会明白，自己所懂的这点东西实在太微不足道了。对此，正确的态度应该是：谨慎地运用自己所懂的专业知识，敞开心扉去接纳专业之外的知识，如此才能够运用不同的知识来理解万事万物的整体性。

◎ 当然，大多数接受过专业知识教育的人，往往在哲学方面是比较薄弱的，因此不少人缺乏通过具象掌握抽象总规律的能力。这样下去，自己所受的教育就无法提升和拓展，就有可能成为自己理解万事万物总规律的障碍。

◎ 实际上，能够领悟主宰天地万物的大道，能够掌握天地万物背后的规律，这才真正是人间最大的力量之一，如此才能认清自己的局限性，才能拥有健康生活、平安人生和创造伟业的能力与智慧。

【修行妙法】

能够看见的，是有限和表面的。

能够听见的，是部分和主观的。

能够触摸的，是局部和片面的。

超越视听触，方能够以身近道。

【老子心说】大道无形，统摄一切。

【人生智慧】透过有形见无形，即开天眼。穿过有限见无限，即是悟道。

第十五章

【主题】道者谦卑

【道门玄机】不懂得大道的人，才会自以为是。

【圣训】

古之善为道者，微妙玄通，深不可识。

夫唯不可识，故强为之容。

豫兮若冬涉川，犹兮若畏四邻，俨兮其若客，涣兮若冰之将释，敦兮其若朴，旷兮其若谷，混兮其若浊。

孰能浊以静之徐清？孰能安以动之徐生？

保此道者不欲盈，夫唯不盈，故能蔽不新成。

【关键字词】

[豫]原是野兽的名称，性好疑虑。豫兮：引申为迟疑、慎重的意思。

[涉川]战战兢兢，如临深渊。

[犹]原是野兽的名称，性警觉，此处用来形容警觉、戒备的样子。

[俨]yǎn，形容端谨、庄严、恭敬的样子。

[涣]形容离散的样子。

【解剖俗象】

现实中有很多自以为聪明的人，他们总是自高自大，总是显摆自己的智慧，处处显示自己的能耐，唯恐别人不知而小瞧了自己!

这样的人实际上是内心缺乏自信的人，他们的内心总是因浮躁而不得安定，因为骄傲自满而无法连续不断地提升自己，最后误了自己。

试想，一个总是自以为是的人，一个不能连续不断地优化自己的人，带着自以为是的程序去做事情，又怎么可能做好呢?

一般的规律是，真正有能耐的人往往是低调的。真正有智慧的人，往往是谦虚并尊重别人的。越是显露什么，往往就是对什么缺乏自信。

老子告诉了我们悟道者的状态，让我们看看真正的高人是什么样子的：他们掌握了世间微妙的法门，也就懂得了谦卑才是生命正常的状态。他们心中向往的是真理，参照的体系是大道，而不是世俗中其他的人，因此也就不会与其他人进行比较，也不用在普通人面前表现得很聪明。正是因为他们能够让自己的心保持平静，所以才最接近大道，才能够让自己不断地自我突破，向着大道的美妙境界不断地挺进。

【修行妙法】

不自信的人显摆，自信的人谦卑。

能耐大的人低调，自卑的人高调。

悟了道的人质朴，迷茫的人奢华。

在道上的人安静，迷失的人躁动。

【老子心说】有道谦卑，无道傲慢。

【人生智慧】谦卑平和者有道，傲慢无礼者无道。

第十六章

【主题】入道法门

【道门玄机】心浮躁了，思考和行动往往指向错误方向。

【圣训】

致虚极，守静笃。

万物并作，吾以观复。

夫物芸芸，各复归其根。

归根曰静，是谓复命。

复命曰常，知常曰明，不知常，妄作凶。

知常容，容乃公，公乃王，王乃天，天乃道，道乃久，没身不殆。

【关键字词】

[虚极静笃]虚和静形容人的心境是空明宁静的状态。极、笃：意为极度、顶点。

[作]生长、发展、活动。

[复]循环往复。

[芸芸]茂盛、纷杂、繁多。

[归根]复归于道。根指道。

[复命]复归本性，重新孕育新的生命。

[常]万物运动变化的永恒规律，即守常不变的规则。

[容]宽容、包容。

[没身]终身、终生。没，mò。

[殆]危险、死亡。

【解剖俗象】

现实中的人们，对于自己特别想要的，往往会表现得心急如焚。

对于自己不想要而又处理不了的，往往又表现得心烦意乱。

稳不住自己心神的，往往就会表现得心浮气躁。

没有理想抱负的，往往会表现得急功近利。

似乎大部分人通常的状态是混乱不堪的，是自己难以把控的。

想想看，这样一种状态，怎么能够把事情做好呢？怎么能够把事情想明白呢？

不少的人也知道修行悟道的事儿，尤其是知道了修行悟道的妙处之后，又会急不可耐地寻找悟道的法门。可是，心浮气躁的人又怎么可能悟道呢？

老子不仅知晓人们内心的烦躁，也为人们指出了一条明路，只是这条路对于很多人来讲有些意外，因为这跟很多人当前的状态恰恰相反。这个法门就是“虚极静笃”。通过这一法门，人们才可能看清楚万事万物运行的规律，才能够找到决定万事万物的根本，才能够体会道法自然和万物中所蕴藏的大道的力量与妙处，才会让自己避免做很多无用功。在平常的生活中，有一些劝诫人们的俗语，如“心急吃不了热豆腐”“冲动是魔鬼”“静能生慧”等。

【修行妙法】

跳舞的人，改变不了舞台，只能扭动自己的身体。

躁动的人，改变不了宇宙，只能折磨自己的身心。

着急的人，改变不了事实，只能降低自己的智力。

心静的人，成为自己主人，方能洞悉万物的规律。

觉悟的人，顺应万事规律，于是获得大道的力量。

【老子心说】虚静入道，万事自明。

【人生智慧】躁动的心败坏一切，安静的心明了所有。

第十七章

【主题】四个领导层次

【道门玄机】错误的领导，既毁自己也害别人。

【圣训】

太上，不知有之。

其次，亲而誉之。

其次，畏之。

其次，侮之。

信不足，焉有不信焉。

悠兮其贵言。功成事遂，百姓皆谓我自然。

【关键字词】

[太上]至上、最高的境界，指最好的统治者。

[侮之]百姓轻慢、蔑视他。

[悠兮]悠闲自在的样子。

[贵言]不轻易发号施令。

[遂]完成、成功。

[自然]自己本来就如此。

【解剖俗象】

现实中没有悟道的人，总是迫不及待地表现自己的聪明，却往往会表现得很拙劣。

现实中没有自信的人，总是急于彰显自己的力量，但往往像个跳梁小丑。

现实中的领导人（主要指一个组织中的最高领导者，如国君），老子将其分成了四个层次。

第一个层次的领导人，能力与品德均属上乘，能够悄然做好自己该做的事，上下内外等都建立了秩序，无须去彰显自己的权威；

第二个层次的领导人，能力和品德只能算是中等，喜欢别人对他的吹捧与忠诚，常常被一群小人包围，而君子们会远离他，他的狭隘撕裂了组织的和谐；

第三个层次的领导人，做领导的智慧属于下等，做事的能力属于中等，这样的人往往比较霸道，决策比较独裁，总喜欢表现自己的权威，让人们远离了他。

第四个层次的领导人，能力和品德均属下等，做事没有卓越的能力，做人也往往让人瞧不起，拥有的位置只是他自取其辱、表现自己缺陷的一个平台。

一个人若不信道、修道、悟道，就不可能体会大道的力量和玄妙，而只能表现自己的愚蠢。

一旦悟了道，万事顺成，用不着再刻意发挥自己的荒蛮之力，用不着刻意表现自己或者彰显自己的存在，一切都会自然而然。

老子的这一分层，可以作为领导人观察自己的一面镜子。

【修行妙法】

悟道用道的领导，如同神龙，遨游天地。

自卑虚荣的领导，如同孩童，需要奉迎。

外强中干的领导，如同顽童，胡作非为。

无德无能的领导，如同傻瓜，自取其辱。

【老子心说】有道如神，无道自残。

【人生智慧】高明者不显形，显形者不高明。

第十八章

【主题】废道生万恶

【道门玄机】人们强调人间之德，却忘记了德根——道。

【圣训】

大道废，有仁义；

慧智出，有大伪；

六亲不和，有孝慈；

国家昏乱，有忠臣。

【关键字词】

[六亲]父子、兄弟、夫妇。这里指家庭关系。

【解剖俗象】

◎ 对于现实中的人们来说，仁义、智慧、孝慈和忠诚等词汇都代表着美德，可这只是世俗的理解。

◎ 老子以一个哲学家深邃的思考，揭示出道德品质的真相，为人们重新认识这些看似美德的品质提供了一个更加独特的哲学视角：道德道德，有道有德，无道无德。

◎ 违背自然规律，会有科学发现吗？

◎ 背离上善的规律，会有人间的仁义吗？

◎ 聪明智巧的人，不会弄虚作假或者欺骗人吗？

◎ 家庭里父母经常吵架，孩子会懂得孝顺吗？

◎ 领导人昏庸无道，忠臣会有出路吗？

◎ 老子找到了决定世俗中这些美德的根本，明确了道与德的因果关系，警示人们：若是偏离大道而去解决人生问题、社会问题，都可能是治标不治本。

 老子还就此提出了道家独有的解决问题的思路：莫动心机，莫要聪明，莫标榜自己，保持真诚朴素，节制个人私欲，真诚服务众人。

【修行妙法】

有道有德，无道无德，离道求德，如枯井取水。

背离规律，不成科学，离律求学，如痴人说梦。

上梁不正，下梁必歪，上梁不纠，如抱石游泳。

自以为是，放大缺点，优也转缺，如跳梁小丑。

【老子心说】离道治世，徒劳无功。

【人生智慧】人求为恶，随道为善。

第十九章

【主题】动心即贼

【道门玄机】动心眼、讲仗义、求利益，生出万恶。

【圣训】

绝圣弃智，民利百倍；

绝仁弃义，民复孝慈；

绝巧弃利，盗贼无有。

此三者，以为文不足，故令有所属，见素抱朴，少私寡欲。

【关键字词】

[绝圣弃智]抛弃聪明智巧。此处“圣”不作“圣人”或最高的修养境界解，而是自作聪明之意。“智”也不是指智慧，而是指世间的智巧。郭店楚简本为“绝智弃辩”。有学者推测通行本“绝圣弃智”可能为传抄者妄改。

[绝巧弃利]抛弃机巧和稀奇的财物。郭店楚简本为“绝伪弃诈”。

[文]条文、法则。

[见素抱朴]保持原有的自然本色。“素”是没有染色的丝；“朴”是没有雕琢的木；素、朴是同义词。

【解剖俗象】

世间的人，有几人不觉得自己聪明的？可是，世间真正聪明的人都是知道自己短处，也知道别人长处，或者总能欣赏别人优点和激发别人成长的。你是吗？

遇到事情，有几人不认为自己的看法是正确的？可是，明智的人总能发现别人的正确之处，总能把大家的正确观点汇集起来，而不是固执地坚持自己的看法。你是这样的人吗?

做事情，有几人不认为自己是在为别人好?可是，通达事理的人并不会把自己的本分看成对别人的恩情，而是认为做人就该如此。你是这么想的吗?

活得久了，有几人不觉得自己是很有经验的?可是，经验只代表过去，用过去的经验指导现实或者未来，肯定是不恰当的，很容易犯经验主义的错误。于是，就有了“实事求是，具体问题具体分析”这一智慧方法。你能做到这样吗?

挣钱多了，有几人还愿意保持质朴和节俭的?也许有人会这样看:有钱了还装穷，不是虚伪吗?可是，真正拥有智慧的人明白，丢掉了质朴就会迷失原本的自己;丢掉了节俭而放纵自己的欲望，自己的心性就可能失控。你是这样的吗?周围有这样的人吗?你喜欢他们吗?

芸芸众生，有几人不是拥有多了想再多，好了还想更好的?也许有人会说，这有什么奇怪的?人们不都是如此吗?可你再看看，欲望不断膨胀的人，有几人还有心情和时间珍惜眼前生活?多了再多，好了更好，这种永远没有尽头的私欲，让多少人牺牲了美好的生活和珍贵的生命啊!

圣人劝人:不要自作聪明，不要只相信自己，不要认为自己有恩于别人，不要让私欲膨胀，要知足，要节制欲望，要不忘初心，要保持质朴的本色，如此才能保持自己的生命和心性不至于失衡。

两千多年前，圣人就这样劝导人。到了今天，古人的那些错误，似乎依然在许多人身上复制。科技在进步，似乎人们的心性进步不大，似乎文明的发展在人身上停滞了。

【修行妙法】

真正聪明的人，懂得别人的聪明。

明白道理的人，懂得别人的道理。

明了仁义的人，懂得别人的恩情。

知道真理的人，懂得经验的危害。

了悟真谛的人，懂得质朴的可贵。

体悟幸福的人，懂得节欲的必要。

【老子心说】心念一动，多半是愚蠢。

【人生智慧】捉住私念即是觉悟，懂得别人即是智慧。

第二十章

【主题】道者无智

【道门玄机】众生追求享乐，却让本心成了奴隶。

【圣训】

唯之与阿，相去几何？善之与恶，相去若何？人之所畏，不可不畏。

荒兮其未央哉！

众人熙熙，如享太牢，如春登台。我独泊兮其未兆，如婴儿之未孩。儽儽兮若无所归。

众人皆有余，而我独若遗。我愚人之心也哉！沌沌兮！

俗人昭昭，我独昏昏；俗人察察，我独闷闷。

澹兮其若海，飂兮若无止。众人皆有以，而我独顽且鄙。我独异于人，而贵食母。

【关键字词】

［绝学］指弃绝世俗智巧之学。

［唯］恭敬地答应，这是晚辈回答长辈的声音。

［阿］ē，怠慢地答应，这是长辈回答晚辈的声音。唯的声音低，阿的声音高，这是区别尊贵与卑贱的用语。

［荒兮］广漠、辽阔无边的样子。

［未央］未尽、未完。

［熙熙］熙，和乐，用以形容纵情奔欲、兴高采烈的情状。

［如享太牢］如同参加盛大的宴席一样。太牢：是古代以一猪一牛一羊为祭品举行的隆重典礼，祭祀礼毕，祭品即可为参加者享用。

[泊]淡泊、恬静。

[未兆]没有征兆、没有预感和迹象，形容无动于衷、不炫耀自己。

[孩]同“咳”，形容婴儿的笑声。

[傫傫]léi，疲倦闲散的样子。

[余]剩余，指有丰盛的财货。

[遗]不足的意思。

[澹]dàn，波浪起伏、汹涌澎湃。

[飂]liáo，刮风、席卷、飘散。

[有以]有用、有为、有本领。

[顽似鄙]形容愚陋、笨拙。顽：笨拙、顽劣、固执。鄙：浅薄、粗俗。

【解剖俗象】

对于人间的是是非非，人们总想将它搞个明白。这个明白，实际上也是人们自认为的明白。最终，人们又会因为明白这些是是非非，而陷入更深的苦恼。

老子作为悟道的圣人，看明白了人间这一困境，他自己也不再做俗人那样徒劳的努力，回归到了质朴和纯真的“糊涂”状态。

历史上不少看破红尘的人，用自己生命状态的改变，证明了这样一种高级的智慧。最著名的就是板桥先生题写的“难得糊涂”。据说，“难得糊涂”这四个字是在山东莱州的云峰山上写的。有一年，郑板桥专程至此观郑文公碑，流连忘返，天黑了，不得已借宿于山间茅屋。屋主为一儒雅老翁，自命“糊涂老人”，出语不俗。他的室中陈列了一块方桌般大小的砚台，石质细腻，镂刻精良，郑板桥叹赏之极。老人请郑板桥题字以便刻于砚背。板桥认为老人必有来历，便题写了“难得糊涂”四个字，用了“康熙秀才雍正举人乾隆进士”的方印。因砚台尚有许多空白，板桥说老先生应该写一段跋语。老人便写了“得美石难，得顽石尤难，由美石而转入顽石更难。美于中，顽于外，藏野人之庐，不入宝贵之门也”。他用了一块方印，印上的字是“院试第一，乡试第二，殿试第三”。板桥一看大惊，知道老人是一位隐退的官员。有感于糊涂老人的命名，见砚背上还有空隙，便也补写了一段话："聪明难，糊涂尤难，由聪明而转入糊涂更难。放一著，退一步，当下安心，非图后来报也。"

由此可见，这位隐居的老人和板桥先生都深得老子思想的精髓——对俗事的精明恰恰会导致对人生大事的糊涂；看起来对人生俗事的"糊涂"，又恰恰是真正的精明。

【修行妙法】

俗人求学问，道者修智慧。

俗人问是非，道者问究竟。

俗人耍聪明，道者笑眯眯。

【老子心说】自以为聪明的就是愚蠢。

【人生智慧】悟道者大智若愚，无道者大愚若智。

第二十一章

【主题】孔德惟道

【道门玄机】信自已经验，却疏远了万物之道。

【圣训】

孔德之容，惟道是从。

道之为物，惟恍惟惚。

惚兮恍兮，其中有象；

恍兮惚兮，其中有物。

窈兮冥兮，其中有精；

其精甚真，其中有信。

自古及今，其名不去，以阅众甫。

吾何以知众甫之状哉？以此。

【关键字词】

[孔]宏、大之意。

[象]形象、具象。

[窈] yǎo，深远，微不可见。

[冥] míng，暗昧，深不可测。

[精]最微小的原质，极细微的物质性的实体，微小中之最微小者。

[信]是指事物的本质或规律。

[甚真]是很真实的。

[众甫]万物的起始。甫：fǔ，与“父”通，引申为“始”。

[状]状况。

【解剖俗象】

◎ 对小事的精明，恰恰可能是对大事的糊涂。

◎ 对自己那些世俗主张的坚信，恰恰是束缚自己的一种迂腐。

◎ 现实中人最容易犯的自以为是的错误，恰恰是把自己有限的主观认识、知识和经验，错误地当成了真理。

◎ 而能够看清楚个人局限性的大智慧，恰恰是将个人的主观与主宰世间一切的大道的力量联系在了一起，这也正是老子智慧给予世人的最重要的启示。

【修行妙法】

人若开悟，惟道是从。

道中万有，象物精信。

自古至今，万物道同。

万物同道，明一通万。

【老子心说】象物精信，万物一脉。

【人生智慧】万物一理，格物通道，一通万通。

第二十二章

【主题】反俗近道

【道门玄机】求多、求全、走直线、站高位，却陷入苦难深渊。

【圣训】

曲则全，枉则直，洼则盈，敝则新，少则得，多则惑。

是以圣人抱一为天下式。

不自见故明，不自是故彰，不自伐故有功，不自矜故长。

夫唯不争，故天下莫能与之争。

古之所谓曲则全者，岂虚言哉！诚全而归之。

【关键字词】

[枉]屈、弯曲。

[洼]水洼，凹陷的地方。

[敝]凋敝。

[抱一]抱，守。一，即道。此处意为守道。

[式]法式，范式。

[自见]自我显现。见，xiàn，同“现”。

[自是]自以为是。

[自伐]自我夸耀。

[自矜]骄傲自大。

[诚]确实。

【解剖俗象】

- 世上的人有人愿意受委屈吗?
- 有多少人愿意弯下腰身低调做人?

有多少人在拥有了强势的资本之后还愿意保持谦虚的姿态？

有多少人会反对或者否定自己的现在而让自己新生？

有多少人在节制自己的欲望并让自己少取之后反而感到了充实和富有？

那些欲望膨胀贪得无厌的人，看到了自己灵魂的迷失了吗？

作为圣人的老子，看清了世人的这些错误，也发现了这些错误的反面所隐藏的秘密，为人们揭示了相反相成的人间智慧：“委曲反能求全，弯曲则能伸直，低洼反能充盈，破旧反能成新，少取反能多得，贪多反而迷惑。聪明的人不用自吹自擂，智慧的人不用自我表功，真正明白的人不用自夸，找到人生最高价值的人，根本不需要与俗人们争小利。”

老子的智慧思想，在人间已经存在了两千多年，真正明白和在乎的人又有几个呢？

【修行妙法】

受得委屈，方能求全。

懂得弯腰，方能直立。

能够处下，方能吸纳。

勇于破旧，方能成新。

敢于舍弃，方能获得。

迷于多占，反而迷惑。

圣者去我，天下不争。

【老子心说】成在反面，妙在反俗。

【人生智慧】时时能看反面，方能获得全面。

第二十三章

【主题】道法自然

【道门玄机】人所苛求，违背自然，故而徒劳无功。

【圣训】

希言自然。

故飘风不终朝，骤雨不终日。孰为此者？天地。

天地尚不能久，而况于人乎？

故从事于道者，同于道。德者同于德，失者同于失。

同于道者，道亦乐得之；同于德者，德亦乐得之；同于失者，失亦乐得之。

信不足焉，有不信焉。

【关键字词】

[希言]无声之言，不说话或少说话。此处指统治者少施加政令、不扰民的意思。

[朝]zhāo，早晨。

[从事于道者]按道办事的人。

[失]指失道或失德。

[信不足]诚信不够，不值得信任。

【解剖俗象】

世间的人总是期望着美好能够常驻，凡事一切顺利，健康能够永远，青春能够永驻。总之，美好的永远伴随我，灾难的永远远离我。别人永远对我好，我怎么做也不会被责怪。做生意挣钱越来越多，永远不会亏损……

把这些话说出来时，可能连我们自己都会笑话自己：太贪心了，这怎么可能呢？一个人怎么可能把好事都占尽呢？

是啊，人们总是为自己谋划最好的，可那些不好的东西似乎又无法彻底摆脱，于是人们就会陷入苦恼和焦虑之中。

在现实中，我们看到当一个人得到好处很多时，他的心智就开始降低和迷乱；当一个人遇到危难和灾祸时，又会愤怒、悲伤和失望。

你看，许多人不管是遇到好事还是坏事，心智都会出现问题。

很显然，我们被外界的好或者坏给控制了，我们失去了对自己的控制。

可以说，这是许多人产生人生悲剧的根本性原因。

若是我们能够把控自己的心，不断地修行，从而提高自己，把所谓的好事或者坏事都当作对自己心性的考验和修行的机会，看到自己的心性质量与外部事件的相互呼应关系，一个人就可能开启人生智慧之门。

这正是老子为我们揭示的人生核心智慧之一：把控自己，节制主观欲望，接收万事万物的能量与营养，通过万事万物看清自己的心性图画。

【修行妙法】

一切在变，万变有宗。

随变不住，万变皆礼。

来者不拒；去者不追。

悦纳一切，人生富足。

【老子心说】去除心念，万事皆礼。

【人生智慧】坚定方向，看清形势，随遇而安，自强不息，终可大成。

第二十四章

【主题】刻意即错

【道门玄机】一心为自己，急于想成功，却越是远离成功。

【圣训】

企者不立，跨者不行，自见者不明，自是者不彰，自伐者无功，自矜者不长。

其在道也，曰余食赘行。物或恶之，故有道者不处。

【关键字词】

[企]意为踮起脚跟，脚尖着地站立。

[跨]跃、越过，阔步而行。

[自见]自我显现。

[自是]自以为是。

[自伐]自我夸耀。

[自矜]自傲自大。矜：矜持、孤傲。

[赘行]累赘的疣物，因饱食而使身上长出多余的肉。

【解剖俗象】

练武的人都知道，打好基础，练好基本功，永不自满，不断否定自己的现在，克服心浮气躁或者急于求成的心理，才能真正让功夫有所长进。

所以我们看到了练功的人的孜孜以求，看到了他们冬练严寒、夏练酷暑的意志。人生的其他方面，也都符合这个道理。

可是，在现实中我们看到的大部分情况，却与此相反，许多人总是急于求成，总是心浮气躁，总是自我标榜，总是自鸣得意。

◎ 这样的人不管做什么，都不可能练就真正的功夫，这个道理并不深奥，但真正明白和能做到的人，却少之又少。

◎ 老子发现很多人身上存在这个毛病，指出这种错误做法最终只能徒劳无功。

【修行妙法】

稳扎稳打，步步是功夫。

可做做精，事事是神奇。

有功不露，方是真功夫。

一心练功，一切自然成。

【老子心说】智力相差无几时，比的是谁更踏实。

【人生智慧】急于求成，反受其害。踏实不躁，练就真功。

第二十五章

【主题】 大道如神

【道门玄机】 人无法无天，其实是不知还有大道掌管一切。

【圣训】

有物混成，先天地生。

寂兮寥兮，独立而不改，周行而不殆，可以为天下母。

吾不知其名，强字之曰道，强为之名曰大。

大曰逝，逝曰远，远曰反。

故道大，天大，地大，人亦大。

域中有四大，而人居其一焉。

人法地，地法天，天法道，道法自然。

【关键字词】

[混成]混然而成，指浑朴的状态。

[寥]无形，宽广。

[殆]停止。

[强]勉强。

[逝]川流不息、永不停止的运行状态。

[反]返回到原点，返回到原状。

[域中]空间之中，宇宙之中。

[法自然]顺乎自然，依从于自己。法：依从之意。

【解剖俗象】

很显然，老子对道的规律的认识使他达到了崇拜道的地步。

是啊，万事万物和所有的生命，都由大道所缔造和主宰，我们个人的那点认识和聪明又算得了什么呢?

大道就在我们的生命中，也存在于万事万物的生生不息中，祂主宰着我们，我们没有办法改变祂，因为祂是独立自主的，祂的力量是巨大和永恒的，万事万物和所有的生命无不依赖于祂而存在。

人类的生命和人生智慧，就是在自己的主观与这样的大道相对接的过程中产生的，这才是一个生命完整的系统，离开了这个系统，人的生命不能存在，人的智慧只能是荒谬的。

若是明白了这一点，我们弱小而有限的生命，就会跟一个能量巨大而永恒的系统连接在一起，人生才可能变得伟大。这就是老子的发现和对我们的谆谆教诲。

【修行妙法】

大道如神，悟道与神同在。

跟随大道，一切自有安排。

【老子心说】悟道就是智慧的巅峰!

【人生智慧】有正信正念信仰的人，是人间最强大的人!

第二十六章

【主题】守住重心

【道门玄机】浮躁的人，智力处在最差的状态。

【圣训】

重为轻根，静为躁君，是以君子终日行不离辎重。

虽有荣观，燕处超然，奈何万乘之主，而以身轻天下？

轻则失本，躁则失君。

【关键字词】

[重]持重、稳重。

[轻]轻浮、轻率。

[根]根本、基础。

[燥]躁动、妄动。君：主宰。

[辎重]军中载运器械、粮食的车辆。辎，zī。

[荣观]贵族游玩的地方，这里指华丽的生活。

[燕处]安居之地。燕：通“宴”，其意为“安”，即安乐、安逸。

[万乘]指拥有兵车万辆的大国。乘，shèng，车子的单位。

[君]主宰、主导。

【解剖俗象】

很多人都见过“不倒翁”，不管怎么摇晃，最终都会趋于平衡和平静。

“不倒翁”的原理就是设计者将其重心放得很低，因此，不管如何摇晃，都不会失去重心。

再看现实中的人们，不管是地位高了、成绩大了、钱多了、荣誉多了，都会变得骄傲自大、自以为是、盛气凌人、忘乎所以，一下子就失去了谦卑、自知、精进、低调等一系列美德，如同丧失了生命和人生的重心，在这些荣誉和成绩面前，变得颓废、愚蠢和堕落。

另外一极，人生遭遇挫折了、事业受损了、人格受辱了，许多人又会失控，又会变得暴躁、绝望，在这种状态下会乱出手，也可能乱发脾气，也可能轻信诱惑而急于求成，反而容易上当受骗。

你看，一个不修行的人是多么容易失去生命和人生的重心啊！这种既承受不了富贵，也忍受不了委屈的人，怎么可以成就大事呢？

两千五百年前，老子就看清楚了许多人的这一致命缺陷，为人们指出了一条光明的大道——守住重心，保持静心，超越世俗诱惑，如此才能平安和发展。

【修行妙法】

浮躁之人，必失命根。

诱惑所动，必是俗人。

【老子心说】追随大道，守住自心。

【人生智慧】沉稳的人做大事，冲动的人做小事。

第二十七章

【主题】袭明要妙

【道门玄机】无道者的任何选择，都必然跟随着反面的力量。

【圣训】

善行无辙迹，善言无瑕谪，善数不用筹策，善闭无关楗而不可开，善结无绳约而不可解。

是以圣人常善救人，故无弃人；常善救物，故无弃物，是谓袭明。

故善人者，不善人之师；不善人者，善人之资。

不贵其师，不爱其资，虽智大迷，是谓要妙。

【关键字词】

[辙迹]轨迹，行车时车轮留下的痕迹。

[善言]指善于采用不言之教。

[瑕谪]过失、缺点、疵病。谪，zhé。

[筹策]古时人们用作计算的器具。

[关楗]门闩。

[绳约]绳索。约：指用绳捆物。

[资]取资、借鉴的意思。

[虽智大迷]虽然好像很聪明，其实是糊涂。

【解剖俗象】

在现实中，急于求成或者一心为自己谋私利的人，做人做事都会忽视基本规律，因为他们整个心神的重心都在自己的念头和想法上。

于是，做事往往因为违背规律而只能使用蛮力，做人因为有自己的成见或者有私心，又往往与人发生对立和冲突。

◎ 如果这两种错误集中在一个人身上，就会导致做事和做人这两个方面的不经济、低效率，乃至于失败。

◎ 悟道的人，遇事总是能够遵循事物的规律，遇人总是能够找到与人心对接的妙处，不用再动心机或者耍心眼，就能够把事和人都做好。

◎ 老子将这一智慧称为“要妙”。

【修行妙法】

悟道合道，一切要妙。

珍视众生，众力可成。

懂得万物，可谓袭明。

众生为师，可悟要妙。

【老子心说】格物懂人，袭明要妙。

【人生智慧】掌握规律，勿用蛮力。

第二十八章

【主题】一体两面

【道门玄机】喜欢一方，失去对方，只选一极，必然失衡。

【圣训】

知其雄，守其雌，为天下谿。为天下谿，常德不离，复归于婴儿。知其白，守其黑，为天下式。为天下式，常德不忒，复归于无极。知其荣，守其辱，为天下谷。为天下谷，常德乃足，复归于朴。朴散则为器，圣人用之则为官长。故大制不割。

【关键字词】

[雄]比喻刚劲、躁进、强大。

[雌]比喻柔静、软弱、谦下。

[式]楷模、范式。

[忒]tè，失、差错。

[无极]意为最终的真理。

[谷]深谷、峡谷，喻胸怀广阔。

[朴]朴素，这里指纯朴的原始状态。

[器]器物，这里指万事万物。

[官长]百官的首长，领导者、管理者。长，zhǎng。

[大制不割]完整的政治是不割裂的。制：制作器物，引申为政治。割：割裂。

【解剖俗象】

- 世人思考问题时，要么片面，要么对立。
- 片面就会产生偏见，对立就会产生冲突。

◎ 若是一个人习惯了使用片面和对立的思维方式看待世间的人和事，就会使用这种错误的思维方式理直气壮地去制造错误的结果。

◎ 这种现象在现实中实在太普遍了：许多人活在被自己撕裂的世界里，苦不堪言。

◎ 老子告诉人们，大大的智慧是将两个对立的方面统一起来，并使自己坚守在与世俗习惯相对的另一面。

◎ 这样就避开了世俗的错误的思维模式，让自己在守雌、守下、守弱、守柔的不引人注目的方式与状态下，悄悄地完成事物两个方面的统一。

◎ 使用这种大道的智慧，可以让人悄无声息地超越世俗中许许多多的人，并极其轻巧地完成各种各样的目标。这样的状态和境界实在是美妙啊！

【修行妙法】

见正知反，万物模式。

见奇守静，智慧模式。

【老子心说】见到正面想反面，才是全面。见到万物守静心，才是彗心。

【人生智慧】富人朴素，穷人光鲜。智者低调，愚者招摇。

第二十九章

【主题】去念无为

【道门玄机】越是为自己祈求什么，反而越会失去什么。

【圣训】

将欲取天下而为之，吾见其不得已。

天下神器，不可为也。为者败之，执者失之。

夫物或行或随，或歔或吹，或强或羸，或挫或隳。

是以圣人去甚，去奢，去泰。

【关键字词】

[取]治理。

[不得已]达不到、不能得逞。

[天下]指天下人。

[神器]神圣的物。

[为]指有为，靠强力去做。

[随]跟随、顺从。

[歔] xū，轻声和缓地吐气。

[吹]急吐气。

[羸] léi，虚弱。

[隳] huī，损毁。

[甚]极端的。

[奢]奢侈的。

[泰]太，过度的。

【解剖俗象】

人一直引为自豪的是自己的思维能力，甚至很多时候会很夸张地夸大自己的主观能动性。

尤其是在一些事上取得成功的人，就更容易将自己的经验变成经验主义，似乎自己掌握了真理或者成功的诀窍，到了这个地步，人的主观意识就会膨胀，就会自以为了不起，就会将个人的聪明凌驾于客观规律或者大道之上。

此时此刻，人就开始了干蠢事的历程。

老子看清楚了世俗中人的这种愚昧，告诫人们要去除这种自高自大、自以为是的想法，否则，越是坚信自己的主观，就越是容易导致失败。

【修行妙法】

心机一动，再无太平。

越急越乱，再无智慧。

【老子心说】谋大事者心静，成大事者无欲。

【人生智慧】领袖为天下而有天下！

第三十章

【主题】好战早亡

【道门玄机】强大时不知收敛，反而是最接近死亡的时候。

【圣训】

以道佐人主者，不以兵强天下，其事好还。

师之所处，荆棘生焉。大军之后，必有凶年。

善有果而已，不敢以取强。果而勿矜，果而勿伐，果而勿骄，果而不得已，果而勿强。

物壮则老，是谓不道，不道早已。

【关键字词】

[佐]辅佐、帮助。

[其事好还]用兵这件事一定能得到还报。还：还报、报应。

[善有果]达到获胜的目的。善：正义之战。果：成功之意。

[取强]逞强、好胜。

[物壮]强壮、强硬。

[早已]很快就结束。已：完结、了结。

【解剖俗象】

现实中有些自以为高明的人，在给人出主意时总是想着如何让他强大以胜过别人，如此也证明自己的价值。

这样的人实际上是在助纣为虐，是用聪明来放大人的贪欲，是利用人的弱点给更多的人带来灾难。

老子抨击了那些以强力征服别人的人，倡导以善待人，既不要强取豪夺，也不要一味地想着超过别人或者压迫别人。

即使取得了一些骄人的成绩，不要自以为得意，也不要盲目自夸，更不要骄傲自大。

否则，在有了客观的成绩之后主观上开始膨胀的人，心智就会失控，就会在不合道的状态下把事物推向反面，最后自取其辱。

【修行妙法】

好战早亡，共赢方能长久。

逞强自伤，见好就收为上。

【老子心说】强势懂得收敛，得势保持谦卑。

【人生智慧】邪道收手即是好人，善道强为终成恶人。

第三十一章

【主题】和平为上

【道门玄机】迷失个人真正目标的人，必然陷入无谓的争斗。

【圣训】

夫兵者，不祥之器。

物或恶之，故有道者不处。

君子居则贵左，用兵则贵右。

兵者，不祥之器，非君子之器。不得已而用之，恬淡为上。

胜而不美，而美之者，是乐杀人。夫乐杀人者，则不可得志于天下矣。

吉事尚左，凶事尚右。偏将军居左，上将军居右，言以丧礼处之。杀人之众，以悲哀莅之。战胜，以丧礼处之。

【关键字词】

[夫]文言文中的发语词。

[物或恶之]意为人所厌恶、憎恶的东西。

[贵左]古人以左为阳，以右为阴。阳生而阴杀。尚左、尚右、居左、居右都是古人的礼仪。

[恬淡]安静、沉着。

[美]以其为美，得意扬扬。

【解剖俗象】

从古至今，用兵打仗总会给社会带来巨大的灾难，所以老子认为用兵是不得已的事情。

喜欢用兵或者杀人，是不可能得人心的，也不可能取得最后的胜利。

◎ 不得已用兵时，即使胜利了也不要洋洋得意，要以悲伤的态度处之。

◎ 生活中也是这样，那些喜欢争雄斗狠、动不动就拳脚相加的人，肯定是野蛮人，是人类文明所唾弃的。

【修行妙法】

强势即是危势，明白方能得势无忧。

成功即是危局，清醒方能破危无险。

【老子心说】强势时才能考验心性，成功时方验其命贵贱。

【人生智慧】好斗的人惹祸，忍让的人得福。

第三十二章

【主题】道统万物

【道门玄机】无道的人以为自己比道大，最终落得个鸡蛋碰石头的下场。

【圣训】

道常无名。

朴虽小，天下莫能臣。

侯王若能守之，万物将自宾。

天地相合以降甘露，民莫之令而自均。

始制有名，名亦既有，夫亦将知止。知止可以不殆。

譬道之在天下，犹川谷之于江海。

【关键字词】

[朴]这是指“道”的特征。

[小]用以形容“道”是隐而不可见的。

[莫能臣]指没有人能支配它。臣：使之服从。

[自宾]自动归服。宾：服从。

[莫之令]莫令之，没有强制和指使。

[自均]自然均匀。

[始]当初，开始。

[制]形成。

[有名]各种有名的具体事物，区别于无名之道。

[不殆]没有危险。

【解剖俗象】

世俗中的很多人，有一点资本就觉得自己很了不起，就容易狂妄自大。

有点儿背景的人觉得谁也不敢惹自己，有点儿权势的人总是对别人颐指气使，有点儿功夫的人会晃着膀子横着走，有点儿学问的人又觉得谁也不如自己，等等。

你看，人只要有点儿资本，心智就会扭曲，就搞不清楚自己是谁了。

实际上，天地间最有能量的大道，主宰着人间的一切，却又表现得无形无相、无声无息。有教养的人，即使自己很有能量，也会表现得低调而谦卑，不会跟人争雄斗狠，不会轻易地因为小事被别人激怒。

能够做大事的人，不会轰轰烈烈地去张扬，而是冷静稳妥地一步步去实施。

有教养、能做大事的人，因为自己平静、平和，更能够领悟万事万物的大道，更能够有效地节制个人的主观欲望，反而能够把事情做好。

【修行妙法】

大道无处不在，统领天下万物。

悟道无所不能，秘诀在于无为。

明道知止不殆，成功来自自治。

【老子心说】大道最大，悟道万能。

【人生智慧】世间的神奇之人，皆是悟道之人。

第三十三章

【主题】自胜永生

【道门玄机】愚蠢的人，总认为自己是聪明的。

【圣训】

知人者智，自知者明。

胜人者有力，自胜者强。

知足者富。

强行者有志。

不失其所者久，死而不亡者寿。

【关键字词】

[知]知道、了解。

[明]高明。

[强行]坚持不懈、持之以恒。

[不失其所]不离失根基，不迷失本性。所：所在、所处，根基。

【解剖俗象】

生活在现实中的人们之所以在不断的奋斗中又深陷痛苦，主要是犯了几类比较典型的错误。

第一类错误，也是最低级的错误，就是那种不知人、不知事和不知己的人，做什么事情都会给别人带来麻烦，也会给自己带来痛苦。

第二类错误，就是知事而不知人，他们常常是那些在某个方面有专长的人，对于要做的事情有自己的专业特长，但做事的情商太低，难于跟别人沟通和合作，缺乏团队意识，也无法成为团队的领袖。这样的人往往在自己的生活中也会遇到很多麻烦，因为除了专业知识，在与亲人和朋友的沟通方式上存在很多问题。

第三类错误，就是对人性的认识存在偏见，对人生感到悲观，这些往往发生在那些有一定人生阅历的人身上。通过一些人生经历，这样的人看到了某些不成熟的方面，因此对人性做出了负面的结论，他自己对人和人生也持悲观态度。这样的人往往看起来很老练，但内心很阴暗。他们往往很难成就事业，甚至很难保持健康的身心状态。

第四类错误，是一些人自以为很懂得人心，说话办事往往也会给人很舒服的感觉。但因为缺乏自己的立场和原则，相处时间久了，会让人感到过于圆滑和不可靠。他们往往得意于自己的这种圆滑，看不到或者意识不到被别人看穿的可笑局面。

第五类错误，是那种什么事总是跟别人比，总以胜过别人作为自己的目标，却忘记了自己真正的目标。这样的人往往也会显得精明能干，但因为迷失了自己真正的目标，最终往往是白忙一场。

第六类错误，是那些永远想着让自己占有更多的人，对于自己已经拥有的反而不懂得珍惜，让自己永远处在一种匮乏和贫困的状态之中。

第七类错误，是指那种有愿望但没有道行的人，想做的事很多，却又不知道方法和策略，最终落得个空有抱负而无法成事的结局。

第八类错误，是那些总是羡慕别人，却找不到自己的方向，时常魂不守舍的人，他们做什么事都不专心，最终成为人生匆匆的过客。

老子看清了人间的这些错误，也给正深陷这些错误中的人们指出了一条明路。

【修行妙法】

懂得别人是小聪明，明白自己是大智慧。

战胜别人是小力量，超越自我是真强大。

能够知足是真富有，立志长远是大前途。

守住根本是真长久，死而不亡是命合天。

【老子心说】珍惜所有，勇猛精进，不失初心，方得天命。

【人生智慧】人间有大成就者，皆是终生以自我为敌，不断超越，连续新生的人。

第三十四章

【主题】大道天启

【道门玄机】小人自大，反而日益变得渺小。

【圣训】

大道氾兮，其可左右。

万物恃之以生而不辞，功成而不有，衣养万物而不为主，可名于小。万物归焉而不为主，可名为大。以其终不自为大，故能成其大。

【关键字词】

[氾] fàn，同“泛”，广泛或泛滥。

[不辞]意为不说三道四，不推辞、不辞让。

[衣养]覆盖、保护之意。

[不为主]不自以为主宰。

[可名于小]可以称它为小。万物由道而生，却不知由道而生，好像道不存在一样，由此说它“小”。

[可名为大]可以说是很伟大的。

【解剖俗象】

◎ 现实中的人们，已经习惯了一个错误的标准：自己占有的越多，似乎就是越成功。

◎ 但只要观察的时间足够长，人们就会发现，随着自己占有的越来越多，人生的压力也会越来越大，生活也变得越来越不健康，甚至还会出现身心方面的异常或者扭曲，情感也会变得越来越冷漠。

◎ 随着地位越来越高、荣誉越来越多，人也变得越来越自以为是，自高自大，甚至脾气也在变大，心灵却越来越孤独。

老子看到了许多人成功背后的困境，看到了违背大道规律的成功者内心的痛苦，为人们指出了大道的方向，也揭示了人世间成就伟大事业和伟大人生的秘密："以其终不自为大，故能成其大"，这是《道德经》诸多惊世骇俗的思想中最为典型的"反成"智慧。

【修行妙法】

大道统摄一切，功名自在。

悟道明白一切，不大成大。

【老子心说】明道生大德，不大自成大。

【人生智慧】俗人居功而失信，道者不居可功成！

第三十五章

【主题】悟道定神

【道门玄机】一旦被现实中的东西迷惑，就进入无道状态。

【圣训】

执大象，天下往；往而不害，安平太。乐与饵，过客止。

道之出口，淡乎其无味，视之不足见，听之不足闻，用之不足既。

【关键字词】

[大象]大道之法象。

[安]乃、则、于是之意。

[太]同“泰”，平和、安宁的意思。

[乐与饵]音乐和美食。

[道之出言]把“道”用言语表述出来。

[既]用尽、完结的意思。

【解剖俗象】

◎ 现实中的人们，总是会被世俗中的很多稀奇的东西所诱惑，自己的心神也始终处在飘忽不定的状态。

◎ 许多人就是被自己这种躁动状态不断地折磨着，苦于找不到稳住自己心神的方法。

◎ 若是不信，你看看有谁、多长时间能够安静地没有任何动作？

◎ 老子认为，人间的这种痛苦恰恰反映的是背离大道的一种后果。

◎ 遵循大道的人，就能够让自己的心神安定，在修道的道路上享受着那种用之不竭的美好。

◎ 这种人生美好的感受，对那些不修道的人来讲，是难以置信的。

当然，对于那些否定或者排斥修道的人来说，对此往往持怀疑和嘲笑的态度。正所谓："夏虫不可以语冰，井蛙不可以语海，凡夫不可以语道。"

【修行妙法】

大道在天下，有道行天下。

大道在心中，诱惑无法动。

【老子心说】心中有大道者，能敌万般诱惑。

【人生智慧】有道者，自有定力。无道者，难敌诱惑。

第三十六章

【主题】明道自反

【道门玄机】只在意看到的，却不知总有相反的力量在改变它的走向。

【圣训】

将欲歙之，必固张之；

将欲弱之，必固强之；

将欲废之，必固兴之；

将欲夺之，必固与之。

是谓微明。

柔弱胜刚强。

鱼不可脱于渊，国之利器不可以示人。

【关键字词】

[歙] xī，收敛、闭合。

[固] 暂且。

[与] 给予。

[微明] 洞察几微的明智，高明微妙的谋略。

[脱] 脱离。

[利器] 指国家的刑法等政教制度。

[示人] 给人看，向人炫耀、滥用。

【解剖俗象】

- 生活了几十年，不少的人感慨，世道真是作弄人。
- 你完全相信一个人，往往会遭遇背叛。
- 你倾注心血培养一个人，最终却落个伤心。

你真心实意地爱一个人，他往往会弃你而去。

你拼命积攒了很多财富，最终发现命没了。

是老天作弄人吗？

天道自有其规律，周而复始，循环往复，走向任何一极而不回头，却终将是绝路。

人生中很多的事情，都是阴阳两种力量的平衡，孤阴不生，独阳不长。当一种力量出现时，另外一种看不见的、相反的力量也同时在成长，最终归于平衡。

当一个人为自己的得意而高兴时，让他悲伤的力量也在悄悄地成长；当一个人为自己的成就而得意忘形时，毁灭他的力量已经悄悄地站在了他的身后；当一个人觉得自己十分强大时，摧毁他的力量已经悄悄地对他形成了包围圈。

老子发现了人间这样的一种运动规律，告诫人们不要让自己的主观认识恶性膨胀，不要忽视相反力量的成长，要让自己保持清醒，遇事多想反面，保持自己的谦卑和柔性心态，以此来滋养自己的智慧，就如同鱼不能离开水一样。

【修行妙法】

非天道捉弄人，是无道者自我捉弄。

识得天道反成，正反相合顺道自成。

懂得天道微明，心静守柔方可大成。

【老子心说】私心用力的方向，正是反道的欲望。

【人生智慧】聪明反被聪明误，自动平衡是微明。

第三十七章

【主题】道常无为

【道门玄机】领导若是自以为是地总想表现自己，必然是个捣乱者。

【圣训】

道常无为而无不为。

侯王若能守之，万物将自化。

化而欲作，吾将镇之以无名之朴。

无名之朴，夫亦将无欲。

不欲以静，天下将自正。

【关键字词】

[自化]自我化育、自生自长。

[化而欲作]贪欲萌生。欲：贪欲。作：萌发，出现。

[无名]指“道”。

[朴]形容“道”的真朴。

[不欲以静]拒绝私欲，没有了私欲，就可以得到内心的宁静。

【解剖俗象】

天地万物都有着自己的客观规律与运行秩序，这就是老子所说的道的力量。

世间万事万物都由道所缔造，又被道主宰着生死与存续。

如果明白并顺应了事物的规律，万事可成。

顺应道的规律，也可以让天下太平。

保持质朴和宁静的心，莫让躁动的欲望主宰，就可以悟道，就可以道安定天下。

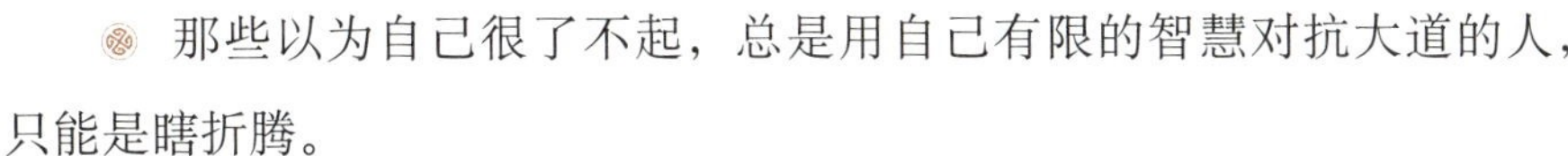

那些以为自己很了不起，总是用自己有限的智慧对抗大道的人，只能是瞎折腾。

【修行妙法】

道常无为，而为天下！

侯王守道，可坐天下！

悟得天道，心静无欲！

心机不动，天下自定！

【老子心说】无欲者，心中有大道。悟道者，心中无私欲。

【人生智慧】圣主无为创盛世，小鬼乱为成乱局。

第三十八章

【主题】上德有道

【道门玄机】德性不够的人，做点事总是显摆自己有德。

【圣训】

上德不德，是以有德；下德不失德，是以无德。

上德无为而无以为，下德为之而有以为。

上仁为之而无以为，上义为之而有以为，上礼为之而莫之应，则攘臂而扔之。

故失道而后德，失德而后仁，失仁而后义，失义而后礼。夫礼者，忠信之薄而乱之首。

前识者，道之华而愚之始。

是以大丈夫处其厚，不居其薄；处其实，不居其华。故去彼取此。

【关键字词】

[上德不德]品德高尚的人，不会在形式上彰显“德”。

[无以为]无心而故意作为。

[莫之应]莫应之，宾语前置，意为没有人响应。

[攘臂]伸出手臂。

[薄]不足、衰薄。

[前识者]所谓有先见之明者，这里指统治者制定的礼仪规范。

[华]通“花”，这里是文饰、虚华之意。

[处其厚]立身于敦厚的品质。

[薄]礼之衰薄。

【解剖俗象】

世间有一个非常有趣的现象：一个人越是没有什么，就越是要在人前证明自己有什么。

当一个人真正拥有了很多，反而在人前保持着平和、低调和谦卑。

人们在玩一种什么样的游戏呢？

看来，因缺乏什么而自卑的人，总是要用虚假的东西来粉饰自己。

而真正拥有且自信的人，反而表现得质朴和自然。

正如老子所说，拥有丰厚德性的人，就不会显摆自己的德性。

总是强调或者重视道德的人，却往往是德行不足的人。

在作为和仁义方面，往往也是如此。一个人背离了大道，就会退而求其次，重视德、仁、义和礼，又因为背离了大道，所追求的这些东西，又会成为扰乱人心智的罪魁祸首。

因此，真正明白道和悟道的人，是不会追求人间那些浮华的事物的，而是始终以质朴的心来面对一切，反而能保持内心的清净。

【修行妙法】

上德有道，有而不显，无为而无以为。

下德无道，故而彰显，为之而有以为。

有道有德，无道求德，无德求仁后礼。

无道无德，无德无仁，无仁无义无礼。

失道求礼，无根之草，人间祸乱之首。

【老子心说】大道乃众德之根，失道失根。

【人生智慧】真有的不显摆，显摆的实没有。

第三十九章

【主题】守一有道

【道门玄机】背离了大道的人，会理直气壮地为自己制造灾难。

【圣训】

昔之得一者，天得一以清，地得一以宁，神得一以灵，谷得一以盈，万物得一以生，侯王得一以为天下正。

其致之也，谓天无以清将恐裂，地无以宁将恐废，神无以灵将恐歇，谷无以盈将恐竭，万物无以生将恐灭，侯王无以正将恐蹶。

故贵以贱为本，高以下为基。

是以侯王自谓孤、寡、不穀。

此非以贱为本邪？非乎？故至誉无誉。

是故不欲琭琭如玉，珞珞如石。

【关键字词】

[昔]过去、古时候，此处意为从来、古往今来。

[得一]得道。"一"在此处意为"道"。

[正]意为首领、统治者。

[致]由此及彼，引申为推说、推论、推而言之。

[谓]假如说。

[废]崩坏。

[歇]消失。

[蹶]jué，跌倒、失败、挫折。

[不穀]不谷，春秋时期王侯的谦称，不善的意思。穀，gǔ。

[至誉无誉]最高的荣誉是无须称誉赞美的。

[琭琭]lù，形容玉美的样子。

[珞珞]luò，形容石坚的样子。

【解剖俗象】

生活在世俗中的人，不懂得阴阳平衡的道理，往往将事物的两个方面对立起来，于是乎，不管他处在哪一个方面，都将会有另外一个相等的力量与之相对抗，这就是人间某些不可思议的奇特规律。实际上，这就是天地间存在的一种普遍的，也是非常朴素的规律。

若是明白了这一规律，就会坚守“阴阳合一”的原则，当知道自己正处于某一极时，就会主动地以另外一极来平衡自己，这样做就是领悟了大道的智慧。

老子提出了人间的一个金律：“贵以贱为本，高以下为基。”

如果再简化一点，对于人们普遍追求地位和奢华的欲望来说，另外一极就是质朴。

因此，世俗中，人们在不可能没有利益追求的情况下，保持质朴的本色，可谓是万全之策。

君不见，在任何时代，过分追求奢华、喜欢炫耀的人，有几个最终会有好下场的呢?

做人要顶天立地：以天道为根，以人道为本，贯通天道与人道，即是守一。

当然，万象归一。做人一心一意、做事凝神专注、看事对立统一，就能够用道和得道。

世人若能明白老子的大道智慧，将会有无数的生命得到拯救。

【修行妙法】

万物动则太极，复归无极。

守一则如神灵，人间妙法。

高则主动放低，当是智慧。

贵则主动守贱，当是觉悟。

是故至誉无誉，质朴是真。

【老子心说】天地万物，合道守一。人接反面，正反合一。

【人生智慧】一心一意创奇迹，三心二意自废弃。

第四十章

【主题】反者道动

【道门玄机】俗人只看一面，却被反面决定。

【圣训】

反者，道之动；弱者，道之用。

天下万物生于有，有生于无。

【关键字词】

[道之动]道的运作规律。

[道之用]道的运用、作用。

【解剖俗象】

现实中的人们，遇事总是显得心智不够，往往会顾此失彼，很难照顾到另外一个方面的事情。

不管人们重视什么，不被重视的力量也会成长；不管人们喜欢什么，不喜欢的力量也会存在。

看来，这个世界的存在与运行，根本不在意人们的重视与不重视、喜欢与不喜欢，祂是那样的“任性”，以至于人只能服从而不能违背。

老子的伟大之处就在于他透过世俗的迷雾，揭示了背后道的运动规律。

当我们醉心于某一个方面时，相反的方面也开始运动，老子称为道动。

也就是说，不管我们从哪里开始，都会触动一个整体：触左，右也动；触前，后也动。

若是能够让自己保持虚静的状态，就可以跟随大道的运动，而不用费太多的力气。

◎ 用肉眼所能观察到的世间万物，只是整体中的一个局部，而事物的整体是无限的、无形的、无我的。

◎ 认识到这一点，我们才能看清自己的渺小，才能回归自己所隶属的大道之中。

◎ 否则，就会被相反的力量所否定，就会从自己喜欢的状态改变成另外一个状态，这就是人间苦难、灾难和不幸的基本原理。

◎ 看来，人只有一条路，就是让自己服从于道，通过修道来悟道。

【修行妙法】

反者道之动，见正知反，可体悟道妙。

弱者道之用，自强守弱，可领会道用。

万物生于有，有生于无，有归无道灵。

【老子心说】见正知反，自强守弱，有归于无，道妙无穷。

【人生智慧】要想全面看两面，一人两角是神仙。

第四十一章

【主题】悟道看根器

【道门玄机】自以为是的人，总是对大道半信半疑，于是只能原地转圈。

【圣训】

上士闻道，勤而行之；

中士闻道，若存若亡；

下士闻道，大笑之，不笑不足以为道。

故建言有之：明道若昧，进道若退，夷道若颣。上德若谷，大白若辱，广德若不足，建德若偷，质真若渝。大方无隅，大器晚成，大音希声，大象无形。

道隐无名，夫唯道善贷且成。

【关键字词】

[言]立言，指古代哲人所立而流传下来的格言。

[夷]平坦。

[颣]lèi，崎岖不平、坎坷曲折。

[建]通“健”，刚健、健康之意。

[媮]tōu，意为懒惰、懈怠。

[质真若渝]指德之质。真：通“贞”，即坚贞不变、坚定不移。渝：变化、变节。

[隅]yú，角落、墙角，引申为棱角。

[善贷且成]道使万物善始善终，而万物自始至终也离不开道。贷：施与、给予，引申为帮助、辅助之意。

【解剖俗象】

- 随着人生经历的积累，越来越多的人会意识到修道的重要性。
- 可是，在人生经历的惯性面前，修道并非人们想象的那般容易。
- 老子针对现实中人们对待修道的态度，将人分成了三种情况。

首先，对于很多人来说，在某种场合或者自己处在某种状态时，也许会肯定修道的意义和重要性，甚至意识到修道的迫切性。可是，事后真正进入修道过程的人又有几个呢？对于这样的人来说，修道的事儿是时有时无的。用老子的话来说，就是“若存若亡”。但从大道存在的规律来看，道无处不在，道无时不在。故而，修道的圣人告诉人们：“道不可须臾离也，可离非道也。”

其次，现实中还会有一部分人，他们对于大道和修道是持怀疑态度的，甚至会嘲笑修道的人与行为。正所谓：“可笑的人总是在笑话别人。”

最后，老子谈到了那些上乘根器和真正有道缘的人，他们是知行合一的，在修道方面是不遗余力的，是不间断的。一旦上道，就会克制自己过去那种精明、一味求进、好走捷径的毛病，变得虚怀若谷，谦虚谨慎，低调谦卑，质朴无华。这样的人，因为跟随大道，方成就人生。

【修心妙法】

上等根器，闻道即行。

中等根器，断断续续。

下等根器，置若罔闻。

悟道若无，有道若俗。

【老子心说】勤行悟道，须臾不离，有道随俗。

【人生智慧】专心勤修出奇迹，三心二意真俗气。

第四十二章

【主题】道生万物

【道门玄机】俗人看重万物，却不知决定万物的根本大法。

【圣训】

道生一，一生二，二生三，三生万物。

万物负阴而抱阳，冲气以为和。

人之所恶，唯孤、寡、不毂，而王公以为称。

故物，或损之而益，或益之而损。

人之所教，我亦教之。

强梁者不得其死，吾将以为教父。

【关键字词】

[冲气以为和]意为阴阳二气相互激荡、交互作用，以生“和”也。冲：交冲，激荡。和：可理解为“阴阳二气处于最佳和谐状态”，也可理解为生成一种新的“和”之气。

[强梁]强力、强暴之徒。

[父]有的解释为“始”，有的解释为“本”，有的解释为“规矩”。有根本和指导思想的意思。

【解剖俗象】

生活中有我们很熟悉的万事万物，可这万事万物是如何生成的，很多人可能已经见惯不怪。

随着生活阅历的增加，我们认识了世间越来越多的事物，各式各样，千奇百怪。可这些复杂的万象又是如何产生的呢？它们有一个共同的“祖宗”吗？

看起来万事万物各不相同，它们背后有一个“总规律”吗？

◎ 人们看万物时，往往只能看到部分，只能看到表面，如植物埋在土里，其根部，人的肉眼是看不见的。植物所进行的光合作用，我们的肉眼也看不见。

◎ 问题是，我们总是自以为我们已经了解了万物，但实际上并不是全面的真正的了解。

◎ 从人的情感上来说，我们喜欢鲜花的美丽，却很少有人喜欢孕育美丽鲜花的泥土。

◎ 我们看到水面上的荷花，会不由得驻足。人们喜欢的是荷花的美丽，但很少有人把这份美丽与孕育荷花的污泥浊水联系起来。

◎ 在通常的情感中，人们喜欢的是美丽和高贵，但很少有人会把丑陋与卑贱引入自己的生活。

◎ 老子为万物找到了最源头的“祖宗”，也为人们认识万物找到了“总规律”：万物之宗即是道。通过万物之形找到根本，借助阴阳合和的法门，就能知道万物的自身运行规律，就能一通万通。人能够管控住自己，主动放低自己，主动损毁碍事的主观妄想，就能得到大道力量的加持。这是何等的智慧啊！

◎ 老子告诉我们，那个时代的王公们，用普通人所厌恶的“孤”“寡”“不谷”这样的负面词汇来称呼自己，这看起来是在贬损自己，然而却是真正有益于自己。

◎ 这也许就是老子所说的“万物负阴而抱阳，冲气以为和”的大道智慧吧：明白自己所处的一极，又能主动地用另外一极来平衡自己。

【修行妙法】

道生万物，负阴抱阳，冲气为和。

自益则损，自损则益，是为道妙。

以一连万，借万悟一，是为修道。

【老子心说】道衍万物，万物隐道，去除私念，即可悟道。

【人生智慧】道生万物，只要看破万相就能找到总规律。红尘俗事考功夫，谦卑方能不失衡。

第四十三章

【**主题**】至柔至刚

【**道门玄机**】没有智慧的人，总是装得很强大。

【**圣训**】

天下之至柔，驰骋天下之至坚，无有入无间，吾是以知无为之有益。

不言之教，无为之益，天下希及之。

【**关键字词**】

[驰骋]形容马奔跑的样子。

[无有]不见形象的东西。

[无间]没有间隙、没有空隙。

[希]也作“稀”，稀少。

【**解剖俗象**】

◎ 现实中的人们有一个错误的常识，总以为自己足够强大了，才能够行走于天地之间而无碍。

◎ 可人们又发现，富翁们即使住在有电网的围墙里，出门还要带保镖，似乎也有他们害怕的力量存在。即使是国家元首，出门也面临着各种风险，有各种严格的安全保护，这也让这些元首们苦不堪言，但又无可奈何。

◎ 老子发现了人间一个重要的规律：至刚未必至强，至柔才是至坚。至柔的力量才能让人们顺畅地行走于天地之间，远远胜过至刚的力量。

◎ 老子看到了这种至柔无为而无不为的神奇，向人们展示了世间最强大力量的玄妙。

【修行妙法】

天下至柔，天下至刚。

不言之教，无为之妙。

【老子心说】心柔随道，大成之妙。

【人生智慧】水柔但可摧毁一切，水无形而渗透万物，人少说不妄动而大成。

第四十四章

【主题】别算错账

【道门玄机】俗人之贱，在于用生命去获取生命之外的东西。

【圣训】

名与身孰亲？

身与货孰多？

得与亡孰病？

是故甚爱必大费，多藏必厚亡。

知足不辱，知止不殆，可以长久。

【关键字词】

［多］重的意思。

［病］有害。

［甚爱必大费］过于珍爱（钱财）必定要付出很大的耗费。

【解剖俗象】

从古至今，无论是国内国外，世俗中的人们总是在拼命地为自己牟取利益，拼命工作，拼命挣钱，拼命享受，总之就是拼命。不管得到多少，却总是不知足，还想着争取得到更多。

在拼命的过程中，许多人没有了心情，失去了健康，没有了快乐生活的时间，甚至最后葬送了生命。这几乎成为现实中人最为典型和普遍的人生模式，也成了人类最滑稽的错误。

人到底想要什么呢？东西或者名义与人的身体相比，哪个更加重要呢？若是得到了东西，却失去了生命，又有何益处呢？这难道是人真正要追求的结果吗？

那一系列拼命为自己谋利的过程，看起来是为了增进自己的利益，但最终却损害了自己的利益。

纵观古今，多少人的人生都是如此滑稽，一代代人仍前仆后继，如此不长记性。

有时，真的会让你怀疑人类是在进化还是在轮回。

【修行妙法】

名身，自然身更亲；

身货，自然身更重；

得亡，自然得更害。

欲大，终将得不偿失。

欲多，必将使命丧尽。

知足心在，拥有则变得珍贵。

适可而止，就能够远离陷阱。

【老子心说】别算错账，别太过分。

【人生智慧】算错账的人，命贱；太过分的人，自毁。

第四十五章

【主题】不完美的完美

【道门玄机】俗人追求自己的完美，于是制造了自己的残缺。

【圣训】

大成若缺，其用不弊；

大盈若冲，其用不穷。

大直若屈，大巧若拙，大辩若讷。

躁胜寒，静胜热，清静为天下正。

【关键字词】

[大成]最为完满的东西。

[冲]虚，空虚。

[屈]曲。

[讷]nè，笨嘴拙舌。

[躁]动也。躁又有疾、急、扰之义，皆与静相反。凡事相反则能制。

[正]通“政”。

【解剖俗象】

在中国文化中，有许多很有哲理的成语：大成若缺、大道至简、大智若愚……

可不知有多少人能真正理解这种相反相成的智慧，也许很多人只是觉得它们有点高深莫测。

若是换一种说法，也许人们就容易理解了：凡事不要眉毛胡子一把抓，抓住要害，就能纲举目张。

若是不管大小，什么好处都要，就会树敌，就会为自己的未来制造很多障碍与困难。

◎ 不要总显示自己的聪明，那些能够发现别人的聪明并学习和赞美别人长处的人，才是真正有智慧的人。

◎ 不要总逞口舌之能，总在嘴巴上占便宜的人，往往最后都会吃亏。

◎ 直来直去不顾及别人感受的人，常常会制造出很多误会和误解，最终往往落得个好心办坏事的结局。

◎ 喜欢投机取巧走捷径的人，时间久了，往往不会有真功夫，也常常是不能走到最后、走得最远和爬得最高的人。

◎ 老子看世界最典型的方法论，就是用反面的东西对治现状中的偏差，只有清净的心才能走得稳、走得远。

【修行妙法】

看物缺物并不缺，实则是眼有缺。

看人缺人并不缺，实则是自心缺。

世间并不缺乏美，实则缺欣赏力。

心眼有缺万物丑，看圣也有毛病。

清静干净心方明，万物皆是美景。

【老子心说】大不求小，美不嫌丑。小中之大为大，丑中之美为美。

【人生智慧】大义不究小节，大美必有瑕疵陪衬。小节非小节，瑕疵非瑕疵，实则是自心写照。

第四十六章

【主题】纵欲造孽

【道门玄机】总是给众人带来威胁或者恐惧的人，都是造孽。

【圣训】

天下有道，却走马以粪；

天下无道，戎马生于郊。

祸莫大于不知足，咎莫大于欲得。

故知足之足，常足矣。

【关键字词】

[却]摒去，退回，退而改作他用。

[走马以粪]用战马耕种田地。

[戎马]战马。

[咎莫大于欲得]没有比贪得无厌更大的罪过。咎：过失、罪过。

【解剖俗象】

在战乱的时代，生灵涂炭，民不聊生，百业凋零，甚至连各种牲畜也不能幸免。

老子看到，战乱往往起于人的欲望，为了王位，为了国土，为了利益，为了尊严，为了强盛……

究其原因，都是因为人们总不知足，总想让自己占有得更多，总想让自己更好。

这看起来很合理的想法，一旦把握不好分寸，一旦追求过分，就会走向反面，就会制造灾难，也会给自己带来灾祸。

在现实生活中，许多人的事业和生活情景往往也是这样：全家人都在忙着挣钱，却没有时间团聚和好好生活。夫妻双方每天都在忙碌，却没有时间顾及自己的孩子。儿女们长大之后也在忙碌，顾不上与生养自己的父母见面或者叙情。大部分人满脑子只想着挣钱的事，却没有了人生的情趣。甚至有的时候，为了某一句话的理、为了没有实际意义的面子，就会大动干戈，最终因小失大，完全迷失了人生真正的目的。这样的错误，一直在不断重复着。

看清楚了这一切，我们也可能会对人类自身感到失望。快点学学老子的思想吧，否则人类就没救了。

【修行妙法】

纵欲者，心灵已经交给魔鬼，已经失去了自控能力。

贪婪者，灵魂已经麻木不仁，拥有的已经没有意义。

知足者，重新让灵慧回到家，于是能够节制和珍惜。

【老子心说】心若失控，人就变鬼。

【人生智慧】欲望膨胀，人会变成奴隶。私欲无度，人生便被奴役。

第四十七章

【主题】心接天道

【道门玄机】心不正，走遍天下，反而心更乱。

【圣训】

不出户，知天下；不窥牖，见天道。

其出弥远，其知弥少。

是以圣人不行而知，不见而明，不为而成。

【关键字词】

[窥]从小孔隙里看。

[牖]yǒu，窗户。

[天道]日月星辰运行的自然规律。

[弥]愈、更加。

[不见而名]不窥见而明天道。

[不为]无为、不妄为。

【解剖俗象】

在学习方面，人们非常熟悉并推崇“读万卷书，行万里路”的基本模式。

在生活中，人们都欣赏“见多识广”的人。

但是，人们还可以再深入地想一想，读万卷书倒是可以增长知识，但知识多了就一定拥有智慧吗？

行万里路倒可以见多识广，但见识多了就一定代表着一个人会拥有崇高的境界吗？

见得多，知得多，关键还要看在这些多的背后，是否能够发现本质和核心的规律，也就是万事万物的总规律，即道。

现实中的普通人，更多的是因追求知识而见多识广，但这些信息在心中存储得多了，是否也会产生混乱？人们在自己的心中又是用什么样的程序来处理这么庞杂的信息的呢？

没有哲学头脑的人，恐怕很难有能力在如此庞杂的信息背后找到最简单、最根本的规律。

当然还要小心，知识多了也许会变得迂腐，见识多了也许会变得油滑，这也算是人生中的一种风险吧。

圣人是悟道的人，他们拥有卓越的哲学思维能力，能够去伪存真，能够化繁为简，能够透过现象看本质，于是，他们能够从万千表象当中发现事物背后的总规律。

一旦掌握了万事万物的总规律，也就能从万卷书中数不尽的知识里找到了简单的真理，也就能从各种各样的见识中找到共同的规律和本质。

明白了这一点，也就懂得了圣道指引之处，也就明白了自己如何从知识和见识中找到走向真理之路。

【修行妙法】

足不出户，户联天下，户是天下的全息，知户而知天下。

不望窗外，窗联天地，窗是天地的门户，知窗而知天地。

走出很远，眼不连心，见的是万般幻相，知相不知真相。

圣人悟道，心连天地，不行心联故自明，借相而知真如。

【老子心说】万物万象，万相一真。

【人生智慧】不出户心明者而知万相之真，行远但心迷者则为万相所迷。

第四十八章

【主题】从为学到为道

【道门玄机】为学不道，学多了也是个高级废物。

【圣训】

为学日益，为道日损。

损之又损，以至于无为，无为而无不为。

取天下常以无事，及其有事，不足以取天下。

【关键字词】

[为学]古为政教礼乐，今为实用百科，都是属于知识技能的范畴。

[为道]体悟、探求，把握天下大道的静观、玄览之类的悟性思维活动。

[取]治、摄化之意。

[无事]无扰攘之事。

[有事]指繁苛政举、骚扰民生等行为。

【解剖俗象】

在现实中我们很多人都懂得，学习知识可以增益自己。

你看那些不学习的人，往往就会显得愚昧无知和粗鲁野蛮。

但凡事都有两个方面，知识多的人往往不如知识少的人显得质朴；知识多有时意味着心眼儿多，可能就会显得不够厚道；知识多的人往往又说得多，做得少，嘴巴上的能耐胜过手上的能力。

可见，我们所熟悉的学习方式，附带着一些不完美、不究竟、不彻底的隐性问题。

对此，圣人老子早已有所洞察，专门指出了“为学”和“为道”的不同：“为学”是给自己增加的过程，“为道”却是给自己减损的过程。

老子这一思想，为只是熟悉“为学”的人安装上了一个高级的“为道”程序。

之所以要从“为学”上升到“为道”，也是人的心智进化的一个必然规律：“为学”给人增加了很多知识，“为道”是对很多知识进行高级加工，以完成“去粗取精，去伪存真，去繁就简”的哲学过程，也是人的认识从具体知识和末梢规律上升到真理和总规律的过程。

这在两千五百年前的时代，绝对是一种惊世骇俗的超前智慧。即使是在今日，虽然人类的哲学思想已经有了相当的积累，但大部分学习或者对知识的掌握，恐怕还没有上升到哲学智慧的高度。

老子告诉我们，唯有上升到哲学智慧的高度，将自己主观上有限的聪明减损到最低，掌握并顺应万事万物的规律，才能达到不用蛮力的无为而无不为的境界。

【修行妙法】

为学看似增益，实则又压灵气。

为道看似减损，实则复苏灵气。

为道日久无为，实则无所不为。

治理天下多事，实则扰乱天下。

【老子心说】为学上升到为道，有为上升到无为。

【人生智慧】学知识，只能知所知，不能知所不知。学修道，能知所不知，能悟万象大道。

第四十九章

【主题】小心大心

【道门玄机】小人小心眼，因此装不下别人。

【圣训】

圣人常无心，以百姓心为心。

善者，吾善之；不善者，吾亦善之，德善。

信者，吾信之；不信者，吾亦信之，德信。

圣人在天下，歙歙焉，为天下浑其心。百姓皆注其耳目，圣人皆孩之。

【关键字词】

[无常心]长久保持无私心。

[德]假借为“得”，得到、获得之意。

[歙]xī，吸气，此处指收敛意欲。

[浑其心]使人心思化归于浑朴。

[注]关注、专注。

[孩]使动用法，使……像孩子一样。

【解剖俗象】

世俗中不修行的人，多半都会有一些共同的心智缺陷：总是自以为是，以己度人。某些人还会“以小人之心度君子之腹”。

即使对人表现得善良，也往往在对象上是有分别的。

大部分人对于不善的人是很难表现出善良的。

这样的分别心并不是人的精明，而恰恰是人的愚蠢。因为这使得人的善良有了前提，也有了功利心。因此，所谓的善良实际上极有可能转化成伪善和交易。

老子告诉我们悟道的圣人是什么样的心：没有自己的心，以别人的心为自己的心。

善良也没有了对象的分别，因为圣人所执行的善是上善，是至善，是那种“至诚通天”的力量，是那种能够收服和感化世间一切生命的道行。

故而圣人们能够普善于众生，因为圣人们超越了世俗中善与恶的分别，在更高的善的层面上完成了对世俗中善与恶的超越，也因此获得了自己心智的自由。

【修行妙法】

弱智者，心中只有自己私利。

精明者，看似为人实则为己。

悟道者，天下众生即是自己。

【老子心说】开悟的法门，即是将众生变成自己。

【人生智慧】一心为自己的，与众人为敌，落入恶争泥潭。精明为自己的，必得小失大，最终得不偿失。悟道不为自己，但全是自己，究竟方得圆满。

第五十章

【主题】短命与长寿

【道门玄机】欲望多，幸福少。占得多，寿命短。

【圣训】

出生入死。

生之徒十有三，死之徒十有三。人之生生，动之于死地，亦十有三。

夫何故？以其生生之厚。

盖闻善摄生者，陆行不遇兕虎，入军不被甲兵；

兕无所投其角，虎无所措其爪，兵无所容其刃。

夫何故？以其无死地焉。

【关键字词】

[生之徒]长寿之人。徒：指一类人。

[十有三]十分之三。

[人之生生，动之于死地]意为人本来可以长生的，却意外地走向死亡之路。

[生生之厚]求生的欲望太强，太过追求生活的享受了。

[摄生]养生之道，即保养自己。

[兕]sì，古代犀牛一类的兽名，独角。

[被]遭到。

[投]用、使用。

[措]施展，用。

[容]容纳，此处也是施展、使用之意。

【解剖俗象】

人生一世，谁不想长命百岁呢?

可残酷的现实是，大部分人是很难长寿的。

尽管现代科学想尽了办法来帮助人们延长生命，可似乎疾病也在不断地变换着花样戏谑着人类。

这到底是为什么呢?不管什么样的人，总是希望自己能够健康地多活些年。

老子发现了人类寿命的一个规律：大部分人短命是因为个人欲望太强，想要的太多；生活过于优裕，反而伤害了性命。

那些善于养生的人，只是跟自然和谐、没有敌人、心中没有仇怨，因此不会被伤害。

现代人慢慢地明白一部分道理，节食、吃素、辟谷等各种养生知识和方法开始受到人们的重视。一些修行班也在教人们如何静心、如何减少欲望。一些专门的灵修班也在教人们如何与各种生命和谐相处。

还有一些人，干脆找个僻静之处做起了隐士，让自己远离都市的喧嚣和俗世的各种诱惑，过起了清心寡欲的世外生活。

【修行妙法】

生命本长寿，只是人心乱了。

生活本简单，只要要求少些。

人生本平安，只是不要树敌。

【老子心说】长寿在于清心寡欲。

【人生智慧】一味多占，其实人的一生需要不了多少。一味多吃，吃得多了寿命反而会短。动辄气恼，百病由气而生。外部少，内涵多。吃得少，寿命长。欲望少，幸福多。

第五十一章

【主题】玄德之妙

【道门玄机】做点事总以为有功有恩于别人，这是贱人之所为。

【圣训】

道生之，德畜之，物形之，势成之。

是以万物莫不尊道而贵德。

道之尊，德之贵，夫莫之命而常自然。

故道生之，德畜之：长之、育之、亭之、毒之、养之、覆之。

生而不有，为而不恃，长而不宰，是谓玄德。

【关键字词】

[势]万物生长的自然环境。

[莫之命而常自然]不干涉或主宰万物，而任由万物自化自成。

[亭]结成果实。

[毒]果实成熟。

[覆]维护、保护。

[有]占有。

[恃]依仗。

[宰]主宰。

【解剖俗象】

“人到底是从哪里来的？”“宇宙、地球或万物是谁制造出来的？”，这样的问题，人类问了几千年。

老子给人们找到了答案，是道衍生了这一切。

人们又会问，道衍生了这一切，那一切又都是归道所有的，道也就是最牛的了？

可是老子又告诉人们，这一切对于道来说，只是一个自然的过程，道衍生了一切，却没有想过占有、主宰一切（当然，大道是客观的，是没有像人那样的主观的，所以就没有想法）。而人则不同，帮助了别人，会觉得自己是别人的恩人；养育了儿女，会觉得儿女是自己的私有财产；对人好，却又期望别人能够回报自己。你看，有这么多想法的人，还能算是有深厚的德行吗？

老子借助于大道来说人：大道养育了一切，却从不占为己有，也不自恃有功，更不去主动地进行干预。老子把这种品德叫作“玄德”。

“玄德”到底玄在何处呢？养育一切，不占有，不居功，不干预，任凭一切按照自身的规律发展。越是这样做，效果就越好，关系也越健康。

有着强烈主观意识的人们，若是不修行，就肯定做不到这样，就肯定会占有、居功、干预，最终把一切事情搞坏，也把关系搞糟。

【修行妙法】

万物总规律：道生，德畜，物形，势成。

万物总品性：道尊，尊道，德贵，贵德。

玄德之美妙：只生不有，只为不恃，只长不宰。

【老子心说】信道尊道，莫动心机，玄德之妙。

【人生智慧】无道者，德必伪。玄德之妙，生发而不占有，成就而不居功，导引而不主宰。

第五十二章

【主题】悟道平安

【道门玄机】忽视大道规律的人总是胡做，让生命左右摇摆、上下翻腾。

【圣训】

天下有始，以为天下母。

既得其母，以知其子；既知其子，复守其母，没身不殆。

塞其兑，闭其门，终身不勤。开其兑，济其事，终身不救。

见小曰明，守柔曰强。

用其光，复归其明，无遗身殃，是为习常。

【关键字词】

[母]根源，此处指“道”。

[子]派生物，指由“母”所产生的万物。（王弼注曰：母，本也；子，末也。得本以知末，不舍本以逐末也。）

[没身]终身。没：尽了、终了。

[勤]劳作。

[开其兑，济其事]打开欲念的孔穴，助成他们求知逞欲的事。

[见小曰明]能察见细微，才叫作“明”。

[用其光，复归其明]光向外照射，明向内透照。

[无遗身殃]不给自己带来麻烦和灾祸。

[习常]承袭永恒不灭之道。习：沿袭、承袭。常：常道、恒道。

【解剖俗象】

世间的一切事物，有果必有因，有因必有果，“因果律”是世间的基本规律。

◎ 世间的很多人，对于自己要追求的结果还是清楚的，但却很少有人能从自己所追求的结果的原因上下功夫。

◎ 抑或，人们的眼睛盯着结果的时候多，对形成结果的原因，却往往不够重视。

◎ 如此这般，在其心智和行为模式上，就形成了因与果的不平衡，当然也就很难形成自己所期望的结果，或者在达成结果的过程中成本太高，而效率偏低。

◎ 悟了道的人，在佛家叫作菩萨，菩萨的智慧在佛经中有句名言："菩萨畏因，凡夫畏果。"这个从因上下手的智慧，所针对的也是现实中这样一个普遍存在的问题。

◎ 在老子的智慧中，道是一切的总原因，如果悟了道，就知道了一切结果形成的过程。

◎ 若是没有悟道，只是靠自己有限的心智去努力，往往就会事倍功半。

◎ 若是一味地只是用自己有限的心智去做事，终身都会无所成就。

◎ 明白了这一点，就能让自己的主观意志处在柔弱的状态中，这反而会成就人间真正的强大。因为人只有处在这种状态之中，才能利用规律的力量。因为顺应了大道，才会借助道的力量。

【修行妙法】

悟道，即是掌握万事万物的总规律。

悟道，以小明大，守柔亦能成强。

悟道，领悟大道，故而心明无祸。

【老子心说】大道统摄，关闭心门，自保平安。

【人生智慧】无道者，以主观搏道。悟道者，则去念皈道。有道者，则心静近神。

第五十三章

【主题】纵欲无道

【道门玄机】追求外在的奢华，犹如强盗。

【圣训】

使我介然有知，行于大道，唯施是畏。

大道甚夷，而人好径。

朝甚除，田甚芜，仓甚虚。服文彩，带利剑，厌饮食，财货有余，是谓盗夸。

非道也哉！

【关键字词】

[介然有知]正信正念。介然：指专一，坚正不移，不动摇。

[夷]平坦。

[径]小路、捷径，此处引申为邪径。

[厌饮食]饱得不愿再吃。

[盗夸]大盗、盗魁。

【解剖俗象】

在现实中，真可谓是“无知者无畏”。

那些越是不明白规律的人，就越是胆大，就越可能胆大妄为。

在现实中，常常会见到一种怪现象：“撑死胆大的，饿死胆小的。”一些胆小的人，往往又很羡慕那些胆大妄为的人，最终看到那些胆大的人悲惨的结局时，又会陷入茫然。

是啊，走邪门歪道，确实可以获得一些眼前的利益，但因为这些人的心不正，在获得了一些利益之后，又会骄狂炫耀，对自己那种近乎强盗的行为没有任何羞耻感，最后往往导致覆灭的命运。

一些人读了《厚黑学》就以为掌握了人间的秘诀，把皮厚心黑作为成功之道，实际上又是走错了人生之路。想想看，做害人的事皮厚心黑就能不受惩罚吗？做利人的事脸皮薄心里犹豫，又能做成什么呢？由此可见，“皮厚心黑”是纯粹的“术”。若是没有选择正道，厚黑学只能加速人的失败与死亡。

老子认为这是强盗的行为，是违背大道的。

而坚守正信正念的人，做事考虑的是合不合道，唯恐自己走了邪道，因为他们知道走邪道的最终命运。这样的人，看起来是很谨慎的，但往往能走得久远。

【修行妙法】

大道万有，皈道富足，悟道乖顺。

贪欲自伤，多占必亡，浮华为盗。

【老子心说】大道是万有，何必求俗利？

【人生智慧】无道者，外求浮华。有道者，皈道自足。

第五十四章

【主题】道行天下

【道门玄机】有道有德，如同太阳的光照，走到哪里都会有光明照耀。

【圣训】

善建者不拔，善抱者不脱，子孙以祭祀不辍。

修之于身，其德乃真；修之于家，其德乃余；修之于乡，其德乃长；修之于邦，其德乃丰；修之于天下，其德乃普。

故以身观身，以家观家，以乡观乡，以邦观邦，以天下观天下。吾何以知天下然哉？以此。

【关键字词】

[建]建树、建立。

[拔]拔起、拔除。有动摇、撼动之意。

[抱]抱住、固定、牢固。

[脱]脱落、失去。

[子孙以祭祀不辍]子子孙孙都能够遵守“善建”“善抱”的道理，后代的香火就不会终止。辍：停止、断绝、终止。

[长]cháng，盛大，尊崇。

[普]普遍、博大。

[观]对照、观察。

【解剖俗象】

世间的人无不关心自己的命运，但最终会发现，善者有善命，恶者有恶命。

纷繁的世事，实际上都遵循着这样一个基本的规律：因为背离道而失去德性的人，不仅会伤害自己，还会伤害自己的家庭，伤害自己的事业，走到哪里都会把负能量和伤害带到哪里。

悟道而厚德者，其生命中所具有的正能量就会福及自身、家庭和所有他所接触的人。

明白了这一点，也就懂得了人间万象背后的真相。

【修行妙法】

依道而行，万物自化。

依道修行，一切富足。

天下万事，均在道中。

【老子心说】世事纷繁，皈道自化。

【人生智慧】道是万物主宰，依道修行，可明天下万事。

第五十五章

【主题】赤子道态

【道门玄机】人长大了，往往变得不可爱了，就这样走向衰老。

【圣训】

含德之厚，比于赤子。

蜂虿虺蛇不螫，猛兽不据，攫鸟不搏。

骨弱筋柔而握固，未知牝牡之合而朘作，精之至也。

终日号而不嗄，和之至也。

知和曰常，知常曰明，益生曰祥，心使气曰强。

物壮则老，谓之不道，不道早已。

【关键字词】

[赤子]刚出生的婴孩。

[蜂虿虺蛇]指各种毒虫。虿，chài。虺，huǐ。

[螫] shì，毒虫子用毒刺咬人。

[据]兽类用爪、足攫取物品。

[攫鸟]用脚爪抓取食物的鸟，例如鹰隼一类的鸟。攫，jué。

[搏]鹰隼用爪击物。

[牝牡]雌和雄。牝，pìn。

[朘作]婴孩的生殖器勃起。朘，zuī，男孩的生殖器。

[嗄] shà，嗓音嘶哑。

[和]阴阳二气合和的状态。

[常]人类天性的自然规律。

[益生]纵欲贪生。祥：这里指异兆、妖祥、不祥的意思。

[心使气] 欲望支配精气。

【解剖俗象】

老子不断地在强调悟道的重要性，只是很多没有悟道的人总是不明白悟道的感觉，也没有见过悟道者的样子。

恰恰相反，不少人自己平时总是自以为是，遇到什么事情都会气哼哼的，还总以为自己是正确的。

那些自高自大的人、以为自己所认为的才是最正确的人，总是希望别人服从或者跟随自己，结果不仅把自己的生活搞得一团糟，做起事来也会把别人搞得很不愉快。

人长大了，但没有成熟。人懂事了，但缺乏真情。人成熟了，却不再可爱。

老子把这称为“不道”的状态，正是这种“不道”的状态，让人们偏离了生命的“常态”。

悟道而厚德者，就像一个可爱而单纯的孩子，人们见到总是很喜欢而不会伤害他。他的生命处在天然的和谐状态，一切作为都是生命中的阴阳二气和合而至，因此也不会伤到自己。

老子借助赤子的状态，描述悟道所导致的生命复归的美妙景象。

【修行妙法】

悟道，即是让生命回归和谐状态。

悟道，即是让自己成为可爱的人。

悟道，即是与万物能够和谐一家。

【老子心说】顺着人的自我感觉就会偏离正道，摒弃意念回归自然就能和谐共生。

【人生智慧】无道者，僵化死板。悟道者，柔弱可爱。

第五十六章

【主题】少说为妙

【道门玄机】真理是简单的，啰唆的都是废话。

【圣训】

知者不言，言者不知。

塞其兑，闭其门，挫其锐，解其纷，和其光，同其尘，是谓玄同。

故不可得而亲，不可得而疏；不可得而利，不可得而害；不可得而贵，不可得而贱。故为天下贵。

【关键字词】

[塞其兑，闭其门]堵塞嗜欲的孔窍，关闭嗜欲的门径。兑：口鼻耳目，指欲望的出口。

[玄同]玄妙齐同，此处也是指“道”。

[贵]尊重。

【解剖俗象】

在现实生活中，我们很多人都知道这样两句话：祸从口出和言多必失。可又有多少人在知道了这个道理后，还能管得住自己的嘴巴呢？

每个人都是不同的，正是这个不同决定了人们听到同样的话，理解也是不同的。这也就意味着，我们只要说话，总会有人喜欢，有人不喜欢；总会有人赞同，有人不赞同。也就是说，只要你说话，就会有人给你做出评价。

很多时候，这样的评价不仅仅限于你所表达的观点，还会涉及你的人品。但大多数时候，给你评价的人不会告诉你这个评价的结果。

更为重要的是，很多时候我们所使用的语言很难准确无误地表达出我们的意思，以至于要反复地解释。当然，如果我们所说的话或者所表达的观点涉及某个具体的人时，风险就会变得非常大。因为除了吹捧和赞美之外，几乎没有人愿意接受别人对自己的负面评价。

正因为如此，古往今来的一些智者，他们不会轻易说话，并尽量少说话。

相反，那些总喜欢说话的人，总喜欢表达自己独到观点的人，往往无意中就会伤到别人，或者让别人感到反感。实际上，即使不说，这个世界也不会缺少什么。

现实中有一种很特别的人，无论遇到什么样的话题，也不管面对着什么样的对象或者氛围，一定要表达一些跟别人不一样的观点，甚至相反的观点，他似乎喜欢跟所有的人对着干。按照流行的说法，这样的人似乎在意的只是刷一刷“存在感”，因为他太自卑了。

这样的人一说话，总是会让谈话的氛围变得有些尴尬，言语一出，就会大煞风景。

总喜欢这样说话的人，人们就不喜欢带着他玩儿了，因为他只要一说话，就会破坏大家的心情。

而那些理解别人的人，总是会顺接别人的话题做些友善的回应，即使遇到自己并不赞同的观点，也不会粗鲁地表达自己的反对意见，而是用谦卑的姿态、请教的语气去向别人询问。

掌握交流和谈话真谛的人，心中已经明白，无关紧要的一些观点是无须争论的，与价值观不同的人争论是没有益处的，重大的事项要寻找志同道合的人来商量。

老子把这种掌握了人心规律和语言智慧的状态，称为“玄同”的境界。

一个人到了这种境界，对于亲近的关系也不会表现得过于亲密，陌生的关系也不会表现得疏远或者冷漠；再好的东西也不能诱惑他，再坏的东西也不能伤害他；赞美不会抬高他，指摘更不会贬损他。

这样的生命状态，才真正是合于道的自在与逍遥。

【修行妙法】

少说实做，事实胜于雄辩。

大事在做，小事无须争辩。

做大事者，求大同存小异。

能成事者，自心定而高贵。

【老子心说】智者寡言，计较者心小，得到时必是考验。

【人生智慧】与其多说不如多做，喋喋不休的是话痨，总表白自己的是自卑或者自负。

第五十七章

【主题】正奇无为

【道门玄机】有好心无善法，好心办坏事。技巧很多，互相斗心。

【圣训】

以正治国，以奇用兵，以无事取天下。

吾何以知其然哉？以此。

天下多忌讳，而民弥贫；民多利器，国家滋昏；人多伎巧，奇物滋起；法令滋彰，盗贼多有。

故圣人云，我无为而民自化，我好静而民自正，我无事而民自富，我无欲而民自朴。

【关键字词】

[正]此处指无为、清静之道。

[忌讳]禁忌、避讳。

[利器]锐利的武器。

[滋]越，更加。

[昏]混乱。

[伎巧]技巧，智巧。

[奇物]邪事、奇事。奇：奇巧、诡秘。

[彰]明白，清楚。

[自化]自我化育，自然顺化。

【解剖俗象】

现实中的社会精英，通常都处在领导位置上，他们的想法和做法会影响到很多人。

◎ 历史的发展存在着一个很有趣的悖论：很多人之所以走到领导岗位上，往往是因为自己很有主张。然而，也正是因为自己很有主张，也正是因为他们太钟情于自己的主张，往往会把局面搞坏，因为他们经常将个人的主张强加在众人身上，或者用自以为的好心，制造出很多连自己都想不明白的坏的结果。

◎ 这样的人，往往因为自己的念头过于强烈而背离了众人的意志，也就是违背了人心之道。

这样的人，做事时往往心情浮躁，很难安静下来，因此也就无法领悟人心的规律。

◎ 老子告诉人们，首先要把正道作为方向，要用灵活的方法去实现正确的目标，坚决杜绝因为自以为是而违背规律的状况出现。这样才可以实现“修身，齐家，治国，平天下”的理想。

【修行妙法】

正道永远是根本，离开根本一切不复存在。

奇只是正道之花，离开正道，奇可变邪术。

依道无为是关键，离开无为，官就会作乱。

【老子心说】正奇本是一体，离正奇则古怪。

【人生智慧】悟道开慧，慧生万法，妄为必然作乱。

第五十八章

【主题】大道自在

【道门玄机】福祸的诡异纠缠，都是因为，一是事先种了因却不知；二是一遇到福祸就犯错——福来即狂，祸来即懵或者怨；三是多次重复还不觉醒。

【圣训】

其政闷闷，其民淳淳；其政察察，其民缺缺。

祸兮福之所倚，福兮祸之所伏。孰知其极？其无正？正复为奇，善复为妖，人之迷，其日固久。

是以圣人方而不割，廉而不刿，直而不肆，光而不耀。

【关键字词】

[闷闷]昏昏昧昧的状态，有宽厚的意思。

[淳淳]本作“沌沌”，淳朴厚道的意思。

[察察]严厉、苛刻。

[缺缺]狡黠、抱怨、不满足之意。

[其无正]它们并没有确定的标准。正：标准、确定。其：福、祸变换。

[正复为奇]正的变为邪的。正：方正、端正。奇：反常。

[善复为妖]善的变成恶的。善：善良。妖：邪恶。

[廉而不刿]锐利而不伤害人。廉：锐利。刿，guì，割伤。

【解剖俗象】

人世间的有些事真是奇妙无比，你越是刻意地爱别人，爱就变得很廉价。你越是表现得很聪明，在别人那里你就越愚蠢。

人的本能莫不是趋福而避祸，但在几十年的人生当中，又有谁能够彻底远离祸端呢？幸福与灾祸像一对孪生兄弟，你喜欢幸福，但灾祸还会伴随。你若了解了灾祸的根源，灾祸也会转化成幸福。

说到这里，人们会感到迷惑："这到底是怎么回事啊？"

实际上，这种阴阳的共生共长和转换，就是人世间万事万物的一个基本规律，只是很多人不了解这一规律，一直执着于自己那样一种美好的、主观的，但又是自私的期望，总喜欢在万事万物中挑挑拣拣，挑些好的给自己，把坏的扔给别人。

天道无亲，它公正无私地对待每一个人，怎么会偏爱某一个人呢？即使对着老天祈祷，也没有办法改变天道的规律。

所以，人生不允许挑挑拣拣，唯有接纳，而且必须是悦纳，才能懂得人生的真谛。

圣人们明白了这一规律，所以才有逆来顺受的大智慧，所以才有"来者不拒，去者不追"的道法自然，所以才有主张与顺从、方正与柔和、直率与体谅、表现与容纳这样一些看起来矛盾、不相容的关系的和谐。

这是多么玄妙的人生智慧啊！

【修行妙法】

越是彰显自己聪明，就越会制造人为的问题。

越是刻意追求自福，就越不懂祸之根源在心。

越是用脑冥思苦想，就越是增加自己的苦恼。

圣人悟道断绝私念，一切都在彰显道的玄妙。

【老子心说】让自己的心老实点，一切都是天启，一切都是道说。

【人生智慧】断自心，进人心，即是以命皈道。福不喜，祸不恼，静心领悟天启。

第五十九章

【主题】皈道无虞

【道门玄机】人生有限，面对正道犹豫不决，是浪费自己的生命。

【圣训】

治人事天莫若啬。夫唯啬，是谓早服。

早服谓之重积德，重积德则无不克；无不克则莫知其极；莫知其极，可以有国。有国之母，可以长久。是为深根固柢，长生久视之道。

【关键字词】

[治人]治理百姓。

[事天]保守精气、养护身心。事：侍奉，养护，保养。

[啬]sè，爱惜、保养，节制而不放纵。

[早服]尽早服从自然事理。

[重积德]不断地积德。重：多，厚，含有不断增加的意思。

[可以有国]可以执掌国家政权，治理、保护国家。有国：可以担负保护国家的责任。

[母]根本、原则。

[根柢]树根。柢，dǐ。

【解剖俗象】

人间的一切事儿，不管是过日子、交朋友，还是治理天下，都需要节制个人的主张和欲望，让自己的心为别人留出足够的空间。

如此这般，才能够与各种各样人的心灵进行完美的对接，才是一个完整的生命。

否则，如果一个人只有自己，心中既不懂得任何人，也容不下任何人，这就不是一个健康、健全的生命。

伟人马克思曾说过一句名言：人性的本质，就是一切社会关系的总和。当然，这个总和不是简单的凑合，也不是简单的连接，而是那种彼此理解、体谅和融入，进而能够相互扶持与帮助，彼此都愿意成为对方生命支撑的这样一种关系。

能够达到这种状态的人，才是一个健康、健全的人，也才是一个有高尚道德的人，才是一个领悟了天地人间大道的人。

掌握了大道的规律，就抓住了一切事物的根本，如此处事办事，才能做好，才能做得长久。

【修行妙法】

自卑的人，一直会在自我的不断求证中挣扎。

自负的人，一直在自我强大的虚幻中被愚弄。

自信的人，早已将自己与永恒大道完成链接。

无我的人，将自己与永恒合一而能长生久视。

【老子心说】大道无处不在，你还寻找什么？你还犹豫什么？

【人生智慧】人生时间有限，皈道即是幸运。思考徒劳无益，顺道即是智慧。

第六十章

【主题】擒贼皈道

【道门玄机】真相不清、规律不明，忙来忙去，纯粹瞎折腾。

【圣训】

治大国若烹小鲜。

以道莅天下，其鬼不神。非其鬼不神，其神不伤人；非其神不伤人，圣人亦不伤人。

夫两不相伤，故德交归焉。

【关键字词】

[小鲜]小鱼。

[莅]lì，临视、治理。

[其鬼不神]鬼不起作用。神：神灵，引申为灵验。

[非]不只、不仅。

[两不相伤]二者都不伤害（民众），并无相互伤害之意。

[德交归焉]德之恩惠俱交归于民众，而民众即可享受到统治者“依道治国”之政德的恩泽。

【解剖俗象】

- 自认为有思想、有能力的人，总会将自己的主张强加于人。
- 有钱有势的人，往往表现得有些傲慢自大，以为自己无所不能，很显然这是被权势冲昏了头脑。
- 大家族的人，往往觉得自己势力很大，又常常会欺负弱小。
- 实力雄厚的大国，往往喜欢扮演世界警察的角色。
- 实际上，再有思想、再有能力的人，面对客观规律，也是很渺小的。

越是有权有势，越是家业庞大，越是实力雄厚，治理起来难度越大。正所谓，小家有小难，大家有大难，家业越大当家越难，因为人员众多，情况复杂，盯着的人也多，甚至盼着他倒霉的更多。

在这种情况下，领导人就更不能自以为是，更应该懂得保持自己的清静之心，善用各种专业人才，发挥他们各自的才能，凝聚他们的力量，温暖他们的心灵，这样才合乎治理天下的大道。

如此这般，任何力量都无法撼动，鬼神也没有办法，因为这是大道的力量。

【修行妙法】

用自己的头脑思考得越多，就越会瞎折腾。

将自己身心链接客观大道，人就轻松自如。

鬼神作祟，只是心贼躁动，悟道方能自救。

【老子心说】小中藏大，大中隐小，能悟全息，犹如神通。

【人生智慧】静心悟道，生命无忧。处处是道，管住心贼。

第六十一章

【主题】善下有道

【道门玄机】趾高气扬、颐指气使、不可一世，实则在自我贬低。

【圣训】

大国者下流。天下之交，天下之牝。

牝常以静胜牡，以静为下。

故大国以下小国，则取小国；小国以下大国，则取大国。

故或下以取，或下而取。

大国不过欲兼畜人，小国不过欲入事人，夫两者各得其所欲，大者宜为下。

【关键字词】

[下流]居于下流，处于水的下游。

[交]会集、汇总。

[牝常以静胜牡]雌柔常以安静守定而胜过雄强。牝：雌性。牡：雄性。

[或]有时。

[下]谦下。

[取]借为聚。

[兼]聚拢。

[畜]xù，饲养，含占有的意思。

[事人]侍奉，表示恭顺。

【解剖俗象】

人一旦拥有了强大的势力，是不是会表现得高高在上或者不可一世？会不会恃强凌弱？这样的人是不是比较招人恨呢？这样的人一意孤行，是不是容易激起众怒呢？

你看，他们强大了，但他们不会做真正的强者，他们的所作所为实际上都是在削弱自己，他们自己就会成为自己的敌人。

个人如此，国家也是如此。

从历史上看，那些恃强凌弱、穷兵黩武的国家，最终都会走向衰败。

当然，小人物若是不守本分，也会给自己招来灾祸。

小国家若是没有摆正自己的位置，总喜欢挑衅大国，最后肯定会倒霉。

看来，不管是个人还是国家，不管是强势还是弱势，只要自以为是，就是自我削弱。

因此，老子告诫人们，大国要放低姿态，小国要摆正姿态，彼此尊重，互相帮助，才能共同发展，共享和平。

守柔处下的原则，既适用于个人，也适用于国家，这是一个普遍性的规律。

正如人们所说的，如果你真的强大，何必还去逞强？如果你不够强大，你又用什么去逞强？

【修行妙法】

强大了就容易强势，就会背道而行。

强大了还能够善下，就是顺道而行。

弱小时能够不滋事，就能自保平安。

不管强大还是弱小，和谐才是关键。

【老子心说】洞察自己心智的走向，纠正自大的倾向，才能创造和谐。

【人生智慧】强大时要谦卑，弱小时更要谦卑，方能建立和谐共生的关系。

第六十二章

【主题】全在道中

【道门玄机】将世间名利视为珍贵的，自己已经成了名利的奴隶。

【圣训】

道者万物之奥。

善人之宝，不善人之所保。

美言可以市，尊行可以加人。

人之不善，何弃之有！

故立天子，置三公，虽有拱璧以先驷马，不如坐进此道。

古之所以贵此道者何？不曰求以得，有罪以免邪？故为天下贵。

【关键字词】

[奥]藏也，主宰、庇护的意思。

[保]保留、保有。

[市]取得、买到。

[加人]对人施加影响，让人见重。

[人之不善]不善的人。

[置三公]大臣就职。三公：太师、太傅、太保，泛指朝中各位大臣。

[拱璧]双手捧着贵重的玉。驷马：四匹马驾的车。古代的献礼仪式，轻物在先，重物在后。

[坐进此道]献上清静无为的道。

[不曰]岂不是说。

[以求得]有求就可以获得。

【解剖俗象】

世间的人认为什么是宝贝呢？很多人认为是金银财宝。

是啊，人们的生存确实离不开金银财宝，但金银财宝并不等同于人生的一切。相反，过分注重金银财宝的价值，会让人们丧失对精神价值的认识和追求。并且，在人生的安全和人生的价值方面，金银财宝也帮不了多大的忙。

当人们遇到重大事情时，当金银财宝解决不了问题时，很多人又转向求助于神灵。可是，神灵真的会帮忙吗？况且，真的有神灵吗？

老子发现了决定人生的关键力量，远远超越金银财宝的力量，这就是“道”。

只要相信道，善良的人和不善良的人都会找到出路，因为只要追随大道，善良的人会因为遵守规律而得到规律的奖赏，不善良的人因为明白了道也会得到宽恕。

因此，比起俗人所重视的金银财宝、神灵或者自以为很强大的人为力量，道的力量才是最大的。

因此，与其追求和储存那么多金银财宝，或者求助于神灵，或者相信人为的力量，远不如相信道、追随道。

许多人之所以忙活半生而徒劳无功，就是因为没有认识到大道的力量，就是因为找错了方向和对象。

老子为人们揭示了人生中的这一重大秘密，懂得了这一点，人生就可以少走弯路。

学道、修道和悟道，这才是人生的正道啊！

【修行妙法】

万物和众生，皆是大道之子。

悟道，即是回到母亲的怀抱。

离开道，人还能去哪里呢？

【老子心说】大道慈悲万物和众生，犹如生命的天父地母。

【人生智慧】幸运者，以道为宗。不幸者，无头苍蝇。

第六十三章

【主题】自念是障

【道门玄机】自大者实则在自贱，夸夸其谈者绝难成大事。

【圣训】

为无为，事无事，味无味。

大小多少，报怨以德。

图难于其易，为大于其细。

天下难事必作于易，天下大事必作于细。

是以圣人终不为大，故能成其大。

夫轻诺必寡信，多易必多难，是以圣人犹难之。故终无难矣。

【关键字词】

[大小多少]大生于小，多起于少。

[图]处理，解决。

[作于易]从容易的地方着手。于：从。

[寡信]很少守信用。

【解剖俗象】

红尘中那些能干的人，往往过分相信自己。因为相信自己而成就了过去的事情，但又因为过于相信自己，往往会在未来遭遇失败。看起来，这是个人经验膨胀的结果。

实质上，当不能将个人经验提升到客观规律的高度时，个人和局部的经验就会与普遍的规律相冲突。

到了这个时候，若是还一味地忙碌，看起来是在解决问题，实际上，因为违背了规律又在制造很多问题，结果是越忙越乱，越乱越忙，最终乱得理不出头绪。

◎ 许多人不重视做好眼前的小事，只想着做大事，可大事又是由小事组成的啊！

◎ 很多人只是一味地追求多，可不知道多又是从少开始的。

◎ 很多人在小事上跟别人生气、生怨、生仇，以为忍让吃亏就是自己窝囊，如此下去，哪还有心情和精力去考虑大事呢？

◎ 有的人看事做事时，发现不了事物的规律，不知道再难的事只要从容易处入手就可以攻克，不知道再大的事只要从细微处入手就可以完成。

◎ 这一切，都是因为人们过于心浮气躁，静不下心来，所以找不到合适的方法，结果是忙活半天也没有找到正确的方向。

◎ 悟道的圣人看清楚了人间的乱象，也懂得了造成这些乱象的原因，静心领悟规律，从容易和细微处去用心做事，没有自高自大，反而成就了自己的伟大。

◎ 这是多么有意思的人生现象啊，世间的人又有几个能够明白呢？

【修行妙法】

心浮气躁时，做事就是肇事。

不精做小事，就难以成大事。

万事皆有窍，开窍就无难事。

【老子心说】心躁难以领悟道门，静心天下并无难事，不为大反成大为者。

【人生智慧】累，是因为方法不对。难，是因为自以为是。大，成在不为大。

第六十四章

【主题】点滴是道

【道门玄机】就事论事，事无巨细，忙碌一生，却不知事事连着根本。

【圣训】

其安易持，其未兆易谋，其脆易泮，其微易散。

为之于未有，治之于未乱。合抱之木，生于毫末；九层之台，起于累土；千里之行，始于足下。

为者败之，执者失之。

是以圣人无为，故无败；无执，故无失。

民之从事，常于几成而败之。慎终如始，则无败事。

是以圣人欲不欲，不贵难得之货。学不学，复众人之所过。以辅万物之自然，而不敢为。

【关键字词】

[安]稳定、安定。持：维持、掌握。

[未兆]没有迹象，没有征兆时。谋：图谋，规划。

[泮]pàn，通“判”，散，分解。

[散]消除，消散。

[未有]没有发生。

[累土]一筐土。

[几成]快要成功时。

[欲不欲]向往追求别人不向往的。不欲：不追求的。

[复]改正错误。

[以辅]用……去辅助。

［不敢为］不敢妄为。

【解剖俗象】

实际上，任何事物，不管好坏，都会经历由小到大的过程。

只是很多人想做大事时不注意从细微处开始，防止大的祸患时又不注重开始时的苗头，总是自以为是、很固执地去行动，这样就很容易造成失败。

现实中有一种很典型的现象，就是人们在接近成功时反而走向了失败，因为得意、自大和疏忽，且不注意吸取别人的教训，最后功亏一篑。

老子智慧的伟大就在于，时刻让自己保持清净的心，不急躁，不贪大，不违背规律，不自以为是。

只有这样，才能在遵循规律的基础上，悄无声息地把事情做好。

尤其是在接近成功的时候，慎终如始，克服疏忽大意和骄傲自满，方能保持正常的心态，才不至于功亏一篑。

老子对人心在做事过程中细微之处的观察，真是洞若观火。

我们若是能够获得老子的大道，时刻保持对自己状态的清醒关照，才可做到万无一失。

【修行妙法】

小中见大，点滴也是全息。

以小悟大，细微可见天下。

小也是大，成在慎终如始。

【老子心说】人道皆在细微处。

【人生智慧】一叶知秋，万事有道，悟道者手中有“万能钥匙”。

第六十五章

【主题】心贼起祸

【道门玄机】领导动心眼，反遭众人算计。

【圣训】

古之善为道者，非以明民，将以愚之。

民之难治，以其智多。

故以智治国，国之贼；不以智治国，国之福。

知此两者，亦稽式。常知稽式，是谓玄德。

玄德深矣，远矣，与物反矣，然后乃至大顺。

【关键字词】

[明民]让人民知晓巧诈机巧之事。

[愚之]使老百姓无巧诈之心，敦厚朴实，善良忠厚。愚：敦厚、朴实，没有巧诈之心，不愚弄、蒙昧。

[贼]伤害的意思。

[稽式]法式、法则。

[与物反矣]此种深远的“玄德”，与世上各种事物一样，顺应自然、返璞归真——归属于“道”。反：通“返”。

[大顺]自然顺畅。

【解剖俗象】

◎ 普通人若是没有悟道，最多会犯一些小错。

◎ 如果领导人没有悟道，就会使用错误的方法管理一个组织和领导众人。

◎ 在这方面，最典型的错误莫过于领导者自以为是，并开启了众人的欲望之门。

人们的欲望一旦被激发，就会膨胀而难以得到满足，就会自私自利，还可能贪得无厌。

人们一旦进入这种状态，就很难进行管理了。

作为圣人的老子，看清楚了领导人的这种错误，郑重地指出：“以智治国，国之贼；不以智治国，国之福。”

若是领导人能够明白“智巧使民生贪，淳厚令民自安”这样的道理，也就明白了人间德性的最高境界——玄德，这也是领导者领导智慧的最高境界，达到这一境界的领导者就可以把一个组织治理得非常和谐。

【修行妙法】

欲望一起，祸生万端。

不忘初心，管制心贼。

保持质朴，则生万福。

【老子心说】一切祸端，皆源于不断膨胀的欲望。

【人生智慧】知足常乐，惜福有福。

第六十六章

【主题】王者处下

【道门玄机】想做王，又高高在上，天道不答应。

【圣训】

江海所以能为百谷王者，以其善下之，故能为百谷王。

是以圣人欲上民，必以言下之；欲先民，必以身后之。

是以圣人处上而民不重，处前而民不害，是以天下乐推而不厌。

以其不争，故天下莫能与之争。

【关键字词】

[百谷王]百谷：百川，即众多的河流。王：河流所归往的地方。

[下]处在底下的位置。

[上]做动词，指地位处在……上面，即统治之意。

[欲先民]想站在人民的前头，即成为他们的领袖。

[后]动词，把……放在后面。

[重]压迫、负担。

[害]妨害、危害。

[推]推崇，爱戴。

[莫]没有谁。

【解剖俗象】

在现实中，很多领导者总是高高在上，总是对部下和民众指手画脚，以为这样才是领导的风范，才能体现领导者的威严。

实际上，这种做法是让民众非常厌恶的。

如果一个领导人不知道民众厌恶自己什么，反而经常去做让人厌恶的事情，就会失去民众的拥戴。

◎ 老子为领导人指了一条明路：效法江海成为百谷王的规律——善下，也就是放低自己的姿态，与人民群众打成一片，与自己的部下一起工作，而不是叉着腰、高高在上地指手画脚。

如此这般，就会得到部下的拥戴，就会形成一个凝聚力极高的组织，就会引领组织健康发展。

◎ 这样的组织氛围和组织发展，就能够使组织在世间立于不败之地。

◎ 这样的领导人，没有争名夺利，却没有人能够代替他的位置。

◎ 反观现实，那些没有悟道的领导人，恰恰因为违背了这一规律而丧失了人心。

◎ 这一规律告诉我们，一个人越是想表现自己，在人们心中就越是没有分量。

◎ 一个人主观为己的愿望越强，自己失去的就越多。

◎ 这恰恰就是大道的规律啊，人心若是与大道相抗衡，恰恰是与道背道而驰了。

【修行妙法】

江海以低下成为百谷之王。

精英以善众成为人群领袖。

圣者以奉献成为天下王者。

【老子心说】处下则高。

【人生智慧】高者天抑，低者天抬。

第六十七章

【主题】老子三宝

【道门玄机】不懂道的人总是很高调，结果吊死自己。

【圣训】

天下皆谓我道大，似不肖。夫唯大，故似不肖。若肖，久矣其细也夫。

我有三宝，持而保之。一曰慈，二曰俭，三曰不敢为天下先。

慈，故能勇；俭，故能广；不敢为天下先，故能成器长。

今舍慈且勇，舍俭且广，舍后且先，死矣！

夫慈，以战则胜，以守则固，天将救之，以慈卫之。

【关键字词】

[我道]“我”不是老子用作自称之词，“我”也是“道”的意思。另有译为“我所说的‘道’”。

[肖] xiào，相似，意为不像具体的事物。

[俭]啬，保守，有而不尽用。

[广]宽广，在此指富裕。

[器长]万物的首长。器：万物。长，zhǎng。

【解剖俗象】

基本的常识告诉人们，我们所知道的永远没有不知道的多，我们所看到的永远没有看不到的多。同时，我们知道的和看到的却是又由不知道的和看不到的所决定的。

毫无疑问，看得见的是小的，看不见的却是大的；知道的是少的，不知道的却是多的。

遗憾的是，人们总是片面地相信用眼睛看见的，总是用已知的去判断未知的，这就构成了人们认识真理的“心障”。

在现实中，人们总是追求那些肉眼能够看见的东西，却往往忽略了那些决定它看不见的力量：金钱是可以用数量衡量的，但情谊却是无价的。地位用级别是可以衡量的，但威望却无法用一个具体的数量来表述。能力是可以衡量的，但境界却无法准确地计算出来。国家的经济实力是可以测量出来的，但人心的力量却是无法用具体的单位来衡量的。

你看，那些最重要的力量是无法用数量来表述它的大小的，因为它实在太大了，以至于无法了解它的边界；因为它太大，所以也无法说它像一个具体的东西。

老子所说的道，就是这样的巨大无边，就是这样超越了一个物件的具体形状。

普通人被自己的肉眼限制了视野，一叶障目，而老子超越了肉眼的限制，也找到了让自己有限的视野去对接无限的通道，这就是老子的“三宝”：用慈悲的心对接天地间的万物，于是心可以达到无疆的境界，这才是真正的“勇”；保持生活的简朴，不要让生活中奢华的东西锁住自己的心灵之门，这样的心才能说得上广大；保持谦卑和柔弱，不要让自己因为眼前的一点资本导致心灵的躁狂，这样才能做久做大。

紧接着，老子又指出了人们舍弃“三宝”所带来的危害，用一个“死”字做了结论。五千言《道德经》是中华文化中的瑰宝，其中隐藏着老子的“三宝”，这“三宝”可谓是精髓中的精髓。

【修行妙法】

有形则小，无形则大。

大小一体，贯通悟道。

慈俭不争，悟道法门。

【老子心说】有我有念即心障，慈俭不争是道门。

【人生智慧】自大者，活在错觉中。道大者，则能见光明。万物与众生皆是道的载体，慈悲众生，俭朴自身，不争虚名，方可悟道。

第六十八章

【主题】 真功善隐

【道门玄机】 张扬的人，实际上在出卖自己。

【圣训】

善为士者不武，善战者不怒，善胜敌者不与，善用人者为之下。

是谓不争之德，是谓用人之力，是谓配天古之极。

【关键字词】

[不武] 不逞勇武。

[不与] 不争，不正面冲突。

[配天] 符合自然的规律。

[古之极] 自古以来最高的准则。极：最高境界。

【解剖俗象】

在现实生活中，许多看起来强大的人，实则会干各种蠢事：

他们往往总是张扬、张狂而招惹祸端！

他们虽然强大，但又虚荣，往往会被很多小人物或者小事激怒。

他们有出众的能力，但往往又过于自以为是，不会利用众人的智慧和力量。

可以问问自己：

你可能被别人的一句话激怒吗？若是，你是脆弱的！

你是否总是喜欢在各种事上与别人争执并试图胜过别人？若是，你就不懂得开启人心！

你是否总是喜欢高高在上，指手画脚，好像这样才能彰显你的威严？若是，你就不懂得真正的威严来自自正！

实际上，纵观历史和现实，人们发现：

真正的强大是心胸的博大，如此才能容下各种强大；

真正的力量是心灵的定力，自己的情绪不会被外界影响，如此才能把握正确的方向；

真正的智慧，是能够完成不同人之间的统一，而不是处处与人发生争执和冲突；

真正具有领导力的人，是能够帮助部下成长，促进他们进步，帮助他们不断提升自身品格与工作业绩，总之，是能够把别人不断推高的人，自己却甘于做伯乐或做部下的服务者。

老子高度赞赏拥有这种品格的人，并将其视为自古以来的天道金律。

【修行妙法】

真有的不必显示，没有的不必虚晃。

真功夫不被激怒，真智慧不用蛮力。

善用人谦卑敬人，谋大事不计小利。

【老子心说】真功夫善隐。

【人生智慧】表现出来的都是一般的，隐藏的才真是机密。

第六十九章

【主题】避战为上

【道门玄机】没真功夫的人总是显得很强大，有真功夫的却很低调。

【圣训】

用兵有言，吾不敢为主而为客，不敢进寸而退尺。

是谓行无行，攘无臂，扔无敌，执无兵。

祸莫大于轻敌，轻敌几丧吾宝。

故抗兵相若，哀者胜矣。

【关键字词】

[为主]主动进攻，进犯敌人。

[为客]被动退守，不得已而应敌。

[行]行列，阵势。

[攘]伸出手臂。

[扔无敌]虽然面对敌人，却像没有敌人可赴。

[抗兵相加]两支对垒的军队实力相当。抗兵：对垒的军队。相加：相当。

[哀]悲愤。这里引申为藏强示弱。

【解剖俗象】

◎ 对于人类来说，最残酷的事情莫过于战争，所以圣人们是反战的。

◎ 那些喜欢侵略别人的国家，终日穷兵黩武，最后耗尽国力，走向衰亡。

◎ 历史的经验表明，要想国家长期健康发展，就要尽量避战，尽最大努力保持和平发展的环境，这才是国家的战略利益。

◎ 在现实生活中，好斗的人或者喜欢搬弄是非的人，总是到处煽风点火，唯恐天下不乱，最终，也没有讨到什么便宜，反而落个人人唾骂的下场。

◎ 人间的灾难来自人与人之间的相互争斗，而拥有智慧的人，发现了生命更高更大的价值，于是巧妙地绕开了无关紧要事务的争斗。

◎ 即使是不得已而进行的战争，也要在战略上蔑视敌人，战术上重视敌人，万万不可轻敌，否则就容易导致失败。

◎ 人们都熟悉“两强相遇勇者胜”的法则，实际上，那些能够麻痹敌人或者出敌意外的人才更容易取胜。

◎ 总之，和平与发展才是最重要的，要克服自己易躁易怒的好战情绪，否则就会伤害自己的战略利益。

【修行妙法】

好斗自损，好战必亡。

实力防战，避战为上。

【老子心说】战则损，强者更要收敛自己。

【人生智慧】好战好斗，都是自亡之命。和平发展，才是利益之本。

第七十章

【主题】大道甚易

【道门玄机】真理简单到俗人不信，于是总绕着走。

【圣训】

吾言甚易知，甚易行，天下莫能知，莫能行。

言有宗，事有君。夫唯无知，是以不我知。

知我者希，则我者贵，是以圣人被褐怀玉。

【关键字词】

[言有宗]言论有一定的主旨。

[君]主，即根本、根据。

[不我知]宾语前置，意为不知道我，不了解我。

[则]法则。此处用作动词，意为效法。

[褐]粗布衣服。

[玉]美玉。怀玉：此处意为具备美德和才能。

【解剖俗象】

世俗中的人们能看见什么呢？看见什么会两眼发光呢？

对于许多人来说，恐怕大多数时候在看到金钱、美色、财宝时会两眼发光。

有多少人能看到金钱背后的品德和智慧呢？

有多少人能够看到美色背后的陷阱呢？

又有多少人能够看到获得财宝后给人带来的心智迷乱呢？

对于现实中的许多人来说，如果你穿着一件破烂的衣服，即使你怀中揣着美玉，心中装着天下最高的智慧，恐怕也很少有人搭理你，也没有几个人把你当回事儿，这就是俗人的愚蠢。

老子是一个拥有天下最高智慧的人，他已经把人间最高的秘密说得一清二楚了，教给人们的方法也简单易行，可天下又有几个人真正明白并照此行动呢？对此，老子的话语中也露出些许对世人的失望。

当然，用心践行老子智慧的人，透过金钱能够看到背后的品德与智慧，懂得品德与智慧才能获得金钱和获得金钱之后结局的力量；透过美色能识别背后的陷阱，从而让自己避免因一时的贪欲而导致的终身的灾难；懂得一味追求财宝，可能会让自己的心智出现迷乱，从而能节制自己的欲望。

简而言之，从一味地外求或者追求外部的证明，进一步提升为对内在品德与智慧的追求。

换言之，能够拨云见日，能够发现人生中的决定性力量，能够把握人生中最重要的价值，这才是了不起的智慧啊！

【修行妙法】

大道至简，俗人难近。

事事有道，俗人不睬。

圣人悟道，被褐怀玉。

【老子心说】大道统摄，关闭心门，自保平安。

【人生智慧】无道者，以主观搏道。悟道者，则去念皈道。有道者，则心静近神。

第七十一章

【主题】自知之明

【道门玄机】不懂装懂的虚伪和明知却不敢承认的愚昧，会毁了人的一生。

【圣训】

知不知，尚矣；不知知，病也。

圣人不病，以其病病。夫唯病病，是以不病。

【关键字词】

[知不知]知道却不自以为知道。

[不知知]不知道却自以为知道。

[病病]把病当作病。病：毛病、缺点。

【解剖俗象】

◎ 在现实中，不懂装懂的人还是不少的。

◎ 当然，这也会被人看穿，更会被人笑话，许多时候还会闹出很多尴尬。

◎ 实际上，“知之为知之，不知为不知”是很明智的，因为每个人都不可能懂得所有事情，这没什么奇怪的。

◎ 那种即使不懂也要发点议论的人，本身就不聪明，甚至表现出来的是一种愚蠢。

◎ 老子提醒人们，那种知道却像不知道的人，是很高明的。

◎ 那种不知道却自以为知道的做法，反而是一种毛病。

◎ 有道的圣人很清楚这一点，也就没有俗人的这种缺点，因为他把“不知知”（不知道却装作知道）当成一种毛病。

◎ 正因为正视了这种毛病，把毛病当毛病来克服，因此才不会犯这种错误。

【修行妙法】

俗人知道，实则是只知不道。

圣人知道，实则是道而不显。

知只是知，知小而道大不彰。

【老子心说】自己所知皆非道。

【人生智慧】不懂装懂，实则自残。悟道不显，自知之明。

第七十二章

【主题】 得势得危

【道门玄机】 欺压弱者，就是自绝于人民。

【圣训】

民不畏威，则大威至。

无狎其所居，无厌其所生。

夫唯不厌，是以不厌。

是以圣人自知，不自见；自爱，不自贵。

故去彼取此。

【关键字词】

[威]指统治者的镇压和威慑。

[大威至]更大的祸乱就要发生了。

[无狎]不要逼迫的意思。狎，xiá，通“狭”，意为压迫、逼迫。

[夫唯不厌，是以不厌]第一个厌读 yā，指压迫、压制之意。第二个厌读 yàn，讨厌、厌恶之意。

[不自见]不自我表现，不自我显示。见，xiàn。

[自爱不自贵]指圣人但求自爱而不求自显高贵。

【解剖俗象】

现实中某些有权有势的人，总喜欢用权力压制或者统治部下，似乎做领导和搞管理就是这个样子，自己也不知道还能怎么样。

也许他的上级也是这么对待他的，于是他就自然地照此对待自己的部下。

如果说这是一种愚昧或者灾难的话，那不同层级的人正在不断地、接力式地传递着这种愚昧和灾难。

当这种愚昧与灾难的传递链条，导致积重难返或者积怨甚深时，这样的管理和领导也就失效了。

众所周知，人们厌恶那种来自上面的压制，只是个体的力量难以单独去抗拒，因而在很多时候表现为一种屈从和屈服。

在这种被动服从的状态下，不可能有责任感和主动的积极性，就可能产生一些令人不满意的结果，这又给上面的当权者的压制提供了证据，甚至提供了一种动力和理由。

于是，这样的愚昧和灾难链就会不断地得到能量，就会不断地循环下去，就会导致更大的灾难和愚昧。

这就是人类历史上许多当权者一直没有破解的一个悖论。

老子以圣人的智慧发现了这一问题，他看到了当人民不畏惧统治者的威压时，更大的祸乱就要发生。

老子劝告统治者不要逼得人民无法安生，不要阻塞人民谋生的道路。只有不压迫人民，人民才不厌恶统治者。

因此，悟道的人，不但有自知之明，而且也不自我表现，他自重自爱却不自显高贵，所以，要舍弃后者（自见、自贵）而保持前者（自知、自爱）。

纵观历史，那些听从了圣人劝告的领导者，与部下和人民建立了和谐的关系，而那些总是凶巴巴地对待部下的人，往往最终走向覆灭。

这也是老子思想中自律自知和无为而治的智慧。

【修行妙法】

强者不必强势，凡是露势皆是无道。

人之强在亲民，凡是欺民皆走颓势。

圣人无我为民，自爱人爱自贱人贵。

【老子心说】权势大时，更要老实点。

【人生智慧】无道者，得势开始自毁。悟道者，保持谦卑永恒。

第七十三章

【主题】莫要冲动

【道门玄机】勇敢占全，勇即莽，敢即蠢，莽加上蠢，就是灾难。

【圣训】

勇于敢则杀，勇于不敢则活。

此两者，或利或害。天之所恶，孰知其故？是以圣人犹难之。

天之道，不争而善胜，不言而善应，不召而自来，繟然而善谋。

天网恢恢，疏而不失。

【关键字词】

[敢]勇敢、坚强，无所畏惧。

[繟然]宽绰舒缓、泰然自若的样子。繟，chǎn。

[天网]指大道无所不覆的巨大力量。恢恢：广大、宽广无边。

【解剖俗象】

很多人都知道“勇敢”这个词，并将其作为一种很正面的词汇，比如我们在鼓励孩子时，教育他们要勇敢。

我们也会发现，过于勇敢的孩子，往往智慧上有些薄弱，甚至在很多时候做出一些出格的事情。

那到底要不要勇敢呢？

老子告诉了我们一个答案：要有不畏困难的勇气，但也要有冷静处事的智慧。否则，一味地强调勇敢，就可能冲动、莽撞、蛮干，最终把事情搞坏。懦弱的人肯定是无法成事的，但很多勇敢的人也给自己惹了很大的麻烦。君不见，那些犯法的坏人在胆量上是不是都比正常人大很多？他们算是很勇敢了吧？可这种勇敢却是导致灾难的祸源。

因此，老子下了一个结论："勇"若是连着莽撞，就会导致杀身之祸，即"勇于敢则杀"；"勇"若是连着冷静自律，就能找到人生的出路，即"勇于不敢则活"。

老子还谦虚地说，这样的事啊，好像圣人们也说不清楚天道的脾气。

实际上，他老人家已经把天道的规律告诉了人们，只是人们不去学习，没有认真地践行，正如他自己所说的那样："吾言甚易知，甚易行。天下莫能知，莫能行。"

想想看，天下很多人真是辜负了圣人的心啊！

有人可能会问，天道到底是怎么运行的？

老子接着说，天道宏大无边，没有私心，也不与人争利，但却总能取得最佳的效果；不去跟人言说什么，规律的力量就在那里，随时随地回应着世间的一切；你不用去找祂，祂却无处不在，随时与我们同在。就如一张天网，覆盖了一切，没有任何疏漏。

想到这儿，还有人有足够的胆量去违背天道和规律吗？

关键是，你何时能够感受到那种看不见的、巨大无比的力量的存在呢？

【修行妙法】

"点火就着"，脑干啥？

"逢事逞勇"，必是傻。

静心悟得天地道，

跟随大道还愁啥！

【老子心说】管住自己，跟随大道，皆有安排。

【人生智慧】冲动即是魔鬼附身，冷静方见道神万有。

第七十四章

【主题】公道自在

【道门玄机】愚蠢的人总想替天行道，实则是施展自己的愚昧。

【圣训】

民不畏死，奈何以死惧之！

若使民常畏死，而为奇者吾得执而杀之，孰敢？

常有司杀者杀，夫代司杀者杀，是谓代大匠斲。

夫代大匠斲者，希有不伤其手矣。

【关键字词】

[奈何]为何。

[为奇者]为邪作恶的人。奇：奇诡、诡异。

[执]拘押。

[司杀者]专管杀人的人，此处引申为上天、自然所主宰的事情。

[大匠]工匠的首领，指技巧高明的工匠。

[斲]zhuó，砍、削。

[希]通“稀”，很少。

【解剖俗象】

纵观历史，我们不难知道，生活最不容易的就是普通民众。

经常过着骄奢淫逸生活的，往往是那些失道的当权者。

无道的当权者要维护自己的生活和统治，往往就会使用强制或者暴力的手段，甚至会杀人。

但熟悉历史的人也知道，靠杀人来维持统治的统治者，并不能把“坏人”杀尽，因为他们愚蠢的统治正是让人变“坏”的根源，只是他们不愿意反省，反而把自己这么做的责任推卸到无辜者的身上，这就是人间最大的不公平，也是统治者干的最荒谬的事情。

天地无私，人间自有公道，好人自好，坏人自坏，若是为了自己的利益而把别人定义成坏人，就是有违天道了，而违背天道的人最终都会自伤。

话说到这里，有人可能会问，难道统治者什么也不做就能够让天下太平吗？老子倡导的是这样的思想吗？

这是一个重要的问题，但也是一个极其简单的问题，因为圣人不可能只是这样想，因为老子提倡的是“无为而无不为”的智慧。

说到老子的这一智慧，很多人会一头雾水，“无为而无不为”，这怎么可能呢？这又怎么实现呢？

实际上现在的文明社会就是这样做的：让人民当家作主，民心成为法律是法律中的民本契约精神。领导者只是维护这样一个平台和机制，不能用自己的利益和意志来代替民心，这就是社会的精神契约。

一个企业也是如此，不是老板或领导制定制度，而是大家共同来制定，这样的制度才是集体的精神契约，才是真正有效的制度。

若不这么做，即使制定了所谓的制度，也往往会在很多时候失效，或者从一开始就会遭到人们的抵制和反抗。

【修行妙法】

天道掌管着人间的公道。

当权者悟道可替天行道。

得势者妄为则背道肇事。

一切自有公道静心可悟。

【老子心说】大道自在，公道永恒。

【人生智慧】无道者，肆意妄为。悟道者，静心随道。

第七十五章

【主题】害人害己

【道门玄机】一心为自己，必然失去人心。

【圣训】

民之饥，以其上食税之多，是以饥。

民之难治，以其上之有为，是以难治。

民之轻死，以其上求生之厚，是以轻死。

夫唯无以生为者，是贤于贵生。

【关键字词】

[其上]民之上，意指统治者、统治阶级。

[轻死]看轻死亡，不怕死。轻：动词，看轻，不重视。

[无]不。

[以生为]引义为很重视自己的生命。

[贤]胜过、超过的意思。

[贵]重视。

【解剖俗象】

老子所处的时代，很不太平，战火遍地，民不聊生，很多统治者忙着争夺自己的利益，根本顾不上百姓的死活。

为了保持自己骄奢淫逸的生活现状，统治者设置了非常高的赋税，让百姓的生活难以为继。

为了维护自己的统治，统治者往往肆意妄为，让百姓无法安生。

当人们被逼得无法正常生活时，也就不再怕死，世间就会因此而遍地狼烟。

老子发现了乱世之根本，正是那些统治者过于自私，只在乎自己的利益，让人没法过幸福平安的生活。

这样的统治，既没有办法让统治者统治得长久，也无法真正满足他们的欲望，因为他们伤害了社会和民众的利益。这样的做法无异于自杀。这样的统治就是祸乱的根源。

国家如此，企业和组织也是一样。

如果企业的老板只是一味地为自己敛财，根本不关心员工的生活和发展，又怎么能创办一个长久发展的企业呢？

老板们不断地买别墅，不断地换新车，不断地买奢侈品，却没有心思关心员工的疾苦，也没有帮助员工成长的计划，又怎么能让人心汇聚呢？

这样的企业能够做久做好吗？

这样的领导和管理，不是自己在破坏自己企业的未来吗？

西方管理学提出了那么多管理理论，现实中的管理者也费尽心机，为什么大部分人还是做不好企业呢？

不就是因为自己缺乏圣人的智慧吗？

不就是因为失去了人心吗？

不就是因为自己太自私反而损害了自己的利益吗？

【修行妙法】

俗人利己，实则是自贱自毁。

悟道利人，实则是自我成长。

【老子心说】利人利己，害人害己。

【人生智慧】无道者，害人获利而自残。悟道者，助人得利而自安。

第七十六章

【主题】真强柔弱

【道门玄机】表现得很刚强的人，往往会加建损耗自己的生命。

【圣训】

人之生也柔弱，其死也坚强。

草木之生也柔脆，其死也枯槁。

故坚强者死之徒，柔弱者生之徒。

是以兵强则灭，木强则折。

强大处下，柔弱处上。

【关键字词】

[柔弱]指人活着的时候身体是柔软的。

[坚强]指人死了以后身体就变成僵硬的了。

[柔脆]指草木形质的柔软脆弱。

[死之徒]属于死亡一类。徒：类的意思。

[折]遭到砍伐。

【解剖俗象】

在现实生活中，“坚强”这个词是比较正面的，但我们也发现，过于坚强的人容易自伤，这到底是怎么回事呢?

你看，小孩子的生命力是非常旺盛的，他的身体也是柔软的。

孩子的心性是自然的，该哭的时候就号啕大哭，不像成年人硬要把眼泪咽回去；委屈的时候就会发脾气，不会像成年人那样硬是忍着。

成年人忍得久了，就容易生病，甚至导致死亡。

老子在观察生命和自然的时候发现了生命的规律：人乃至万物，

活着的时候都是柔软的，死了之后却是坚硬的。

老子借此告诫人们，一味地坚强可能会伤害生命，刻意维护自己的坚强，可能会过早地走向衰亡。

一个国家若是一味地维护自己的军事强势，可能就会把国家拖垮，凡是穷兵黩武者，最终往往都是这样的结局。

对此，老子揭示了一个重要的规律，也展现给人们一个重要的智慧：越是强大的，越容易走向衰败；越是柔弱的，反而容易走向兴盛。

明白了这一点，处在强势地位的人、国家或者组织，就要主动地守柔处下，如此才能不自伤，不伤人，这才是长久之道。

如果你在某个场合或者某个组织中处于强势地位，你还能够谦虚待人吗?

你能够去除官气吗? 你能够遇事跟人去商量吗?

你还瞧得起那些不如你的人吗?

你能不自以为是或者总是表现出自己的英雄气概吗?

这一切，都是那些已经拥有强势地位的人需要回答的人生重要问题，否则就会自毁。

【修行妙法】

道者，柔弱自强而不伤人。

非道，刚强伤人而又自伤。

【老子心说】真强形柔，伪强形硬。

【人生智慧】无道者，生硬处事而肇事，现一幅愚蠢鲁莽。悟道者，柔弱处事而化事，展一幅从容优雅。

第七十七章

【主题】贵在平衡

【道门玄机】起念为自己，肯定伤到自身。

【圣训】

天之道，其犹张弓欤?

高者抑之，下者举之；有余者损之，不足者补之。

天之道，损有余而补不足。

人之道则不然，损不足以奉有余。

孰能有余以奉天下？唯有道者。

是以圣人为而不恃，功成而不处，其不欲见贤。

【关键字词】

[张弓]开弓上弦。

[高者抑之]弦位高了，就把它压低一些。高：指弦位高。

[余]剩余、多的。

[人之道]人类社会的一般法则、律例。

[恃]依仗、依靠。

[处]占有、享有。

[见]xiàn，同“现”，表现。

【解剖俗象】

人类总是自诩为高级动物，确实，在很多方面，人类拥有低级动物所不具备的能力，人类也以此为傲。

可是，当人类觉得自己很聪明时，有限的智慧就会膨胀，就会走向反面。“聪明反被聪明误”说的就是人类这种情况。

“大智若愚”就是觉悟了的人对自己这种问题的克服和升华。

老子发现了“天道”和“人道”的不同：天道总是执掌着平衡，高的就往下压一点，少的就补一点。天道的规律是“损有余而补不足”，于是形成了一个平衡的局面。人道与天道不同，总是想着好了再好，好上加好，欲望永无止境。本事大了就傲慢，权位高了就张狂，对不如自己的人总是瞧不起，对比自己强的人，要么羡慕，要么嫉妒，要么献媚。

总之，会不遗余力地把一个问题推向极端，也就是绝境。这就是人道的愚昧：“损不足以奉有余。”

人类在进化中也发现了这个问题，开始制定专利法，保护发明专利；对富人征收高额所得税；制定扶贫计划，帮助那些贫困的人；兴办教育，帮助那些地位低的人获得向上发展的力量。

这才是天道在人间的表现。

但在企业层面，情况没有人们想象的那么好，弱者会被淘汰，而不会得到额外的帮助；优秀者会被奖励，但很少去帮助那些比自己差的人。

当然，在企业中也有一些悟道的人，他们总是竭尽全力帮助那些落后的人，并且让那些优秀的人去带动和带领那些落后的人一起进步。

悟道的人明白了自己要遵循天道的规律，节制自己的欲望，让失衡的人间走向平衡，这是一种动态的平衡，一种既充满活力又充满和谐的平衡。

【修行妙法】

高者自大，自高自大，必遭天道压制。

低者自卑，自暴自弃，必让天道激发。

天道公正，损余补欠，以让人命安平。

人道偏私，奉余损欠，常让人生倾覆。

【老子心说】大道管世，执掌平衡。

【人生智慧】无道者，将事情推向极端而倾覆。悟道者，能自我把持平衡而安生。

第七十八章

【主题】王主之道

【道门玄机】占好处、推责任的人，都是走上自毁道路的人。

【圣训】

天下莫柔弱于水，而攻坚强者莫之能胜，其无以易之。

弱之胜强，柔之胜刚，天下莫不知，莫能行。

是以圣人云，受国之垢，是谓社稷主；受国不祥，是为天下王。

正言若反。

【关键字词】

[莫之能胜]没有能够超过它的。

[无以易之]没有可以用来代替它（指水）的。易：替代、取代。

[受国之垢]承担国家的屈辱，承受国人的责怨。垢：屈辱。

[不详]灾祸、灾难。

[正言若反]正面的话好像反话一样，真正的真理看上去好像违反常理。

【解剖俗象】

在人们不断追求自我的强大和强盛的时候，另外一种相反的力量也在成长，似乎任何强势都带着一种自毁的程序。

老子在观察天地人间万物的时候，发现了一种比坚强更强大的力量，就是柔弱："弱之胜强，柔之胜刚。"

在森林里，总是高高大大的树遭到雷劈；

在人间，总是那些很张扬的名人遭到非议。

那些很张扬的名人，占有了太多的社会财富，以至于自己的心灵失去了平衡，从而招致了人们的非议。

那些高高在上的人——老板或者领导人，总是以为自己代表着真理，错误是部下的，功劳是自己的。

很显然，这些人所展示出来的人间道，是违背天道的。

“柔弱胜刚强”，这样的现象我们在生活中处处可见，但又有谁愿意表现得柔弱呢？

即使圣人们将这样的天道规律告诉了大家，又有几个人知道了之后会去践行呢？

人间也有少数悟道的人，他们秉持着“吃苦在前，享受在后”“先人后己”的原则，对于出现的问题，他们总是勇于自省和罪己，敢于承担责任，而不是指责当事人，这不仅仅是一种觉悟和情怀，更是一种至高的理性。

组织中的问题总是跟领导人有关系，往往正是因为领导人没有尽责，导致了部下的错误，可又有几个领导人敢于这样认识问题呢？

中华民族的先王圣主们，他们做到了，每每遭遇天灾人祸，他们总是能够借此反思自己的罪过，改正自己的错误，这样的人才真正是配做“社稷主”和“天下王”的人啊！

唯有这样的领导人，才能够真正赢得人心，才会让众人乐意去追随。

假如你是领导人，面对组织中出现的很多问题和很多犯错误的人，你会做自我批评吗？

你有勇气和智慧把部下的罪责揽到自己身上吗？

你能否从改正自身开始让别人和组织都受益吗？

若是上级指责下级，下级又反过来指责上级，这样的组织能够健康发展吗？

【修行妙法】

如水之柔，即是明了人心之道。

领导示弱，即是了悟人心之强。

受国之垢，即能稳坐社稷之主。

受国不祥，即能成就天下之王。

【老子心说】大道统摄一切而无形。

【人生智慧】无道者，博取功名而欺人。悟道者，自取垢责而赢心。

第七十九章

【主题】情理智慧

【道门玄机】不按规矩办事的，最终总会撕破脸皮。

【圣训】

和大怨，必有余怨，安可以为善？

是以圣人执左契，而不责于人。

有德司契，无德司彻。

天道无亲，常与善人。

【关键字词】

[安]疑问代词，哪里，怎么。

[契]契券。古代借贷金钱、粮米等财物都用契券。

[责]索取所欠。

[司彻]掌管税收的官职。

[无亲]没有偏亲偏爱，一视同仁地对待。

[与]帮助。

【解剖俗象】

随着人类社会文明的进步，法律也越来越健全，以至于任何一个律师都没有办法完全熟悉所有的法律条文。

可是，法律只是人类行为的底线，没有法律不行，但仅仅依靠法律，无法治理好一个国家或者一个组织。

有的家庭成员因为矛盾而闹上法庭，智慧的法官总是帮他们调解，让他们明白事理后再恢复家庭成员间的和谐。否则，即使在法庭判决中一方胜诉了，双方也都失败了。

也许，这就是事理和人理的区别，而事理和人理都能明白的人，才算是有智慧的人。

人间的这些愚蠢的纠纷，相信老子也看到不少，他也在帮助人们寻找最佳的方法：

遇到怨恨的事儿，不是彼此忍着，更不是相互攻击，而是把人理和事理说开、说明白，否则就没办法拥有真正的和谐。

做事要讲究理性，不要以感情代替理性，借给人东西也要留有证据，但不会因为这样那样的一个东西而跟别人撕破脸，有德性的人总是体谅别人，总是对别人很宽容。

无德的人，总是只管事理而不管人理，最终闹得两败俱伤，看起来出了一口气，实则损失更大。

天道是公正的，人不必过于计较一时一事的得失，拥有这种宽容和善良的品性，一定不至于在总体上遭受损失，“失之东隅，收之桑榆”，说的就是天道的公正。

现实中的人们，总是追求即时的收益，总是追求自己所期望的收益，至于那些跨越时空的、属于不同类别的收益模式、类型与形式，很多人就看不懂了。

于是乎，很多人得到了即时的收益，却丢掉了未来的收益；得到了有形的收益，又失去了无形的收益。

当然，还有一类比较典型的现象不得不说：一些人做事不讲理性，最后让对方失去了理性约束。某人一生为人好，却又总能把别人变成“坏人”，自己也很委屈，实际上这是“小善养奸”的典型表现。

老子告诉人们，做事要有理性，要受法律的制约，因此对双方都有约束力。同时，又不会因为契约而苛责于别人，这就是与人相处中的有理、有利、有节、有据。

能做到这一点，才真正是道德的智慧。

【修行妙法】

情理一阴一阳，玄妙人生。

温情要养人理，否则变晕。

有理更讲温情，方是人生。

天道公正无私，善者近道。

【老子心说】大道不玄，阴阳平衡。

【人生智慧】有道者，规矩中重情感。无道者，滥用情坏规矩。

第八十章

【主题】浮华归真

【道门玄机】把生活搞得很奢华，最终还是会伤害自己。

【圣训】

小国寡民。

使有什伯之器而不用，使民重死而不远徙。

虽有舟舆，无所乘之；虽有甲兵，无所陈之；使民复结绳而用之。

甘其食，美其服，安其居，乐其俗。

邻国相望，鸡犬之声相闻，民至老死不相往来。

【关键字词】

[小国寡民]经过一定的文明发展后再自觉地向自然生活回归。

[使]即使。

[什伯] shí bǎi，意为极多，多种多样。古代兵制，十人为什，百人为伯。此处的什意指十倍之，伯则指百倍之。

[重死]看重死亡，即不轻易冒着生命危险去做事。

[徙]迁移、远走。

[舟舆]船舶和车辆。

[甲兵]武器装备。

[陈]陈列。此句引申为布阵打仗。

[结绳]文字产生以前，人们以绳记事。

【解剖俗象】

现在的生活意味着现代化，从通讯、交通工具，到人们使用的生活用品，科技在人们的生活中无处不在。

❁ 确实，我们使用计算机而不再使用算盘，我们可以进行很复杂的计算，但那是用计算机，而不是用人脑。

❁ 少数搞科技发明的人，头脑变得越来越聪明，但大多数使用科技发明的人，头脑却变得越来越愚钝了。

❁ 科技也运用到军事上，人类自我毁灭的能力越来越强了。

❁ 于是，随着科技的发展，一些人开始反思过分科技化给人类生活带来的危害。某些人甚至已经放弃了城里舒适的生活，跑到山里盖一间小屋，过起了隐士的生活。

❁ 我们往往会为一项新的科学技术给我们的生活带来的便利而欢呼，同时，我们也生活在科学技术高度发达的苦恼当中，我们的生活是不是过分科技化了呢？

❁ 我们每个人都离不开手机，离不开自来水，也离不开电，出门离不开车，但很多人又梦想着能有一天不用手机，很多人渴望喝山泉水，很多有车的人开始给自己定下散步的指标。

❁ 人类真是能折腾，但每一次进步又都会给自己带来新的苦恼。从某种意义上说，这一切都是人无限的、没有节制的欲望所导致的。

❁ 老子给人们描绘了一种田园诗般的生活。

也许，很多人最终又会从繁华走向简单和质朴，因为只有这样的生活方式才真正是有利于生命的。

也许，随着人类欲望的不断增加，制造出越来越多的问题，人类终将回归。

❁ 在这个问题上，老子看清楚了人性的本质，在两千五百年前就预言了今天人类的生活走向。

❁ 当然，那些欲望还没有得到充分满足的人，暂时还不会回头，因为许多人都是后知后觉的，只有吃尽了苦头才会回头。

【修行妙法】

浮华终究会过去，一切归于平静。

一切都只是经历，莫要纠缠过去。

生命本喜欢安静，简单质朴归真。

【老子心说】大道好静，人欲好动。

【人生智慧】无道者欲多好动，不悟即损性命。悟道者寡欲好静，领悟即能养命。

第八十一章

【主题】真在反面

【道门玄机】按照自己喜欢的、想做的去做，可能恰恰走向反面。

【圣训】

信言不美，美言不信；

善者不辩，辩者不善；

知者不博，博者不知。

圣人不积，既以为人，己愈有；既以与人，己愈多。

天之道，利而不害。圣人之道，为而不争。

【关键字词】

[信言]真实可信的话。

[辩]巧辩、能说会道。

[博]广博、渊博。

[圣人不积]有道的人没有占有的欲望，不自私，不私藏。积：私自保留、积藏。

[与]给予。

【解剖俗象】

现在的人似乎明白了人间很多事理，但又常常身处迷惑之中。

我们喜欢那些美妙的语言，但又常常因为别人的甜言蜜语而上当受骗。似乎美妙的语言能够开启人的非理性系统，让人的智力水平下降，但人们就是好这一口。即使因为这一弱点而上了当，也很难改变。

至于那些对我们有益的“逆耳忠言”，我们总是从心里生出厌恶。

你看，总有人把骗子拉到身边，却拒贵人于千里之外。

老子忠告人们："信言不美，美言不信。"

经常见到这样一些人，他们总是逞口舌之能，无理搅三分，即使自己错了，也要找一大堆理由，把它描绘成正确的，或者最起码是合理的。世间又有几个人能够坦陈自己的过失呢？

老子忠告人们："善者不辩，辩者不善。"

某些人总是卖弄自己的知识和能力，总是喜欢在别人面前陈述自己的成就，却不知道别人并不喜欢这一套。

老子忠告人们："知者不博，博者不知。"

现实中许许多多的人，都在为自己积累财富，或者为自己积累功德，总之，一切都是为了自己，为此忙碌得十分辛苦。

老子告诫人们，悟道的人不用为自己积攒什么，只是一心想着为别人奉献什么，奉献得越多，自己也就拥有得越多。原来奉献不是失去，而是播种。这一道理世间又有几个人明白呢？

老子把这些道理说得十分明白："圣人不积，既以为人，己愈有；既以与人，己愈多。"

很多人一心为自己算计，总想自己多得一些，总想让什么事情都有利于自己，甚至有时候会干损人利己的事。这样的做法，当然就违背了天道，最终也会贻害自己。

老子指出："天之道，利而不害。"只有遵循天道，最终才能真正有利于自己。许多人在任何利益上都要与别人竞争，争一口气，争一分利，争一个理，总之，自己不能吃亏，要证明自己正确，要让自己居于别人之上，最终，因为那些可有可无的小利，却将自己与别人的关系搞得一团糟，得不偿失。

老子告诉人们，那些悟道的人，是不与俗众争利的，是不在那些没有意义的事情上争强好胜的，是不跟那些不讲理的人争辩的。

正因为如此，有道之人才不会因为没有意义的事情与别人变得对立，才可能将自己的智力和精力集中在大事和重要的事上，才可以成就大业。

从军事上说，分兵必败。从人生来说，精力不能聚焦，就无法创造神奇。

【修行妙法】

悟道者美言，可以加人；无道者美言，可以惑人。

悟道者恶语，可以醒人；无道者恶语，可以毁人。

悟道者不辩，可以明人；无道者善辩，可以失人。

悟道者不博，可以自安；无道者乱博，可以惑己。

悟道者不积，却可增益；无道者多积，反而自累。

悟道者不争，成不可争；无道者常争，反而耗命。

悟道，领悟大道，故而心明无祸。

【老子心说】天命为性，率性为道。

【人生智慧】悟道一切自足，无道多求无益。

第三篇

朴素本源

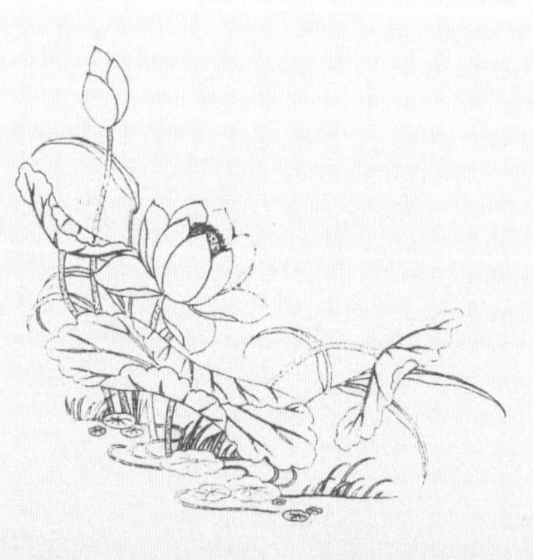

篇首语

通过对道名、道性、道主的初始释义，来阐释“道”的玄妙。

从人类最典型的哲学发问“这个世界如何形成？”“什么力量主宰着人类？”一步步抽丝剥茧式的问答，引领人们觉悟“道”的真理。

明道，顺道而行，则开启自性智慧；明道，与万物和谐，则获得新生。

道名理论

【箴言】将自己的思维与言行当成客观对象进行观察，你才能有真正的发现！

【反问：撞见智慧】

你说的是道理吗？最多是你自己的理，而不是道。

你说事时使用的一些概念是事物本身固有的吗？不，那只是你自己那样叫的。

老子《道德经》开篇的一句话“道可道，非常道。名可名，非常名”，可谓是《道德经》中最经典的语句，流传甚广，争议最多，也难住了很多人。这就是著名的“道名”理论。有些人对这句话做了很奇妙的解读，还有很另类的断句，如“道可，道非，常道。名可，名非，常名”，看似有一定的道理，但依然很难自圆其说，前半句似乎还能说通，后半句就显得有些牵强附会了，因为前后两个半句并非顺成的逻辑，怎么会导出“常名”的结论呢？学习《道德经》的思想，只有真正理解了道家的“道名”思维，才有可能以道家的思维步入修道之门。

【“道名”的世俗定势】

平时人们说话，都在说自己的道理，也就是自己的主观对客观现象的认识。很显然，每个人自身的局限性、主观认识的有限性，使得人们所表达的自己的道理，很难真正穷尽客观规律，故而才有“道可道，非常道”之说。

平时人们说话，都在使用一些概念，这些概念就是老子所说的“名”，就像人们给自己的孩子起名字一样，我们也给万物起了各种各样的名字，这样才方便沟通。但是，人们可能忽视了这样一个事实：这些名字都是人给的，并不是万事万物自身的，是人们为了便于沟通而给它们找了一个代号。因此，才有“名可名，非常名”之说。

如果人们搞不清楚上述两个事实，以为自己说的道理就是客观规律，以为自己称呼万物的名称就是客观事物本身，那就大错特错了。

老子《道德经》开篇就提出“道名”的主题，是圣人给予世俗中自以为是的人的当头棒喝。

【心灵的拷问】

1. 你以为自己讲的道理都是正确的吗？实际上，人所讲的道理，只是基于个人有限的知识、能力和认识水平对客观世界和客观规律的一种主观认识。这种主观认识，反映的是个人有限的认识水平，并不能等同于客观事物和客观规律本身。难道不是吗？

2. 人们对客观事物和人的认识，总会有自己的成见。听人们说起对某事和某人的看法，往往也只是代表着那个人自己的价值观和评判标准。故而人们对于同样一个事物会有美丑、善恶、好坏的不同评价。有什么事物本身就叫美、丑、善、恶吗？还不都是具有特定立场、心情和水平的人给出的带有倾向性的说法。

3. 当人们对客观事物和人的评价形成一个结论时，往往就会给这个事物或人贴上一个标签。许多人会顺着这个标签去联想这个人其他的品质，尽管他并不了解这个人其他的方面，所以会出现“一好俱好，一坏俱坏”的偏见。正是这样的偏见禁锢了自己的认识，也形成了对别人的偏见。

4. 让我们感到惊讶的是，人的认识能力常常会在很多时候作弄人：我们对人和事一旦形成一个认知，头脑就会自动地为这种认知进行辩护，使其更趋合理。又有几个人会站在自己提倡的观点的对立面反驳自己呢？

5. 许多人想出名，出了名的人又往往感到为名所累，苦不堪言。最终人们明白，“名”如同枷锁，又如鸡肋，特别在意“名”的人，就如同进入了一个牢笼，难以挣脱。

【老子的"道名"思想】

第一章：道可道，非常道。名可名，非常名。无名天地之始，有名万物之母。故常无欲以观其妙，常有欲以观其徼。此两者同出而异名，同谓之玄，玄之又玄，众妙之门。

第十四章：视之不见名曰夷，听之不闻名曰希，搏之不得名曰微。此三者不可致诘，故混而为一。

第二十五章：有物混成，先天地生，寂兮寥兮，独立不改，周行而不殆，可以为天下母。吾不知其名，强字之曰道，强为之名曰大。

第三十二章：道常无名。

【"道名"要义】

"道"是一切有形或无形存在的本质，"名"只是对有形存在的一种称呼，而有形存在又是受制于我们感知能力的一种极其有限的存在，是无限存在中的很微小的部分。

"道"是阴性的，是人的肉眼看不见的，是需要人闭上眼睛静心去念才能感悟到的。"名"所描述的是阳性的存在，决定它的仍然是阴性的、无法用感官感知的"道"。

"道"是永恒存在、决定一切的，"名"是为了人们的方便而使用的一种工具。

"道"是决定"名"的本质，"名"是表达道中可以被人感知的那一小部分显性存在的称呼，本身并不等同于客观存在本身。

道家所说的"道"，有两层含义：一是指万事万物之源头；二是指万事万物所蕴藏的客观规律，大道缔造了万物，又隐藏在万物表象之中，并不以人的主观意志为转移。

【"道名"陷阱与破解】

在现实中，许多人陷入了因不明"道名"原理而自构的谜团，往往过分相信自己的道理，往往徒有虚名或者为名所累。最终，因为固执己见而远离了真理，让自己的心智在狭小的自我圈子里徘徊；或者以"名"代

“实”，拘泥于不明内涵的概念之争；或者为没有什么实际意义的“名”而争斗不休。人处在这种状态之中，又如何使智慧不断提升呢?

在现实中，没有主意的人往往平庸，而坚信自己主张的人往往会有小成。同时，在大事和长远战略上，盲目相信自己的人，往往又功亏一篑，功败垂成。“兼听则明”，那些能够看到自己的局限性，又能够吸收别人长处的人，往往能够成就大业。

在现实中，固执己见的人，往往很难跟人顺畅地进行沟通或者友好地相处。相反，小事上不计较，大事上能商量的人，既能够跟别人友好相处，又能够凝聚人心，做成大事。

在现实中，人们已有的知识和经验，既可能帮助人提高认识的速度，也可能变成一种成见，让自己仅限于已有的概念与认识中。一个人若是能够审视并突破思维中已有的概念，就可能产生新的认知，就会距真理更进一步。最终，也可能达到“弃船上岸”的觉悟境界。

在现实中，追逐虚名的人，做事时往往踏实，没有把主要精力放在实力增长上，因而丧失了炫耀的基础。或者将虚荣当成自尊，落得个让人耻笑的结局。相反，当人们不再枉图虚名，老实做人，踏实做事，美名就会不期而至。到了这个地步，若能让心性超越“名”的境界，就能够不为名所累，就能够持续进步。

【智慧与觉悟】

1. 两个真理。人的主观认识所达成的真理，叫主观真理，是相对真理。人的主观之外客观存在的、永恒不变的客观规律，就是客观真理，是终极的绝对真理。

2. 自我与无我。当人们将自己的心智框定在狭小的自我范畴中时，就会变得愚昧而无法开启心智，即使再聪明也无法进一步提升自己的智慧。他们会一味地讲自己的道理，会经常以为自己最有道理，会在遇到不同意见时依然为自己进行辩护。实质上，他们维护的并不是真理，而是自我。与之相反，悟道的人，随时都在吸纳能量，随时都准备否定自己，随时准备接受新知，他们的“自我”犹如一个“道器”，只是向着真理前进，不会在维护“旧我”方面花费生命的气力。

3. 觉悟与品格。明白了“道名”原理的人，就会破除固执与自以为是，就会舍弃名相而求本真。一个人的心性到了这个地步，就会弃固执而随和、弃自辩而突破、弃傲慢而谦卑、弃虚华而实在、弃愚昧而智慧、弃旧我而新生。

4. 人生智慧。懂得了“道名”的原理与真相，一个人的自我将迎来新生，就可能随时随地都在提升自己的智慧。

讲自己道理时，他懂得倾听。

遇不同意见时，他懂得请教。

思维不通畅时，他懂得反思。

遇新鲜事物时，他懂得学习。

见争名夺利时，他懂得旁观。

道性理论

【箴言】

道性，道之性，也是人之性的母体。明白道性，方知人性。

【反问：撞见智慧】

佛性？道性？好像这些都是很神奇但又无法用肉眼看见的神秘生命现象。

道是什么？什么样子？什么颜色？若是说祂无形无色你会感到惊讶吗？

我们活在一个“看得见的世界＋看不见的世界”之中，你有感觉吗？

在我们看不见的世界中，在我们的知识无法企及的天地宇宙间，还有一种巨大无比的力量主宰着我们，你会认同这一观点吗？

不管一个人主观上怎么想，表面上是你想外部的人和事，实际上你的自性决定着一切结局。如果你的主观合于自性则一切顺遂，否则，即使你有百般理由也无济于事，声称自己好心也无助于事。

“道性”是人认识道的一种方式，这是人命名的，是帮助人来理解大道性质的。实际上，在天地大道造化人时，已经将天地基因预置进了生命之中，这就是你的道性！是你可能知道，但也可能全然不知的生命中的决定力量！

【“道性”的世俗定势】

我们熟悉自己能够认识的事物属性，但对于无法用肉眼或者借助于工具观察的事物，我们通常就一无所知了。

我们会说到人的“人性”或者“德性”，很显然这是在说人的精神，而人的精神是无形无状的。

对于肉眼无法观察、借助仪器也观察不到的事物的属性，只能通过我们的头脑来领悟和提炼。

对于我们难以理解的世间大道，圣人们知道怎么说都难以说清，但又要帮助人们理解，怎么办呢？

我们也知道，肉眼看得见的事物，都被背后一种肉眼无法观察到的力量驱动和主宰着。认识这种力量对于人类太重要了。

【心灵的拷问】

你再聪明，难道能说出人间情义值多少钱吗？

你学的知识再多，你能说出宇宙的边界和边界之外有什么吗？

你知道万事万物都有其规律，你能描绘出几个规律的样子？

你难道没发现：世上的事，看得见的都是由看不见的力量主宰吗？

你把聪明用在事物的表面，还是用在事物的规律上？

你知道不懂得规律的人最终的结局为什么不好吗？

【老子的“道性”思想】

第四章：道冲而用之或不盈，渊兮似万物之宗。挫其锐，解其纷，和其光，同其尘。湛兮似或存，吾不知谁之子，象帝之先。

第六章：谷神不死，是谓玄牝。玄牝之门，是谓天地根。绵绵若存，用之不勤。

第十一章：三十辐共一毂，当其无，有车之用。埏埴以为器，当其无，有器之用。凿户牖以为室，当其无，有室之用。故有之以为利，无之以为用。

第十四章：视之不见名曰夷，听之不闻名曰希，搏之不得名曰微。此三者不可致诘，故混而为一。其上不皦，其下不昧，绳绳兮不可名，复归于无物，是谓无状之状，无物之象，是谓惚恍。迎之不见其首，随之不见其后。执古之道，以御今之有，能知古始，是谓道纪。

第二十一章：道之为物，惟恍惟惚。惚兮恍兮，其中有象；恍兮惚兮，其中有物。窈兮冥兮，其中有精；其精甚真，其中有信。自古及今，其名不去，以阅众甫。

第二十五章：有物混成，先天地生，寂兮寥兮，独立不改，周行而不殆，可以为天下母。吾不知其名，强字之曰道，强为之名曰大。大曰逝，逝曰远，远曰反。

第三十二章：道常无名。朴虽小，天下莫能臣也。

第三十四章：大道氾兮，其可左右。万物恃之以生而不辞，功成而不有，衣养万物而不为主。

第三十七章：道常无为而无不为。

第四十章：反者，道之动；弱者，道之用。天下万物生于有，有生于无。

第四十二章：道生一，一生二，二生三，三生万物。万物负阴而抱阳，冲气以为和。

第四十三章：天下之至柔，驰骋天下之至坚，无有入无间，吾是以知无为之有益。

第四十五章：大成若缺，其用不弊；大盈若冲，其用不穷。大直若屈，大巧若拙，大辩若讷。

第五十一章：道生之，德畜之，物形之，势成之。是以万物莫不尊道而贵德。道之尊，德之贵，夫莫之命而常自然。故道生之，德畜之：长之、育之、亭之、毒之、养之、覆之。生而不有，为而不恃，长而不宰，是谓玄德。

第六十二章：道者万物之奥。

第七十七章：天之道，其犹张弓欤？高者抑之，下者举之；有余者损之，不足者补之。

第七十八章：天下莫柔弱于水，而攻坚强者莫之能胜，其无以易之。

【“道性”要义】

1. 源头性。道乃万物之宗，象帝之先。

2. 生育性。道如谷神玄牝，天地之根。

3. 无穷性。道绵绵若存，用之不勤。

4. 上善性。大道若水，善利万物而不争，处众人之所恶，故几于道。

5. 虚空性。道无而有大用。

6. 自在性。道不可见、不可闻、不可得名，是谓无状之状，无物之象，是谓惚恍。迎之不见其首，随之不见其后。

7. 真实性。道之为物，惟恍惟惚。其中有象，其中有物，其中有精，其中有信。

8. 自动性。道是有物混成，先天地生，寂兮寥兮，独立不改，周行而不殆，可以为天下母。

9. 主宰性。道常无名。朴虽小，天下莫能臣也。

10. 覆盖性。大道氾兮，其可左右。

11. 无为性。道常无为而无不为。

12. 反俗性。反者道动，弱者道用。

13. 有无性。天下万物生于有，有生于无。

14. 阴阳性。道生一，一生二，二生三，三生万物。万物负阴而抱阳，冲气以为和。

15. 至柔性。天下之至柔，驰骋天下之至坚，无有入无间。

16. 完美性。大成若缺，其用不弊；大盈若冲，其用不穷。大直若屈，大巧若拙，大辩若讷。

17. 至高性。道生之，德畜之，物形之，势成之。是以万物莫不尊道而贵德。

18. 深奥性。道者万物之奥。

19. 平衡性。天之道，其犹张弓欤？高者抑之，下者举之；有余者损之，不足者补之。

20. 柔强性。天下莫柔弱于水，而攻坚强者莫之能胜，其无以易之。

【“道性”的误解与破解】

许多人以为，勤于思考就能产生智慧。实际上，每一个人皆由大道创造，命中带着道性。只有明白生命之道性的人，才是真正苏醒了的人。

1. 祖宗。道乃万物之宗，象帝之先。自然大道是人和万物最原始的祖宗。

2. 主神。道如谷神玄牝，天地之根。道生育一切，是一切的根本，人也不例外。

3. 无穷。道绵绵若存，用之不勤。人的知识和经验是有限的，大道的力量却是无限的。

4. 若水。大道若水，善利万物而不争，处众人之所恶，故几于道。人熟悉水，水接近道，学水近道。

5. 空灵。道无而有大用。谦虚的人进步，空灵的人神通。找到道就等于找到生母。

6. 相随。道不可见、不可闻、不可得名，是谓无状之状，无物之象，是谓惚恍。迎之不见其首，随之不见其后。故而大道与我们如影随形，片刻不离。离开道，也就丢了生命的魂。

7. 真实。道之为物，惟恍惟惚。其中有象，其中有物，其中有精，其中有信。人看不清大道，如人见不到上帝，但祂又实实在在地与我们同在。

8. 独立。道是有物混成，先天地生，寂兮寥兮，独立不改，周行而不殆，可以为天下母。大道独立而自性，跟随大道才可开启生命道性。

9. 主宰。道常无名。朴虽小，天下莫能臣也。看不见的道，可以小而无内，也可以大而无外，但又主宰着一切。

10. 覆盖。大道氾兮，其可左右。一切都在大道的范畴里存在和转化。

11. 无为。道常无为而无不为。大道无私，自然运行，但又支配着一切。

12. 反俗。反者道动，弱者道用。跟俗世相反的往往是道的力量在推动，看起来柔弱的恰恰就是道的作用方式。

13. 有无。天下万物生于有，有生于无。有形的存在是由无形的力量生出来并决定着的。

14. 阴阳。道生一，一生二，二生三，三生万物。万物负阴而抱阳，冲气以为和。大道生育一切，阴阳相互作用，阴阳相互转化，成物皆是阴阳合和。

15. 至柔。天下之至柔，驰骋天下之至坚，无有入无间。大道无形，驰骋天下，没有任何力量可以阻挡。

16. 完美。大成若缺，其用不弊；大盈若冲，其用不穷。大直若屈，大巧若拙，大辩若讷。俗人认为的残缺、虚空、弯曲、拙笨、讷言，皆是与大道频率相合的表现。

17. 尊贵。道生之，德畜之，物形之，势成之。是以万物莫不尊道而贵德。人与万物一样，只有一个选择，跟随决定自己的大道才是正道。

18. 奥妙。道者万物之奥。天地人间一切的奥秘全在大道中，明白了大道，跟随大道，就能够一切合道。

19. 天秤。天之道，其犹张弓欤？高者抑之，下者举之；有余者损之，不足者补之。大道执掌着人间一切的平衡，任何只是有利于自己的企图，都是徒劳的。

20. 至强。天下莫柔弱于水，而攻坚强者莫之能胜，其无以易之。大道的作用如水一样柔弱，而祂又是可以决定一切、战胜一切的力量。

【智慧与觉悟】

1. 两种状态。大部分人处在“迷失”的状态，没有见到自己的道性。实际上，道性才是生命的自性，人生一切密码全在其中。

2. “道性”的智慧。在人间，人们都在表现自己的聪明，都在阐述自己的观点，并且自以为唯有自己的才是正确的。修行者，虚极静笃，损之又损，终于到了那样一个时刻：原来一切皆有其自身规律，人的主观思考只是接近那个真相而已。我们主观世界所面对的一切人、事、物都是道性的载体，皆有自性。若是用我们的主观去代替外在的客观自性，无异于竹篮打水。道法自然，能够读懂自然大律，能够跟随自然，主观处在寂静状态，就能发现一切真相。

3. 觉悟与品格。知道了“自作聪明”实际上是自性的迷失，开始约束自我意念的膨胀，一个人就开始走向成熟了。若是通过修行能够发现自己的和一切人、事的道性，就如开了天眼，能读懂天地间一切人和事物的规律。到了这个地步，自己不用显摆，也不用刻意表白，就会成为真正拥有智慧的人：你能读懂一切，因而没有烦恼，再也不会问：怎么会这样？他怎么能这样？他凭什么这样？于是，你就能理解一切，就能体谅一切人，就能找到规律，就能顺应，就能发现自己的愚痴所导致的徒劳，就能读懂一切、理解一切、体谅一切、呼应一切、感恩一切、喜欢一切，与一切合一。

4. 人生智慧。明白了道家“道性”的思想，就可以超越“头脑”的幼稚思维，就能打开智慧之门。到达明了道性的境界，也就开启了自性的智慧，于是一切道理都会向你展现，你只需微笑着接纳一切，就能与一切和谐相处。这才是人间真正的和谐，是身与心、自我与他人、自我与万物的和谐，心中再也没有任何挂碍，没有任何死角，没有任何盲区。

①你明白了所有人，你明白了各种各样的人的道理，于是就没有了烦恼!

②你知道了所有事物和人的自身规律，能够观察欣赏，能够跟随不滞，能够理解不怨，能够微笑不怒，能够感动不嗔!

③你懂得了万物的自性，万物为你而来。你懂得了众生万象之性，众生为你而遇。你懂得了一切相遇，一切就是你自己，身外无物，自外无人。

④想想看，别人不理解你，你能理解别人，还有什么问题？别人误解你，你能够理解他的误解，还有什么问题？别人对你不好，你理解他的苦心，你会对他好，还有什么问题？别人怕你抢他的，你偏偏给他，还有什么问题？别人恨你，你却懂得自己的责任，反而会加倍地爱他，请问还有

什么问题?

⑤再想想看，别人不理解你，你很生气:“你为什么就不理解我?”看看，是你不能理解吧! 之后别人理解你了吗? 误解也是如此，你若是能够找出误解的技术原因，你还会因为被别人误解而苦恼吗? 你对别人好，别人却对你不好，你多半会不理解，但这其中必有原因啊，一旦你找到了原因，也许你就知道自己对别人的好没准儿伤着了别人。这个世界啊，就是不会像你头脑想象的那样，自有其美妙之处。若是不懂得这些，人生便是苦海。

⑥世间万物、人间众生、事中众人，皆是一本本打开的无字天书! 圣贤给了我们一本字典，但读懂此书，需要破除我们固有的认知模式，需要空灵的状态，方可达到无须费劲就能通了万物和众生真相的境界。

⑦你还在为很多自己无法理解的事而苦恼吗? 那是因为自己的心性未开，未识万事万物万人之真相! 不是外界带给了你苦恼，是你的自性未开，故而不识心外大道的道性，这能怪谁呢?

⑧祖宗的伟大就在于他们先行打开了自己的生命道性，从而得到了识别一切道性的密码，我们后人有福，只是很多人认字读书不懂得背后的玄机，反而辜负了圣人的用意。

⑨人间无事，庸人自扰! 开启智慧，便识道性。懂得一切，即无烦恼。

⑩人生百年，一切如浮云，识得道性，一切美妙即呈现在眼前。

道主理论

【箴言】当一个人找到了“决定性力量”，就懂得了“臣服真理”才是自己的成熟!

【反问：撞见智慧】

人类最典型的哲学发问，莫过于“这个世界是如何形成的？原来人不是这个世界的主宰，但人类又被什么力量主宰着呢？”。

这样的问题，人类已经问了几千年。即使是科学十分发达的当代，科学知识依然很难圆满地回答这一问题。

也许“世界是如何形成的？”对我们很多人来说并没有那么重要。但是，“我们被什么主宰着？”这样的问题，却是每个人都回避不了的。

两千多年前的中国哲学家老子，从哲学的高度回答了这一问题：世界是由道生出来的，人类也是由道生出来的，道是人类的主宰（简称“道主”）。

【“道主”的世俗定势】

关于世界的形成，世界上有三种典型的学说，一是西方基督教世界关于上帝创世的学说，二是科学界关于宇宙大爆炸的学说，三是老子关于道的学说。

没有信仰和哲学智慧的人，通常是狂妄的，他们要么以为自己所掌握的有限的科学知识就是绝对真理，要么以为凭借个人的能力可以主宰自己的命运。他们不知道或者不相信，在他们自己的个人知识、能力和意志之外，还有一种他们毕生都不可企及的巨大力量。正是这种力量主宰着人的生命。至于这种力量叫什么名字，叫道？叫上帝？实际上，这样的事实存在着，名字（只是人类给起的名字）就显得不是那么重要了。

老子发现了主宰这个世界和人类的力量，提出了“道主”的主题。悟道的人，面对这种巨大力量时，表现得更加理性和谦卑。

【心灵的拷问】

1. 有钱有势有能力的人，真的很厉害吗？几十年的人生经历会让人明白，意志之外的客观规律和人心，才是主宰人的命运的关键。

2. 我们学习到的科学知识，是绝对真理吗？当然不是。科学研究也不过是不断接近浩瀚无边的绝对真理而已，而且无法穷尽。

3. 个人的理想和抱负能实现吗？那要看这些理想和抱负是否符合客观规律和人心。

4. 面对着主宰万事万物和人类的客观规律，人类难道只能束手就擒吗？人类不还有主观能动性吗？答案是，人类既不能束手就擒，也不能一味地发挥自己的主观能动性。人类主观能动性的智慧在于，能够领悟到的真谛，顺道而行。

【老子的“道主”思想】

第四章：道冲而用之或不盈，渊兮似万物之宗。挫其锐，解其纷，和其光，同其尘。湛兮似或存，吾不知谁之子，象帝之先。

第五章：天地之间，其犹橐籥乎？虚而不屈，动而愈出。

第六章：谷神不死，是谓玄牝。玄牝之门，是谓天地根。绵绵若存，用之不勤。

第十四章：视之不见名曰夷，听之不闻名曰希，搏之不得名曰微。此三者不可致诘，故混而为一。其上不皦，其下不昧，绳绳兮不可名，复归于无物，是谓无状之状，无物之象，是谓惚恍。迎之不见其首，随之不见其后。执古之道，以御今之有，能知古始，是谓道纪。

第二十一章：孔德之容，惟道是从。道之为物，惟恍惟惚。惚兮恍兮，其中有象；恍兮惚兮，其中有物。窈兮冥兮，其中有精；其精甚真，其中有信。自古及今，其名不去，以阅众甫。吾何以知众甫之状哉？以此。

第四十二章：道生一，一生二，二生三，三生万物。

第六十二章：道者万物之奥。

【“道主”要义】

1. 道是万事万物和人类的终极母体。

2. 道就在人的生命中和万事万物的存在、生死之中。

3. 悟道的智慧，就是将自己的主观能力与道相对接。

4. 人类任何科学成果和发明创造，只不过是对客观规律的一种外部呈现和证明。

5. 只是相信自己有限的知识经验，却不知自己的有限认知在无限的道中几乎可以忽略不计。

6. 很多人只想领导别人，却不知道自己应该被什么领导，变成了没有领导的人，于是，就会像无头苍蝇到处乱撞。

【“道主”陷阱与破解】

许多人不明白，在个人的主观意志和能力之外，还有一个巨大无比的力量决定着我们，这就是“道主”的原理。不懂得这一原理或者没有悟道的人，凭借着自己的主观意志和有限的能力横冲直撞，在现实中也会有小的成就，但也正是这种小的成就，会让人的主观意志进一步膨胀，对自己的能力出现虚幻的感觉，最终酿成悲惨的结局。

1. 纵观历史，不少有权有势的人，会变得狂妄而霸道。最终因为树敌太多和激起民愤，而被推翻或者抛弃。相反，懂得权力就是责任的人，弯下腰身，亲民爱民，却赢得了众人的拥戴。

2. 拥有了巨额财富就不可一世的人，私欲膨胀，自以为是，听不进别人的意见，最终因为自己主观状态出现了问题，又将自己辛辛苦苦创下的事业毁于一旦。相反，那些越是有钱越是谦卑和简朴的人，那些用财富和能力去帮助别人的人，却往往能够善终。

3. 某些能力非常突出的人，自视清高，目中无人，狂傲不羁，没有了自知之明，失去了自我约束的能力，最终往往落得悲惨的下场。相反，越是有能力越是谦卑、越是才能突出越是不断自我突破的人，往往会有平安和不凡的人生。

4. 某些认命的人，消极对待一些人和事，人生也变得黯淡无光，消极沉闷，郁郁寡欢。相反，明白了做人第一、依道勤奋的人，最终往往会有意想不到的美好人生。

【智慧与觉悟】

1. 两个世界。人类有两个世界，一个是主观世界，一个是客观世界。当人们自以为是、自我中心时，就只是活在自己狭隘而虚幻的主观世界中。能够走出自我的世界，虚心学习和请教，自省总结纠偏，识道、修道、悟道的人，就架通了主观和客观两个世界。

2. 傻子与“神灵”。人间的傻子，都是无视客观规律和他人的，是天地和人世间孤独的游走者，他们的人生犹如梦游。聪明一点的人，渐渐懂得了在自己的主观之外，还有一种神奇的力量，在人们搞不清楚这种力量真相的时候，往往会把这种力量看作一种“神灵”。“神灵”只是人类创造出来的一种概念，是对那些神奇而又搞不清楚的力量的一种称呼。随着科学的进步，以往那些被称为神灵的力量，渐渐地被以科学知识的形式呈现出来。那些还没有被认识到的客观规律，只是一种暂时没被认识的客观规律，而不再是“神灵”。

3. 觉悟与品格。“道主”的道家智慧，告诉了我们“两个世界”的原理，也指引我们走出主观世界，并融入客观世界的智慧。每个生命出生之前，其生命的因子就存在于客观世界中；每个生命死亡后，又回归到那样一个客观世界中。明白了这一点，人类就能够看透生死，珍惜人生。明白了生命“两个世界”的原理，就能够消除个人主观上的狂妄和迷茫，就能破解对神愚昧的崇拜，就能让自己的心智与客观规律和人心进行越来越完美的对接，这也就是天人合一的境界。

4. 人生智慧。明白了“道主”的思想，人类就可能拥有“走出自我主观世界、对接无限客观世界”的智慧。

①明白了主观认识的有限性和客观世界的无限性，人类就可以消除狂妄自大的行为。

②明白了人生就是完成两个世界的合一，人类就可以破除主观有限性，走向合一之后的自由与逍遥。

③明白了“道主”的原理，就能够理性而积极地让自己的主观对接客观，从对“神灵”的盲目崇拜中走出来，获得生命的超级理性。

④走在天人合一的道路上，灵魂就不会再迷茫，主观也不会再冲动，个人意志也不会再固着。一个平和、吉祥、谦卑、友善和自在的生命就会诞生——这是生命灵魂的觉醒。

⑤灵魂与道合一，生命就获得了一种管制自我的力量。从此，生命就能走上平安、祥和的道路。

若是能够再通过虚极静笃而进入禅定的状态，世间的一切奥秘就会自动呈现，再也不用费尽心机和冥思苦想了。

第四篇

永恒的辩证

篇首语

在《道德经》中，随处可见共生的辩证：有无、不二、动静、柔强、巧拙、进退，等等。

只是辩证不是平面上的调和，而是在“螺旋式上升”中找到两极的统一——无极！

不二理论，揭示“一分为二”的割裂和片面，揭示对立统一的真相，回归“不二合一”。

有无理论，是打开道家之门的基石，万事万物“有生于无”。参透“有无”，才能看清世界的真相。

无为理论，并非什么都不做，而是摒弃自以为是的偏见，遵循规律，“无为而无不为”。

柔强理论，看似柔弱却可以胜刚强的柔强理论，揭示温柔处世的周圆智慧。

平衡理论，告诫人们在失衡时保持平静，遇喜不狂、遇险不惊，找到理性的平衡模式，领悟天道的平衡功能。

反成理论，在极端割裂的两极中，圣人找到了“圆融”之路，完成“合一”，反成即一。

本章在注解辩证理论的过程中，点透生活的困扰和痛苦的根源，将老子的智慧与觉悟说给世人。

不二理论

【箴言】是两极对立的思维脱离了升维的统一，制造了人间无解的痛苦！

【反问：撞见智慧】

人类说自己是高等动物，是充满灵性的动物，可为什么有那么多人很“二”呢？

如果有人说你“二”，你肯定不高兴，可你不二吗？

许多人看问题，喜欢走极端，喜欢非此即彼，喜欢选择一个而反对另外一个，这不就是“二”吗？

实际上，世界和世间万物，自身都是一个整体，是阴阳两种力量的合一，但人类心智出现了一个重大错误：将一个事物的两个方面割裂并对立起来，使得自己在美与丑、善与恶、正与邪、好与坏、富与穷等人为认定的两极中形成对立冲突。中国哲学家老子为人们找到了一条出路：超越两极的对立，在更高的层面上完成合一，即“不二”。

【“二”的世俗定势】

在生活中，我们也听过一种很熟悉的说法——不二法门、不二选择，说的就是“一”。人们已经习惯了用“二”的方式认识世界，却无法用“一”的高度理解世界。于是，很多人活在“二”的对立与冲突当中，苦不堪言。要么好，要么坏，不好不坏是不可接受的；要么敌，要么友，亦敌亦友是让人不舒服的；要么美，要么丑，又美又丑是让人心里很别扭的。这些人已经习以为常的思维习惯，在现实中可遇到了大麻烦：有什么事物或者人是绝对好或者绝对坏的呢？有谁是绝对的敌人或者是永恒的朋友呢？有什么是纯粹的美或者完全的丑呢？既然找不到，却非要将其划归到某一类型中，岂不是自寻烦恼？

懂得唯物辩证法基本原理的人，肯定知道一分为二的认识论。但是，一分为二只是认识事物内在结构与运动规律的需要，如果不能回归本体的整体性，只是片面地强调事物两个方面的对立和冲突，就背离了唯物辩证法的智慧。因为一分为二和对立统一是不可分割的。用一分为二认识事物是需要的，但合二为一也是必需的，否则就是片面的。过去所说的片面，说的是只看事物的一个方面，只有看到了另外一个相反的方面，才算是全面。正反两个方面，既对立又统一，才是万事万物的真相。

老子发现了人类思维中这种“二”的错误，提出了“不二”“合一”的观点。悟道，就是在“一分为二”认识论的基础上，回归“不二合一”的本体论。

【心灵的拷问】

1. 在大部分生活领域中，好坏有绝对的标准吗？这要看你的立场是站在哪一方吧？

2. 生活中有绝对的好事、坏事吗？看你用什么样的角度和心态去看待。心态积极阳光的，能够看到一切事物积极的一面；心态阴暗的，总能把所有事看成消极和悲观的。是不是呢？

3. 优秀还是落后，这要看跟谁比，是不是？

4. 是祸是福，要看你能否看清楚祸后之福和福后之祸，只有保持心态，不为祸福迷惑，祸才会转化，福才不会转祸。这种观点你同意吗？

【老子的“不二”思想】

第二章：天下皆知美之为美，斯恶已；皆知善之为善，斯不善已。故有无相生，难易相成，长短相较，高下相倾，音声相和，前后相随。

第三十九章：昔之得一者，天得一以清，地得一以宁，神得一以灵，谷得一以盈，万物得一以生，侯王得一以为天下正。其致之也，谓天无以清将恐裂，地无以宁将恐废，神无以灵将恐歇，谷无以盈将恐竭，万物无以生将恐灭，侯王无以正将恐蹶。

第四十二章：道生一，一生二，二生三，三生万物。万物负阴而抱阳，冲气以为和。

第五十六章：塞其兑，闭其门，挫其锐；解其纷，和其光，同其尘，是谓玄同。

第五十八章：其政闷闷，其民淳淳；其政察察，其民缺缺。祸兮福之所倚，福兮祸之所伏。孰知其极？其无正？正复为奇，善复为妖，人之迷，其日固久。是以圣人方而不割，廉而不刿，直而不肆，光而不耀。

【“不二”要义】

事物或者人的好坏、高低和美丑，都是因为人的主观判断才产生出来的，并不是这些人和事本身如此。

在两极的对立思维中，人就会陷入矛盾和痛苦中，甚至制造冲突。

只有转换角度、立场，或者提高层次，在人眼里那些对立的才可能完成统一。

只有在更高层面上完成对立的统一，人的认知才会和谐，才会生出智慧。

【“二”的陷阱与破解】

许多人不知道，对立和割裂的思维犹如一个魔咒，会让人撕裂这个世界。唯有完成对立的统一，人心才会归于平和和理性，这就是“不二”的原理。许多人在自己还没有意识到时，一直在使用“二”的思维看待这个世界，那种“非此即彼”的对立思维，让自己生活在一个对立和冲突的世界里。

1. 认识事物或者人，运用一分为二的辩证思维可以避免认识的片面性。但一分为二并不代表对立和冲突，相反，对立往往是表面的、暂时的，统一往往是本质的和长远的。

2. 是非、善恶、美丑的观念，只是人的主观认知，并非客观事物本身。

3. 道家思想的重要贡献在于，可以让人的心智在世俗的是非之上找到“大是”，从而超越世俗的是非；可以让人的心智在世俗的善恶之上找到“上善”，从而超越世俗的善恶；可以让人的心智在世俗的美丑之上找到“大美”，从而超越世俗的美丑。

4. 道家所追求的人的心性的自在与逍遥，恰恰就是在这种“大是”“上善”和“大美”的高度上的统一。

5. 一分为二是认识论，合二为一是本体论，实现的路径就是螺旋式上升。一分为二让我们看清两种力量的激荡，合二为一让我们洞察运动的最终结果，螺旋式上升让我们走到高维智慧的巅峰。

【智慧与觉悟】

1. 两个高度。人类的生活拥有两个不同的高度，一个是世俗的高度，另一个是超越世俗的高度。当人们在世俗的层面上思考世界时，使用的往往是对立的思维方式。那些超越世俗的人，将会在一个更高的层面上，使世俗中对立的事物或者对立面达成统一。

2. “二”与“不二”。在人间运用“二”的思维方式的人，内心充满焦虑，因为他遇到的事物或者遇到的人，往往都有是非、善恶、美丑两个方面的性质。这样的现实和现状，很难符合这些人的主观期待，他们无法接受一件事情或者一个人身上所表现出来的两个对立的性质，但他们又没有办法改变，于是，只能陷入焦虑。修行悟道者，一个重要的路径就是运用“不二”的思维方式重新审视世界和周围的人，从而完成对那个被自己撕裂的世界的修复。

3. 觉悟与品格。“不二”的道家智慧，告诉了我们“两个高度”的原理，也为我们走出被自己主观撕裂的世界找到了新的出路。觉悟了的人，会在对立中找到统一。这个“统一”不是主观上的调和，而是让对立的主观回归统一的客观。

4. 人生智慧。明白了“不二”思想的真谛，人类就拥有了识别“二”的思维困境的能力，就有希望走向与世间万物和各种不同人的和谐统一。

①“二”所认识的世界不是真实的，是人的主观在作怪。转换一下立场，就能化对立为统一。生活中的琐事有争论的必要吗？若是懂得，就知

道不争论而应去跟随，于是就会出现和谐。

②“二”的思维方式可以防止人们的思维走极端，但不同的方面并非像人们所认识的那样不可调和或者必然形成对立冲突。你喜欢的人一定全身长满优点吗？你不喜欢的人难道真的一无是处吗？

③当思维上升一个高度时，就可以看到“二”之上的“一”。可恶的人不也是可怜的人，对可怜的人你还厌恶？这岂不是说明你是很势利、不善良的？

④找到了“二”之上的“一”，人们就可以在认知的和谐中避免对立思维和由此引发的纠结与焦虑。反对你的人，可能是帮助你补齐短板的人，一旦明白了这一点，就会从厌恶反对者转化成感恩反对者。

⑤“守一”者，就能在更高的层面看世界，就能够理解人间千姿百态的各种差异。因为他们找到了差异背后的统一。万事万物一体两面，能够将两个不同的方面合成一个整体，就是悟道的境界。

⑥跳出矛盾，才能看清矛盾的本质；向上螺旋升级，才能找到解决矛盾的答案！

有无理论

【箴言】智慧在于找到自己的局限，并以局限为跳板，踏入无限的世界！

【反问：撞见智慧】

有即有限，无即无限。有生于无，有无本是一体。

人所看见的“有”，只是世界在我们眼中有形的部分，而肉眼无法观察到的其余世界，也就是那无形的部分，才是世界的绝大部分。

看重有形，忽视无形，意味着捡了芝麻丢了西瓜，意味着抓了皮毛失去了骨肉。这就是为什么看重有形物质形态的人会精神空虚迷茫的根本性原因。

一个人拥有的有形的财富，来自无形的力量——品德与智慧。若是在并不完善的现实世界中用缺德或者蛮干的粗野方式获得了有形的财富，结果也必将是“得不偿失”，丢了根本却抓了枝梢。

“有无”理论是道家思想的基石，只有真正理解了道家的“有无”思想，才有可能进入道学之门。

【“有无”的世俗定势】

在我们的常规认识中，看到“有”，就会联想到“拥有”“有形”等词汇。看到“无”，就会联想到“无形”“无产”“无极”等词汇。但在人们通常的理解中，“有”往往代表的就是存在，“无”就是没有，就是不存在。

可是，我们错了！对此，许多人全然不知！

万事万物，“有生于无”。有即有限，无即无限，有无本是一体，肢解即是错误。

也正是因为人们将习以为常的认识错误当成了理所当然的常识，从反面衬托出了老子道学思想的特殊价值。

【心灵的拷问】

1. 很多人不解，“无”怎么成了天地之始啊？你想想，宇宙之初有什么？一片混沌！我们能看到什么吗？那时，还没有我们人类。

2. 圣人又是怎么知道的？圣人是超越我们的思维贯通天地的人，是拥有哲学智慧的人，故而能知古始。

3. 怎么是“无”生了“有”？想想看，那种无形的存在（超越肉眼视野）是天地源头的力量，一切有形的东西（肉眼可以观察到的）都是由它生出来的。想想看，即使是人类以为很伟大的创造，不也是通过意识与思维的管道将客观的规律变成我们需要的东西来完成的吗？如同盖一所房子，一定是先有了对事物规律的认识，然后在头脑中有了意向和蓝图，再然后才有了后续的行动与建成的房子。

4. “有之以为利，无之以为用”又是什么意思呢？我们盖房子就是利用砖瓦木料水泥钢筋等材料砌墙盖顶，但最后我们真正可用的却是房子的空间（“无”），而不是墙和屋顶（“有”）。

5. 一个人若是用有限的知识和经验思考无限世界中发生的任何事情，都只能是截取其中的片段，只能是“断章取义”般地认识事物，怎么可能认识到真相呢？

【老子的“有无”思想】

第一章：无名天地之始；有名万物之母。故常无欲以观其妙；常有欲以观其徼。此两者同出而异名，同谓之玄，玄之又玄，众妙之门。

第二章：故有无相生。

第十一章：三十辐共一毂，当其无，有车之用。埏埴以为器，当其无，有器之用。凿户牖以为室，当其无，有室之用。故有之以为利，无之以为用。

第十四章：视之不见名曰夷，听之不闻名曰希，搏之不得名曰微。此三者不可致诘，故混而为一。其上不皦，其下不昧，绳绳兮不可名，复归于无物，是谓无状之状，无物之象，是谓惚恍。迎之不见其首，随之不见其后。执古之道，以御今之有，能知古始，是谓道纪。

第四十章：天下万物生于有，有生于无。

【“有无”要义】

“无”是天地之始，是宇宙源头的状态与力量的总称。那时还没有人类，当然也就看不见。

“无”是肉眼不可见、感觉器官无法认知的一种“惚恍”。

“无”是“万有”之母，“万有”是由“无”生出来的。

在现实生活中，“有”只是辅助条件，“无”才是真正的可用之处。

“无”是无形无限的，“有”是有形有限的。肉眼所见只是客观存在的极小部分，绝大部分是我们感知不到的。而我们感知到的有限的存在又是由感知不到的无限的存在所决定的，包括我们自己的生命。

【“有无”陷阱与破解】

许多人不明白“有无”的原理，其思考方式难免偏颇。

1. 对“有无”的理解，很多人都是停留在生活概念的层面上，但“有无”在中国文化中只是个哲学概念。生活概念和哲学概念，其内涵肯定是不同的，如果用生活概念的内涵来理解哲学概念的内涵，那肯定就错了。

2. 对于许多人来说，“有无”的生理基础是包括人的视网膜在内的感觉器官及其能力。但我们也知道，视网膜结构和感觉器官及其能力，并不是全频道和全方位的，如人在视觉能力方面，就达不到某些动物的能力水平。当然，如果不借助工具，人类根本看不到遥远的宇宙星系，也看不见我们身上和我们身边到处都存在着的各种微生物和我们熟知的各种信号、射线和能量。

3. 我们了解了这些就能知道，平时我们所说的“有”，更多的说的是我们视网膜和感觉器官的能力所能达到的各种有形的存在。当然，对于视网膜看不到、感觉器官感知不到的各种存在，我们常常就会视为“无”，这样的认识和判断，当然是有局限性的。我们看不到、感知不到的客观存在才是决定那些有型有限存在的根本。

4. 可以再问一下自己：我们能够感知到的多呢，还是不能感知到的多？我们感知到的和不能感知到的，到底谁决定着谁呢？毫无疑问，正是我们看不到、感知不到的客观存在决定着我们所能感受到的那些有形有限的存在。这不是迷信，恰恰，这才是真正的科学！

【智慧与觉悟】

1. 两个世界。我们每个人都生活在两个世界中，一个是客观自然无限存在的世界，一个是主观能够感知到的有限的世界，也就是无限世界中非常有限的部分。

2. 科学与哲学。科学是人类的有限认识对无限世界的有限认识，因此，真正的科学是没有终极结论的。真正的科学精神就是连续不断的自我否定和进一步的探索。哲学是科学之母，科学的态度就是接受哲学的引领。

3. 觉悟与品格。当人明白了上述事实，自然就会生出一种基本的觉悟与品格——谦卑。因为在自然面前，人类的认识能力根本无法构成骄傲的资本。实际上，现实中的骄傲，要么是跟那些不如自己的人相比较的结果，要么就是“不知天高地厚”的轻狂。

4. 人生智慧。只有明白了世界的真相，才可能拥有智慧。

①看待事物，不要轻易下结论，因为你感知到的不是全部，要冷静地了解更多的信息。

②遇到与自己的认知相冲突的事件，不要冲动，因为只要情绪启动，理性水平就会降低。

③与人交往，就是将自己有限的认知与别人的认知信息相结合。如果只以自己的信息作为判断的基础，就无法与人沟通和做出更全面、更理性的认知与判断。

④将自我的“有限性”踏在脚下作为跳板，跃进“无限性”的世界，才是人类的灵性智慧！

无为理论

【箴言】劳苦与低效，皆是因为在使用自己的有限性力量，皆是置道于不顾。喜悦与高效，皆是因为让自己与道合一而可道为!

【反问：撞见智慧】

如果说做大事者必然悠闲自在，你会认同吗?

如果说做小事都累得要死的人绝没有大前途，你会同意吗?

如果说干得太累的人都是不会干的人，你觉得有道理吗?

如果说太能干的人往往会累死自己还耽误了别人的成长，你认为这种说法客观公道吗?

如果说总彰显自己聪明的领导才是部下愚蠢的原因，你知道这是怎么回事吗?

如果说一切自有天意，努力勤奋必须有，停下来冷静观察才能使自己长进，你知道这其中的玄妙吗?

如果说一个人想法越多智慧越少、说得越多就废话越多，你能明白这其中的奥妙吗?

如果说忙于细小事务者必无远见，计较小利者必失大利，你知道这其中的缘由吗?

记得人们常常提到一句名言：“人类一思考，上帝就发笑。”可是，又有几个人能够明白上帝到底在笑什么呢?

中国的道圣老子发现了人间这个秘密，将其叫作“无为”。

【“无为”的世俗定势】

在生活中，很多人一听到“无为”，马上会联想到“不作为”“没有作为”的消极状态。

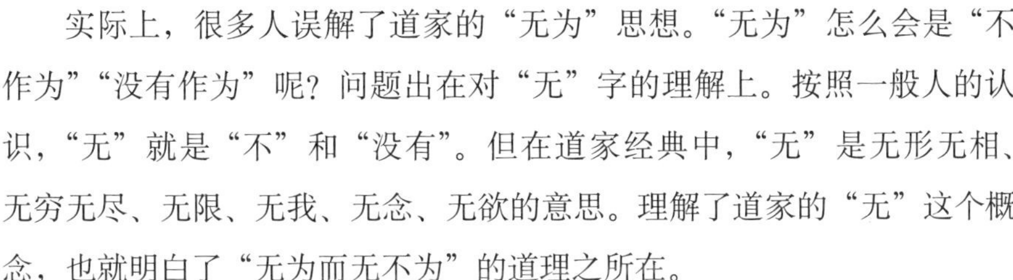

实际上，很多人误解了道家的“无为”思想。“无为”怎么会是“不作为”“没有作为”呢？问题出在对“无”字的理解上。按照一般人的认识，“无”就是“不”和“没有”。但在道家经典中，“无”是无形无相、无穷无尽、无限、无我、无念、无欲的意思。理解了道家的“无”这个概念，也就明白了“无为而无不为”的道理之所在。

【心灵的拷问】

1. 你可能认为自己比别人聪明，但你的聪明能高过规律吗？

2. 你如果满足于跟自己水平低的部下、朋友或者学生比高低，得出结论是自己很聪明，你觉得这是聪明还是自我愚弄？

3. 你如果积累了很多经验，但你能让自己的经验进一步上升到真理和规律的层面吗？如果做不到这一点，对于你没有经验的工作或者不熟悉的事物，你又用什么去认识和处理呢？用过去的经验吗？

4. 如果你积累了很多经验，你从经验中找到万事万物的总规律了吗？也就是那种适用一切事物的“万能钥匙”。

5. 如果你很有见解，遇事很有主张，你还能听进别人的意见吗？你能首先去激发别人的智慧吗？

6. 一个人很能干，往往会当上管理者或走上领导岗位。当一个人被权力和恭维包围时，你还能发现别人的长处并进行系统整合吗，还是只希望大家听你的就可以了？

7. 一个人的想法既有自己的优势，也有自己难以察觉的局限性。你有一套办法来发现自己的短板和问题吗？

8. 一个团队的士气和智慧的激发，决定着这个团队的凝聚力和工作效率以及大家彼此相处时的感觉。你是毫无节制地在表现自己的聪明智慧呢，还是能够激发众人的智慧并且会给众人喝彩呢？

9. 你作为一个组织的领导，能够在利益上做到先人后己吗？

10. 你作为对一群人负责的人，你会带领他们、辅助他们连续不断地成长和发展，还是只是利用他们为你谋私利？

11. 你在激发大家积极性方面，是用物质利益诱惑大家呢，还是用“能力成长 + 物质收益 + 品格提升 + 智慧增长 + 感情温暖 + 遇难互助”这种多维的方式呢？

12. 你在拥有了很多之后，还愿意保持简朴的生活和质朴的品格吗？

13. 你是自己想当英雄，还是要做培养和造就英雄的人呢？

14. 你的部下是喜欢你，还是惧怕、畏惧你？

15. 遇到问题时，你的部下会处理自己吗，你会处理自己吗，还是总是上级在处罚部下？

【老子的“无为”思想】

第三章：不尚贤，使民不争；不贵难得之货，使民不为盗；不见可欲，使民心不乱。是以圣人之治，虚其心，实其腹；弱其志，强其骨。常使民无知无欲，使夫智者不敢为也。为无为，则无不治。

第十八章：大道废，有仁义；慧智出，有大伪；六亲不和，有孝慈；国家昏乱，有忠臣。

第二十九章：将欲取天下而为之，吾见其不得已。天下神器，不可为也。为者败之，执者失之。故物或行或随，或歔或吹，或强或羸，或挫或隳。是以圣人去甚，去奢，去泰。

第三十七章：道常无为而无不为。侯王若能守之，万物将自化。化而欲作，吾将镇之以无名之朴。无名之朴，夫亦将无欲。不欲以静，天下将自正。

第四十八章：为学日益，为道日损。损之又损，以至于无为，无为而无不为。取天下常以无事，及其有事，不足以取天下。

第五十七章：以正治国，以奇用兵，以无事取天下。吾何以知其然哉？以此。天下多忌讳，而民弥贫；民多利器，国家滋昏；人多伎巧，奇物滋起；法令滋彰，盗贼多有。故圣人云，我无为而民自化，我好静而民自正，我无事而民自富，我无欲而民自朴。

第六十章：治大国若烹小鲜。以道莅天下，其鬼不神。非其鬼不神，其神不伤人；非其神不伤人，圣人亦不伤人。夫两不相伤，故德交归焉。

第六十三章：为无为，事无事，味无味。

第六十四章：为者败之，执者失之。是以圣人无为，故无败；无执，故无失。民之从事，常于几成而败之。慎终如始，则无败事。是以圣人欲不欲，不贵难得之货。学不学，复众人之所过。以辅万物之自然，而不敢为。

第六十五章：古之善为道者，非以明民，将以愚之。民之难治，以其智多。故以智治国，国之贼；不以智治国，国之福。

第七十二章：民不畏威，则大威至。无狎其所居，无厌其所生。夫唯不厌，是以不厌。是以圣人自知，不自见；自爱，不自贵。故去彼取此。

第七十四章：民不畏死，奈何以死惧之！若使民常畏死，而为奇者吾得执而杀之，孰敢？常有司杀者杀，夫代司杀者杀，是谓代大匠斲。夫代大匠斲者，希有不伤其手矣。

第七十五章：民之饥，以其上食税之多，是以饥。民之难治，以其上之有为，是以难治。民之轻死，以其上求生之厚，是以轻死。夫唯无以生为者，是贤于贵生。

【“无为”要义】

一切事物都有自身的规律，就看你的主观能不能接近。

一切你不喜欢或者厌恶的人和事，也都有自己的规律，你的情绪反应替代不了。

阻碍人的智慧接近规律的，就是人的自以为是。

当一个人只是在表现自我，并且希望别人给予确认时，这就是一个不自信的人。

当一个领导自以为是时，部下就变得越来越无奈和被动。

当一个领导只为自己谋私利时，他的任何语言都会遭人质疑。

当一个领导片面认人而不认真理时，大部分人都会对他失望。

【“无为”陷阱与破解】

“无为”是什么也不做吗？当然不是。

“无为”是悄悄地做又假装没做什么吗？当然也不是。

“无为”是看着别人做，自己却坐享其成吗？当然更不是。

“无为”的道家智慧，超出了很多人的常识和习惯思维，人们用常识和习惯思维难以理解。

1.“无为”是摒弃个人有限的知识与经验，放弃个人的喜好与偏见，按照客观事物的规律去做事。

2.“无为”是让领导者放弃自以为是，放弃自己做英雄的欲望，去发现或者激发众人的智慧，培养众多英雄。

3.“无为”是让领导人放弃自己的私念、私欲和私利，一心为众人谋福祉。

4.“无为”是让领导人明白自己的使命，成就众人，而不是标榜自己。

5.“无为”是让领导人明白自己该干什么，不要放弃自己的责任而到处乱指挥。

6.“无为”就是放弃主观之“有为”，将大道规律之为建设成智能化系统，进而实现“从主观之为到大道之为”的转变。

【智慧与觉悟】

1. 两个不同的境界。领导人一般会表现出两种不同的境界，一个是自己忙碌，没有秩序，将部下也指挥得团团转；另一个是专注于领导人自己的本职工作，建系统、看运行、做完善、选用人、设前途、勤纠偏、少说话、用机制，于是，一切有条不紊，一切自然而然，一切都在进步，一切都有正用。

2.“无为而无不为”。人间万事皆有其规律，但“无不为”并不是肆意妄为，更不是胡作非为。而是明晓天道规律，守正善法，在正确的道路上建构越来越强大的力量。若是在邪道上，虽然也会有狐朋狗友，但最终将会走向灭亡。故而“无为而无不为”专指在正道上运用规律的作为，这个正道就是“利而不害”，就是利他，就是奉献自我，就是心底无私天地宽，就是要做成就众生的使者。

3. 觉悟与品格。“无为”的道家智慧，不能被误用为一种工作方法。因为“无为”的根基是大道，是正道。将“无为”作为一种“术”来使用时，就偏离了无为的真意。领悟无为真意的人，首先需要“先人后己”“吃苦在前”“勇于罪己”“躬身自省”。同时，明白自己的责任和行事责任的方式，不越位、不错位、不失位，为一个组织中的众生设计一个温暖的家、一个成长的学校、一个协调工作的集体、一群互相关心爱护的家人、一个成长为英雄的平台。

4. 人生智慧。明白了“无为”的思想，领导人就可以走出繁忙的误区，因为其已将心智收回到了自己的本位。领导人就可以潜心做好自己该做的事，把乱插手、乱指挥的手收回来，于是就可以避免成为秩序的破坏者。领导人就能够升级到造就英雄的境界，而不是自我表演的小丑。

①明白了“无为”，就能事事接通规律的能量，就不会再用蛮力。

②明白了“无为”，就不会荒于自己的本职和责任而去扰乱别人的秩序。

③明白了“无为”，就能按照规律去作为，就可以摆脱自以为是给众人带来的骚扰。自在了自己，轻松了别人。

④明白了“无为”，就不会利用他人来实现自己的私利，而是奉献自身来造福众生。

⑤明白了“无为”，就能时常作为“旁观者”审视自己和组织及其众人，就能发现问题的症结，就能通过建构或者优化系统来系统地解决问题。

⑥明白了“无为”，就能节制自己的欲望，提升自己的人生高度，并能在智慧的高地洞见人生美丽的风景，就能放大和提升生命的价值，以至于使其永恒不朽。

⑦“无为”的智慧，就是自我进入“无我”而与万物合一的智慧境界。

柔强理论

【箴言】柔弱主观，会让自我走进无限的大道。这才是真正的强大！

【反问：撞见智慧】

如果在刚强与柔弱之间做一个选择，你会选择哪一个呢？

如果有人说“柔弱胜刚强”，你会感到不可思议吗？

这个世界真是奇妙，很刚的东西容易折断，很柔的东西却能长久。一般来说，脾气暴躁的人不易长寿，而柔情似水的女人却可以含着眼泪跨过人生一道道坎。生活中，过于刚强的男人或者女人，往往都很自我，他们能办很多事，可就是很难与人相处，也往往不会有幸福的家庭生活。你说到底什么是刚强呢？

世界上最刚强的男人，他们不怕困难，可害怕女人的眼泪与孩子的纯真。那什么是强大呢？

【“柔强”的世俗定势】

在生活中，一说到人的刚强，我们就会想到浑身肌肉的猛男，也会想到强忍泪水的冷峻的男人面孔。可我们也看到很多在外风光的男人称自己的女人是“董事长”。

在工作中，一说到强大，人们往往会想到亿万富翁。可是，他们在公司和社会上纵横驰骋的只有白天，晚上，他们可能无法让自己安然入睡。一个领导，在单位耀武扬威，吆三喝四，回到家却管不了自己的孩子。你说谁更强大？这种貌似强大的人，是真正的强大吗？

有的人富可敌国，有的人学富五车，可他们又各有各的短板。真正可以走遍天下的力量是什么呢？

圣人老子发现了人类生活中的一个悖论：越刚强的反而越脆弱，越难以长久。相反，越柔弱的却越有力道，也更能长久。

【心灵的拷问】

1. 大部分时候，你在生活中表现得刚强，还是温柔？

2. 在生活中你喜欢跟刚强的人相处，还是喜欢跟温柔的人相处？你自己又是什么样的人呢？

3. 在一些小事上，你常常是同意别人的想法，还是什么事都要谈自己的想法？

4. 一些人常常把固执错误地当成坚强，把有错不认当成维护自己的尊严。你觉得这是刚强，还是脆弱呢？

【老子的“柔强”思想】

第三十六章：柔弱胜刚强。

第七十六章：人之生也柔弱，其死也坚强。草木之生也柔脆，其死也枯槁。故坚强者死之徒，柔弱者生之徒。是以兵强则灭，木强则折。强大处下，柔弱处上。

第七十八章：天下莫柔弱于水，而攻坚强者莫之能胜，其无以易之。弱之胜强，柔之胜刚，天下莫不知，莫能行。是以圣人云，受国之垢，是谓社稷主；受国不祥，是为天下王。正言若反。

【“柔强”要义】

只会走直道的车，很快就会跑出道路。开车的人都知道，开车若是不会拐弯，迟早会下道。人生也是如此，办事也好，与人相处也罢，随时需要根据情况调整自己，你能做到吗？还是不管什么情况总是一意孤行？

想事只凭一根筋，只知道自己的想法，从来不顾及别人的感受，很少有让人喜欢的。你能让自己的心进入对方的心并理解别人的想法吗？

生活中大部分事用不着上纲上线，很多事只是随意的交谈或者随便说说，但不少人总是听到什么话都要跟人较真。你会用幽默的话语来表达自己的看法吗？

在与自己的亲人共同生活中，你会总是使用温柔的话语让家人感到温暖和快乐吗？

当你意识到自己有错时，会毫不犹豫地道歉和改过吗？

当你很有钱、很有地位时，你能帮助弱小而不嫌弃或者挑剔他们吗？

【“柔强”的误区与破解】

许多人以为，唯有坚强和坚持自己的看法与做法，才能维护自己的尊严。实际上，过于坚持自己的看法或者做法，往往会跟别人形成对立，还可能产生公开的冲突，这不是自己强大，而是一种弱智。有的人以为只有坚持原则才是正确的，没想过坚持原则的方法与策略，结果往往是自己和原则一起被侮辱。即使是对敌斗争，也不是简单地争强斗狠，而是要有方法和策略，否则就会遭受重大损失。这就是道家“柔强”的原理。

许多人在自以为搞清楚“柔强”原理时，对柔弱与刚强的理解可能也是很表面的，实则是理解出了偏差。

1. 在别人面前一味地表现自己的刚强，不如用心把事做漂亮。

2. 与其面对困难时豪情满怀，不如冷静思考。强大不在于外表，而在于最终的结果。

3. 真正的强大不是让人恐惧，而是让人心温暖且不生毛病。

4. 温柔处世，实际上是一种周圆的智慧；生硬处世，实际上是一种未开化的状态。

【智慧与觉悟】

1. 两个错误模式。人们的生活常常表现为两个不同的模式，一个是处处表现出自己高人一等，不懂得赞美别人、欣赏别人，一味地夸耀自己；二是事事没主见，别人说什么就信什么，看起来虚心和单纯，实则很愚昧。

2. 真正的“柔强”。知道事情的轻重缓急，轻，就轻松面对；重，就用心处理；缓，可以暂时放一放；急，就要抓紧处理。99% 的非原则性问题，要幽默地商谈。对于大是大非，要想好处理的办法，不能生硬地、对立地争吵。意见一时不能达成一致的，可以暂时放放。总之，把自己的心放轻松一点，就会有智慧出现。

3. 觉悟与品格。“柔强”的道家智慧，告诉了我们“两个错误模式”，也为我们找到了真正柔强的智慧。能够领悟柔强智慧的人，会用温柔的方式处理对抗，会在求同存异中团结大多数人。一个人的成熟，往往就是从生硬转成温柔，因为他们懂得这样一个基本道理：生硬地坚持原则或者固执地坚持自己的主张，实际上是没有智慧的表现。

4. 人生智慧。明白了“柔强”的智慧，人们就可以避免生硬伤人，而是在变通和温柔中表达自己的善意和智慧。

①遇到陌生人，不是冷漠，而是主动礼貌地表现。

②遇到持不同意见的人，不是争吵，而是给予对方部分赞赏，并就不同意的部分向对方请教。

③遇到任何人，只要与之交往，就能够给人增加心灵的温度。

④遇到有某些问题的人，不会厌恶和回避，依然能够体恤和怜惜。

⑤遇到不同的人，都会跟他（她）的心灵接近。每一次接触，都会形成生命的印记——独一无二的。

⑥若是做到如此，你无须伶牙俐齿、趾高气扬、耀武扬威，就能形成一个强大的精神形象，一个对所有生命具有吸纳力的巨大力量。

⑦练练吧，反正每个人都在练，唯一的区别是有人在练如何让人讨厌，而你要练如何让不同的心灵彼此亲近，彼此温暖。

平衡理论

【箴言】遭遇，都是在“被平衡”，而能够主动平衡的人，就能化“遭遇”为“礼遇”。

【反问：撞见智慧】

人们总是想自己得好处，那不好的留给谁呢？

人们喜欢顺利，有谁明白逆境更能增长人的意志和智慧呢？

人们的本能是趋利避害、求福避祸，可谁又能做到呢？

人们总是亲近喜欢的，远离厌恶的，有谁会主动亲近自己厌恶的人呢？

人们在遇到问题时，总是指责别人。有谁能够遇到问题时反过来还会指责自己？

人们在得势时总是很张狂，有几个人能够在人生高峰时还能做到低调、谦卑和质朴？

人们总是希望好东西越多越好，可又有几个人能看到“好东西多了同样也会伤人”？

当然，即使人们不会做这些也没关系，因为天道会帮助人们恢复平衡。只是当自己被平衡时，会心生痛苦。

道圣老子发现了人间这个特殊运动方式的秘密，将其叫作“平衡”。

【“平衡”的世俗定势】

在生活中，人们有两种典型的心态：一是遇到某些事时要求平等、公平。二是在某些事上又追求有利于自己的不平衡，于是又被别人视为“不平等、不公平”。这到底是怎么回事呢？

生活中，“失衡”的现象比比皆是：重视了事业，忽视了家庭。重视了工作，忽视了健康。重视了自我，忽视了别人。重视了金钱，淡化了情义。太聪明了，有失厚道；学问多了，显得迂腐。直截了当，显得粗鲁；谨小慎微，城府太深。重视了情感，忽视了理性。强调了理性，失去了温情。太能干了，显得有点霸道；太低调了，又让人感觉窝囊。长得太漂亮了，让人感觉像是没有内涵的花瓶。哎呀呀，人活着真是不容易，那到底怎么样才算是活明白了呢？

【心灵的拷问】

1. 孤注一掷、剑走偏锋，这是赌徒式的性格，你是这样的吗？

2. 凡事分两极，只取一极，与另一极对立，这是健康的思维吗？

3. 你喜欢的就恨不得长相厮守，却不知日久生变，由爱变恨，你知道这是怎么回事吗？

4. 乐极生悲，你知道乐为什么会转换成悲吗？

5. 只吃甜的，会让人恶心；只吃咸的，会让人反胃。生活中你不会这样做，可你知道这背后的道理吗？

6. 顾了事业，忽视了家庭，最后家人抱怨，你还不懂，直喊冤枉。难道家庭只是需要你的金钱吗？

7. 养狗的人知道，不仅仅要给狗吃东西，还要经常抚摸，还要拉出去“遛狗”。忙于工作的人，是不是还没有狗的待遇好？

【老子的“平衡”思想】

第二章：有无相生，难易相成，长短相较，高下相倾，音声相和，前后相随。

第九章：持而盈之，不如其已。揣而锐之，不可长保。金玉满堂，莫之能守。富贵而骄，自遗其咎。功遂身退，天之道。

第二十二章：曲则全，枉则直，洼则盈，敝则新，少则得，多则惑。

第二十六章：重为轻根，静为躁君。

第二十七章：故善人者，不善人之师；不善人者，善人之资。不贵其师，不爱其资，虽智大迷，是谓要妙。

第二十八章：知其雄，守其雌，为天下谿。为天下谿，常德不离，复归于婴儿。知其白，守其黑，为天下式。为天下式，常德不忒，复归于无极。知其荣，守其辱，为天下谷。为天下谷，常德乃足，复归于朴。

第二十九章：是以圣人去甚，去奢，去泰。

第三十章：物壮则老，是谓不道，不道早已。

第三十六章：将欲歙之，必固张之；将欲弱之，必固强之；将欲废之，必固兴之；将欲夺之，必固与之。是谓微明。柔弱胜刚强。

第三十八章：上德不德，是以有德；下德不失德，是以无德。

第三十九章：故贵以贱为本，高以下为基。是以侯王自谓孤、寡、不穀。此非以贱为本邪？非乎？故至誉无誉。是故不欲琭琭如玉，珞珞如石。

第四十一章：故建言有之：明道若昧，进道若退，夷道若纇。上德若谷，大白若辱，广德若不足，建德若偷，质真若渝。大方无隅，大器晚成，大音希声，大象无形。道隐无名，夫唯道善贷且成。

第四十二章：道生一，一生二，二生三，三生万物。万物负阴而抱阳，冲气以为和。人之所恶，唯孤、寡、不穀，而王公以为称。故物，或损之而益，或益之而损。

第四十四章：名与身孰亲？身与货孰多？得与亡孰病？是故甚爱必大费，多藏必厚亡。知足不辱，知止不殆，可以长久。

第四十八章：为学日益，为道日损。

第四十九章：圣人常无心，以百姓心为心。善者，吾善之；不善者，吾亦善之；德善。信者，吾信之；不信者，吾亦信之；德信。圣人在天下，歙歙焉，为天下浑其心。百姓皆注其耳目，圣人皆孩之。

第五十七章：以正治国，以奇用兵，以无事取天下。

第五十八章：其政闷闷，其民淳淳；其政察察，其民缺缺。祸兮福之所倚，福兮祸之所伏。

第六十一章：大国者下流。天下之交，天下之牝。牝常以静胜牡，以静为下。故大国以下小国，则取小国；小国以下大国，则取大国。故或下以取，或下而取。大国不过欲兼畜人，小国不过欲入事人，夫两者各得其所欲，大者宜为下。

第六十四章：为者败之，执者失之。是以圣人无为，故无败；无执，故无失。民之从事，常于几成而败之。慎终如始，则无败事。是以圣人欲不欲，不贵难得之货。学不学，复众人之所过。以辅万物之自然，而不敢为。

第六十五章：古之善为道者，非以明民，将以愚之。民之难治，以其智多。故以智治国，国之贼；不以智治国，国之福。

第六十六章：江海所以能为百谷王者，以其善下之，故能为百谷王。是以圣人欲上民，必以言下之；欲先民，必以身后之。是以圣人处上而民不重，处前而民不害，是以天下乐推而不厌。以其不争，故天下莫能与之争。

第六十八章：善为士者不武，善战者不怒，善胜敌者不与，善用人者为之下。

第七十二章：民不畏威，则大威至。无狎其所居，无厌其所生。夫唯不厌，是以不厌。

第七十四章：民不畏死，奈何以死惧之。

第七十六章：人之生也柔弱，其死也坚强。草木之生也柔脆，其死也枯槁。故坚强者死之徒，柔弱者生之徒。是以兵强则灭，木强则折。强大处下，柔弱处上。

第七丨七章：天之道，其犹张弓欤？高者抑之，下者举之；有余者损之，不足者补之。天之道，损有余而补不足。人之道则不然，损不足以奉有余。孰能有余以奉天下？唯有道者。

第八十一章：信言不美，美言不信；善者不辩，辩者不善；知者不博，博者不知。圣人不积，既以为人，己愈有；既以与人，己愈多。

【“平衡”要义】

1. 两个不同的东西，缺一不可，不管你是否喜欢。

2. 妄想过于圆满，追求完美，生活将会狼狈不堪。

3. 曲径通幽，委曲求全，多也祸，少也福。

4. 重心放低，切勿躁动，静心不惑。

5. 感化恶人，珍惜陪练，感恩好人。

6. 知雄守雌，知白守黑，知荣守辱。

7. 圣人去甚，去奢，去泰。

8. 物极必反，乐极生悲，物壮则老。

9. 歙之张之，弱之强之，废之兴之，夺之与之。

10. 有德不德，无德不失德。

11. 故贵以贱为本，高以下为基。

12. 王者是民仆，至誉无誉。

13. 明道若昧，进道若退，夷道若颣。上德若谷，大白若辱，广德若不足，建德若偷，质真若渝。大方无隅，大器晚成，大音希声，大象无形。

14. 负阴抱阳，冲气为和。

15. 王者自损，贱人自益。

16. 生命大于一切，甚爱必大费，多藏必厚亡。

17. 知足不辱，知止不殆，可以长久。

18. 为学日益，为道日损。

19. 圣人常无心，以百姓心为心。

20. 圣人善待一切生灵。

21. 以正治国，以奇用兵，以无事取天下。

22. 其政闷闷，其民淳淳；其政察察，其民缺缺。

23. 祸兮福之所倚，福兮祸之所伏。

24. 大国者下流。牝常以静胜牡，以静为下，大者宜为下。

25. 为者败之，执者失之。

26. 善为道者，非以明民，将以愚之。民之难治，以其智多。

27. 江海所以能为百谷王者，以其善下之，故能为百谷王。

28. 善为士者不武，善战者不怒，善胜敌者不与，善用人者为之下。

29. 民不畏威，则大威至。

30. 民不畏死，奈何以死惧之。

31. 人之生也柔弱，其死也坚强。故坚强者死之徒，柔弱者生之徒。

32. 是以兵强则灭，木强则折。

33. 强大处下，柔弱处上。

34. 天之道，其犹张弓欤？高者抑之，下者举之；有余者损之，不足者补之。天之道，损有余而补不足。人之道则不然，损不足以奉有余。孰能有余以奉天下？唯有道者。

35. 信言不美，美言不信；善者不辩，辩者不善；知者不博，博者不知。圣人不积，既以为人，己愈有；既以与人，己愈多。

【“平衡”的陷阱与破解】

许多人面临着对“平衡”的一种矛盾心态。有时候，遇到会搞“平衡”的人，心中很厌恶，因为这样的人没有立场，似乎怕得罪人，让那些旗帜鲜明的人很伤心。但是，有时自己也在“搞平衡”：这边少了，就给加点。于是，会哭的孩子有奶吃。那边闹意见了，就搞一点安慰一下。人间事，很多事实在没法算得很清楚。人多了，也确实很难考虑得很周到。这又怎么办呢？当然，很多人又往往会期望着有利于自己的失衡能够发生和持续。

①道家的“平衡”智慧，首先是我们在认识上要做到人人平等、万物平等、众生平等。如果没有这样的认识，平衡也是权宜之计。

②道家的“平衡”智慧，是指我们自己在因果上的平衡、在任何事物两极间的平衡。如果不是这样认识，而是认为所有人都应该过一样的生活，这就是天大的误会了。

③道家的“平衡”智慧，让我们每个人在欲望与承受、物质与精神、得与失等方面保持平衡，不要偏向一极而导致人生的倾覆。

④道家的“平衡”智慧，让我们认识到，即使人认识不到平衡的重要，天道规律也会帮我们恢复平衡，只是在我们被动地“被平衡”时会很痛苦。当然，如果明白了天道平衡的法则，我们就有希望自己保持平衡，这也是一份觉悟。

⑤道家的“平衡”智慧告诉我们，只要失衡，就会有一种恢复平衡的力量同步增长，任何侥幸心理都可能付出惨重的代价。

【智慧与觉悟】

1. 两个心态。觉悟了的人，会在自己失衡的状态下主动让自己的心智保持平衡。愚昧的人要么追求有利于自己的失衡，要么在有利于自己的失衡发生时还洋洋得意，并不知灾祸已经走到身后。

2.“主动平衡”的智慧。在人们的生活与事业中，一旦发生好的或者坏的失衡现象，觉悟的人都应该立刻警觉。首先在人的内部，在自己的心智癫狂或者绝望时，觉悟的人会调整自己的状态，让癫狂得以冷静，让绝望得到破解。其次是外部，当外部发生了有利于我们或者不利于我们的事件时，要注意不让自己的主观出来添乱。平静的心，才是一个人理性成熟的标志。

3. 觉悟与品格。“平衡”的道家智慧，让我们找到了一个理性的基本模式：不要追求过分对自己有利的，不要对自己厌恶的做出过分的情绪反应。不管发生什么样的事情，不管面对什么样的局面，唯有冷静才能找到正确的应对方法。一个遇喜不狂、遇难不惊的人，才是一个拥有了自我管制能力的成熟的人。

4. 人生智慧。明白了道家“平衡”的思想，人类就可以拥有处理问题的理性智慧。

①个人主观上，不追求片面有利于自己的利益与目标，如此可以避免人生局面发生倾斜。

②遇到有利于自己的事件发生时，注意别人的失衡所形成的反作用力。得理且饶人，做人莫过分。

③遇到不利于自己的事情发生时，不要简单地定义成灾难。祸福只在一念间，上帝给你关上一扇门，必然又会给你打开一扇窗。

④人生各种事情的发生不会总偏爱一个人，好事不要占尽，福分不要享尽。兴奋时，话不要说尽；悲愤时，话不要说过头。对喜欢的人，注意保持距离和必要的尊重；对厌恶的人，注意主动亲近和做更多的了解与理解。

⑤“平衡”是天道的功能，如果你修道觉悟到了这个层次，就能够主观上不刻意追求有利于自己的倾斜和失衡，一旦发生倾斜和失衡，就能主动地识别和认识，并采取行动恢复平衡。

⑥“平衡”是动态的，倾斜和失衡的状态是永恒的。正因为如此，我们要时刻保持调节平衡的能力，这就是觉悟者的智慧。

反成理论

【箴言】停一下，看看反面，这就是理性！随时看到反面，近乎神通！

【反问：撞见智慧】

如果说对手是一个人成功不可或缺的力量，你会认同吗？

如果说一个人痛苦的磨炼与成功密不可分，你会同意吗？

世间万物自身都是一个整体，是阴阳两种力量的合一，但人类心智出现了一个重大错误：将一个事物的两个方面割裂并对立起来，使得自己在美与丑、善与恶、正与邪、好与坏、富与穷等人为认定的两极中形成对立冲突。中国哲学家老子，为人们找到了一条出路：超越两极的对立，在更高的层面上完成合一，即“反成”。

【“反成”的世俗定势】

生活中有一种很熟悉的说法，即反成法门、反成选择，说的就是“一”。人们已经习惯了用“正”的方式认识世界，却无法用“反”的高度理解世界。于是很多人活在对立与冲突当中，苦不堪言。很多人不能理解美与丑、好与坏、敌或友的反成，也就不能理解更高层面的辩证世界。

【老子的“反成”思想】

第七章：天长地久。天地所以能长且久者，以其不自生，故能长生。是以圣人后其身而身先，外其身而身存。非以其无私邪？故能成其私。

第二十二章：曲则全，枉则直，洼则盈，敝则新，少则得，多则惑。是以圣人抱一为天下式。不自见故明，不自是故彰，不自伐故有功，不自矜故长。夫唯不争，故天下莫能与之争。古之所谓曲则全者，岂虚言哉！诚全而归之。

第三十四章：以其终不自为大，故能成其大。

第三十六章：将欲歙之，必固张之；将欲弱之，必固强之；将欲废之，必固兴之；将欲取之，必固与之。是谓微明。

第四十章：反者，道之动；弱者，道之用。

第四十五章：大成若缺，其用不弊；大盈若冲，其用不穷。大直若屈，大巧若拙，大辩若讷。躁胜寒，静胜热，清静为天下正。

第六十一章：大国者下流。天下之牝，天下之交也。牝常以静胜牡，以静为下。故大国以下小国，则取小国；小国以下大国，则取大国。故或下以取，或下而取。大国不过欲兼畜人，小国不过欲入事人，夫两者各得其所欲，大者宜为下。

第六十三章：图难于其易，为大于其细。天下难事必作于易，天下大事必作于细。是以圣人终不为大，故能成其大。

第六十四章：其安易持，其未兆易谋，其脆易泮，其微易散。为之于未有，治之于未乱。合抱之木，生于毫末；九层之台，起于累土；千里之行，始于足下。

第六十九章：用兵有言，吾不敢为主而为客，不敢进寸而退尺。是谓行无行，攘无臂，扔无敌，执无兵。祸莫大于轻敌，轻敌几丧吾宝。故抗兵相若，哀者胜矣。

第七十三章：勇于敢则杀，勇于不敢则活。此两者，或利或害。天之所恶，孰知其故？是以圣人犹难之。天之道，不争而善胜，不言而善应，不召而自来，绰然而善谋。天网恢恢，疏而不失。

第八十一章：信言不美，美言不信；善者不辩，辩者不善；知者不博，博者不知。圣人不积，既以为人，己愈有；既以与人，己愈多。

【“反成”要义】

1. 你所忽视的，会以你不知道的方式提示你，但这往往会被视为“诡异”。

2. 当你根据自己的喜好做出一个选择时，你也同时选择了自己的厌恶，但这会让你感到不可思议。

3. 当你很冲动地根据自己的第一感觉做出反应时，你就在刺激一种你所不喜欢的反面力量的出现。

4. 当你回望自己的过去时，就会发现有一种免费的恩遇：有些事会在你忽视的地方为你填补认知的缺陷，有的人会把自己装扮成坏人、恶人或者敌人，就是为了来成就你。

5. 当你回望自己的过去时，你会有一种重大的遗憾：你对抗着、忽视着、憎恨着那些成就你的力量、人物或者事件。

【“反成”的陷阱与破解】

许多人会痛苦地发现，那种自己不喜欢或者让自己痛苦的力量，一直以一种很诡异的方式伴随着我们；很多人会很惊诧地发现，那些我们不喜欢的力量、人物或者事件，如同我们的贵人一样，一直陪伴着、呵护着我们，它们似乎知道我们的缺陷和我们真正需要什么。

如果不懂得这样的规律，我们就会步入一个自我陷阱。如果懂得了这样的规律，我们就可能在一次次痛苦和惊诧中完成自我升级，并能够领略高处的风景。

①道家的“反成”智慧，让我们能够窥见写在反面的答案。

②道家的“反成”智慧，将我们普通人所感觉到的诡异变成了一种特殊的惊喜。

③道家的“反成”智慧，让我们找到了自己狭隘认知所忽视的另外半个世界。

④道家的“反成”智慧，让我们把那个自己排斥的、感到痛苦的反面，变成了我们要去刻意寻求的特殊财富。

⑤道家的“反成”智慧，让我们开始喜欢我们所厌恶的，因为我们懂得了它的特殊价值。

【智慧与觉悟】

1. 两个心态。觉悟了的人会在反面找到完美的答案；愚昧的人则会在单面的执着中，承受着摆脱不掉的痛苦，甚至怨天尤人。

2．“寻求反面”的智慧。在人世间，狭隘与贪欲会将人囚禁在自己狭小的偏好中，与宏大的世界进行对抗。而觉醒的人，则会时刻有意识地寻找着反面，以此来弥补自我认知的缺陷，从而能够始终掌控完整的真实世界。

3．觉悟与品格。“反成”的道家智慧，让我们找到了一个完整理性的基本模式：只要起心动念，就暂时搁置，直到找到反面为止。一个成熟的人，所具备的成熟品格就是能够喜欢反面、寻找反面，最终完成正反合一。

4．人生智慧。明白了道家“反成”的智慧，就可以了悟完整真相的含义，并拥有超越常人的高级理性智慧。

①审视自己的起心动念，微笑着看待它对自己的愚弄。

②暂时搁置自己的第一个念头，寻找反面的出现。

③遭遇反面的出现时，不再感到意外，不再视为遭遇，而是怀着欣喜的心感谢这样一份遇见。

④渐渐放弃情绪性的偏好，像是做一盘菜一样，把各种不同的原料做相应的加工，然后变成色香味俱全的美餐。

⑤“反成”是天道对人局限性的纠偏，反面的力量、人物或者事件就是帮助我们纠偏的道具或者陪练。

⑥“反成”是人生中免费的资源，懂得了这个价值就会将过去的痛苦转换成一种特殊的喜悦。

第五篇

人生大慧

篇首语

人生于宇宙，长于自然，必然也应遵从“道”的指引。《道德经》中对世人的选择与道路的指引、保全、智慧、贵贱、不争、玄德、自胜、自私，深藏道家智慧，让人应道而避祸。

保全理论并非全然消极保守、放弃原则，而是教人理解“成就”与“保全”的统一，实现“两全”。

拥有大智慧的人，做人做事的原则在“智慧”理论里尽数点明。破解对俗世“智慧”的误解，借圣人箴言，了解“智慧”的本质。

“贵”与“贱”往往相伴走反，“贵贱”理论帮助世人参透精神与物质、贵与贱的辩证智慧。

在处处竞争的现代社会中，“不争”二字显得尤为刺眼，“不争”理论不是教人处处回避，而是找到一个自我超越的“不可争”的境界。

玄德之意教人识别自己的伪善和伪德，从而领悟玄德，走向至人、神人、天人的境界。

战胜别人容易，战胜自己不易，现代人在伤害与受害的过程中不断重复错误的做法。生活中无处不在的比较，需用“自胜”理论，才能直指人心地戳破小我，战胜自我。本篇用老子对人生的参悟，解决世人困惑的问题，从对人对事的心态上加固自己，超越自我，是为人生大慧。

保全理论

【箴言】人生智慧，不在一时炫耀，而在笑到最后。

【反问：撞见智慧】

如果一个人总是在退让，你知道其背后的智慧吗？

你肯定听说过“谁笑到最后，才是笑得最好”，你知道其中的玄机吗？

你听说过“明哲保身”吧？不能保身的是智慧的人吗？

你知道从古至今一个个得势便张狂的人是如何倒霉的吗？

忙碌了、拼命了、得到了，但又失去了。人间多少悲剧啊！这都是因为不懂得老子“保全”理论的缘故啊！

【“保全”的世俗定势】

说起保全自己，人们总有一种感觉——太消极保守了。可是，很多人在很多时候还是在想方设法地保全自己。

世上最不懂保全自己的人，往往是一些聪明能干的人，尤其是干得顺风顺水时，更加不知危险将至。

一般人以为，保全自己就是放弃原则，却不知“保全自己”本身却是人生最重大的原则。想想看，没有了自己，你还有什么呢？

【心灵的拷问】

你总是在忙碌，顾得上自己的身体健康吗？

你总是一味地多占，想过这样做多么遭人恨吗？

你总喜欢自高自大，知道这样是怎么被人鄙视的吗？

你能让出机会给自己的部下表现聪明和获得荣誉吗？

你能经常检讨自己、反省自己而让错误的后果不至于继续扩大吗？

你会轻易树敌吗？知道一旦出现敌对局面就会面临危险吗？

你会在正道方向上使各种不同力量组成统一战线吗？

【老子的“保全”思想】

第七章：天长地久。天地所以能长且久者，以其不自生，故能长生。是以圣人后其身而身先，外其身而身存。非以其无私邪？故能成其私。

第九章：持而盈之，不如其已。揣而锐之，不可长保。

第二十二章：曲则全，枉则直，洼则盈，敝则新，少则得，多则惑。是以圣人抱一为天下式。不自见故明，不自是故彰，不自伐故有功，不自矜故长。夫唯不争，故天下莫能与之争。古之所谓曲则全者，岂虚言哉！诚全而归之。

第三十四章：以其终不自为大，故能成其大。

第四十五章：大成若缺，其用不弊；大盈若冲，其用不穷。大直若屈，大巧若拙，大辩若讷。躁胜寒，静胜热，清静为天下正。

第六十一章：大国者下流。天下之牝，天下之交也。牝常以静胜牡，以静为下。故大国以下小国，则取小国；小国以下大国，则取大国。故或下以取，或下而取。大国不过欲兼畜人，小国不过欲入事人，夫两者各得其所欲，大者宜为下。

第六十二章：道者万物之奥。善人之宝，不善人之所保。

第六十四章：其安易持，其未兆易谋，其脆易泮，其微易散。为之于未有，治之于未乱。合抱之木，生于毫末；九层之台，起于累土；千里之行，始于足下。

第六十七章：我有三宝，持而保之。一曰慈，二曰俭，三曰不敢为天下先。慈，故能勇；俭，故能广；不敢为天下先，故能成器长。

第六十九章：用兵有言，吾不敢为主而为客，不敢进寸而退尺。是谓行无行，攘无臂，扔无敌，执无兵。祸莫大于轻敌，轻敌几丧吾宝。故抗兵相若，哀者胜矣。

第七十三章：勇于敢则杀，勇于不敢则活。天网恢恢，疏而不失。

【“保全”要义】

1. 不自生，故能长生。

2. 刻意的东西，不可长保。

3. 一时委屈，可以求全

4. 不用自大，反而能成其大。

5. 完美有瑕疵，保大局有妥协。

6. 越是放低自己，越是和谐。

7. 凡事预则立，不预则废。

8. 慈俭不争，方能平安。

9. 轻敌必毁，哀兵必胜。

10. 激进时懂得退一步，才是高明。

【“保全”的误解与破解】

许多人听到“保全”二字，认为这是一种消极的人生态度。但是，很多时候大部分人又会很注重保全自己。当然，那些能干的人、自以为聪明的人，往往又不会保全自己。

1. 说起来，人生有两大目标：一是进步与成功；二是平安与健康。

2. 现实中很多总想保全自己的人，往往没有什么成就；而不少有成就的人，往往又很难保全自己。

3. 说起来，人生的关键就在于既能取得成就，又能保全自己。

4. 如果非要在“成就”与“保全”两者之间做一个选择，大多数人肯定会选择“保全自己”。

5. 当然，人生的智慧就在于能够实现“成就”与“保全”二者的统一，这正是道家不俗的智慧。

【智慧与觉悟】

1. 两个极端。大部分人能够基本保全自己，但往往没什么成就；一部分人能够有所成就，但又往往不能保全自己。

2. “成就”与“保全”的“两全智慧”。在人间，总听到“忠孝难以两全”“鱼和熊掌不可兼得”等将两个事物对立起来的说法。实际上，“忠孝难以两全”是个伪命题，因为“忠”是大孝，是忠诚国家、民族和千百万同胞，而常规的“孝”只是对自己的父母而言的。在面临国家民族生死存亡的重要关头，当然要舍小孝而成大孝。“鱼和熊掌不可兼得”只是在特定的条件下的特殊情况，并不是一般性规律，在不同的时空里，“鱼和熊掌兼得”也是可能的。

3. 觉悟与品格。“保全”的道家智慧，并非一般人所说的那种消极态度，而是一种明白了自我和他人、精神和物质、近期和长期、得与失等众多两极事物统一性的智慧。即使是狭义的“保全”，也为那些只知道表现自己和追求个人成功的人指出了短板和死穴。对于能干的人来说，若是不能在“成就”与“保全”二者之间实现统一，一切奋斗最终可能只是落下沉痛的教训。

4. 人生智慧。明白了“保全”思想，我们就可以拥有将“成功”与“保全”同时实现的“两全智慧”，就能避免将纯粹的“保全”变得消极，或者将纯粹追求“成功”变成灾难。

①“明哲保身”不是消极，而是明白大道后的智慧境界！

②“保全自身”是底线，在日常生活中是难得的清醒！

③“保全自己”也是境界，既有成就又能自保，两全其美！

④“保全”也包括了保全集体、保全大局、保全气节！

⑤“保全”是个人与集体、近期与长期、物质与精神的统一！

⑥莽撞行事的人，看起来干脆利落，实则难以成事！

⑦消极保守的人，表面看起来没有风险，实则其人生会经历大风险！

智慧理论

【箴言】大智慧者，绝对让别人有机会表现出聪明。

【反问：撞见智慧】

如果说真正有智慧的人会变得很愚钝，你能理解吗?

如果说总表现出自己聪明的人实际上很愚蠢，你能认同吗?

在这个世界上，聪明的人往往是受愚钝的人领导的，你知道为什么吗?

“智慧”一词，实际上有两个相反的意思，“智”说的是小聪明，“慧”则是对聪明的超越，你知道为什么吗?

你是喜欢聪明的人，还是喜欢实在的人呢?

【“智慧”的世俗定势】

我们一直将智慧作为一个正面的词来使用，可是“智”和“慧”却有不同的意思。

我们一直喜欢让自己成为聪明的人，却很少有人想让自己成为智慧的人。

我们说事时喜欢跟聪明人在一起——省劲儿；与人相处时，我们喜欢厚道的人——省心。

我们喜欢用“聪明”来夸奖孩子，但很少用“聪明”夸奖成年人。

我们经常遇到的现实情况是：聪明的人不厚道，厚道的人不聪明。

我们厚道时希望自己再聪明一些，但聪明的人却很少有希望自己厚道的。

【心灵的拷问】

你如果聪明，能够说出厚道的特殊价值吗?

你如果厚道但容易吃亏，你还能坚持自己的厚道吗？

你多半不喜欢糊涂的人吧？但你肯定也不喜欢太聪明的人！

你以为自己的聪明不会被人看出来吗？

你把聪明用在做事上，还是用在做人上？

你知道从古至今太聪明的人结局为什么不好吗？

你知道自以为聪明实际上是一种病吗？

【老子的“智慧”思想】

第二章：是以圣人处无为之事，行不言之教，万物作焉而不辞，生而不有，为而不恃，功成而弗居。

第三章：常使民无知无欲，使夫智者不敢为也。为无为，则无不治。

第五章：多言数穷，不如守中。

第七章：天地所以能长且久者，以其不自生，故能长生。是以圣人后其身而身先，外其身而身存。非以其无私邪？故能成其私。

第九章：持而盈之，不如其已。揣而锐之，不可长保。金玉满堂，莫之能守。富贵而骄，自遗其咎。功遂身退，天之道。

第十五章：古之善为道者，微妙玄通，深不可识。夫唯不可识，故强为之容。豫兮若冬涉川，犹兮若畏四邻，俨兮其若客，涣兮若冰之将释，敦兮其若朴，旷兮其若谷，混兮其若浊。孰能浊以静之徐清？孰能安以动之徐生？保此道者不欲盈，夫唯不盈，故能蔽不新成。

第十六章：夫物芸芸，各复归其根。归根曰静，是谓复命。复命曰常，知常曰明，不知常，妄作凶。知常容，容乃公，公乃王，王乃天，天乃道，道乃久，没身不殆。

第二十章：绝学无忧。唯之与阿，相去几何？善之与恶，相去若何？人之所畏，不可不畏。荒兮其未央哉！众人熙熙，如享太牢，如春登台。我独泊兮其未兆，如婴儿之未孩。儽儽兮若无所归。众人皆有余，而我独若遗。我愚人之心也哉！沌沌兮！俗人昭昭，我独昏昏；俗人察察，我独闷闷。澹兮其若海，飂兮若无止。众人皆有以，而我独顽且鄙。我独异于人，而贵食母。

第二十二章：不自见故明，不自是故彰，不自伐故有功，不自矜故长。夫唯不争，故天下莫能与之争。

第二十七章：善行无辙迹，善言无瑕谪，善数不用筹策，善闭无关楗而不可开，善结无绳约而不可解。是以圣人常善救人，故无弃人；常善救物，故无弃物，是谓袭明。

第三十五章：执大象，天下往；往而不害，安平太。乐与饵，过客止。道之出口，淡乎其无味，视之不足见，听之不足闻，用之不足既。

第三十六章：柔弱胜刚强。鱼不可脱于渊，国之利器不可以示人。

第三十八章：上德不德，是以有德；下德不失德，是以无德。

第三十九章：是以侯王自谓孤、寡、不毂。此非以贱为本邪？非乎？故至誉无誉。是故不欲琭琭如玉，珞珞如石。

第四十一章：明道若昧，进道若退，夷道若颣。上德若谷，大白若辱，广德若不足，建德若偷，质真若渝。大方无隅，大器晚成，大音希声，大象无形。道隐无名，夫唯道善贷且成。

第四十七章：不出户，知天下；不窥牖，见天道。其出弥远，其知弥少。是以圣人不行而知，不见而明，不为而成。

第四十九章：圣人常无心，以百姓心为心。善者，吾善之；不善者，吾亦善之；德善。信者，吾信之；不信者，吾亦信之；德信。圣人在天下，歙歙焉，为天下浑其心。百姓皆注其耳目，圣人皆孩之。

第五十五章：含德之厚，比于赤子。蜂虿虺蛇不螫，猛兽不据，攫鸟不搏。骨弱筋柔而握固，未知牝牡之合而朘作，精之至也。终日号而不嗄，和之至也。

第五十六章：知者不言，言者不知。塞其兑，闭其门，挫其锐；解其纷，和其光，同其尘，是谓玄同。

第六十四章：慎终如始，则无败事。是以圣人欲不欲，不贵难得之货。学不学，复众人之所过。以辅万物之自然，而不敢为。

第六十六章：江海所以能为百谷王者，以其善下之，故能为百谷王。

第六十七章：我有三宝，持而保之。一曰慈，二曰俭，三曰不敢为天下先。慈，故能勇；俭，故能广；不敢为天下先，故能成器长。

第六十八章：善为士者不武，善战者不怒，善胜敌者不与，善用人者为之下。

第七十一章：知不知，尚矣；不知知，病也。圣人不病，以其病病。夫唯病病，是以不病。

第七十三章：勇于敢则杀，勇于不敢则活。

第七十四章：民不畏死，奈何以死惧之！

第七十七章：天之道，其犹张弓欤？高者抑之，下者举之；有余者损之，不足者补之。天之道，损有余而补不足。人之道则不然，损不足以奉有余。孰能有余以奉天下？唯有道者。

第七十八章：是以圣人云，受国之垢，是谓社稷主；受国不祥，是为天下王。

第七十九章：和大怨，必有余怨，安可以为善？是以圣人执左契，而不责于人。有德司契，无德司彻。天道无亲，常与善人。

第八十一章：圣人不积，既以为人，已愈有；既以与人，已愈多。

【“智慧”要义】

1. 别动私念，少说为上。

2. 别动心机，少受算计。

3. 少说多做，莫为私利。

4. 不为小我，方成大我。

5. 来者不拒，去者不追。

6. 谨慎小心，自满惹祸。

7. 循环往复，明道不違。

8. 大智若愚，心中有数。

9. 自以为是，则全不是。

10. 按道做事，不用声张。

11. 平常是真，奇巧是骗。

12. 守住本分，莫要张狂。

13. 越是自夸，越是虚伪。

14. 放低自己，质朴无华。

15. 反俗近道，装样骗人。

16. 明道知天，反道多智。

17. 圣人慈悲，小人势利。

18. 悟道单纯，俗人复杂。

19. 俗人善说，道者静默。

20. 慎终如始，无骄无狂。

21. 王者善下，庸者逞强。

22. 圣人慈俭，俗者铺张。

23. 悟道不怒，反道易怒。

24. 道者自知，俗者自傲。

25. 庸者鲁莽，觉者谨慎。

26. 俗者强为，道者无为。

27. 自利违道，利人合道。

28. 主承国垢，王受不详。

29. 道者宽容，小人苛刻。

30. 圣者天下，小人自拘。

【“智慧”的误解与破解】

许多人以为，聪明就是智慧，但人生经验告诉我们，“聪明反被聪明误”，因为聪明不等于智慧。

1. 夸夸其谈的人常常没有足够的内涵，有内涵的人往往平和沉默。

2. 自以为聪明的愚蠢者，总以为自己才是正确的。

3. 自以为聪明的人，往往不愿吃亏，却最终总是吃亏。

4. 小聪明者总赶潮流，大智慧者总合趋势。

5. 愚蠢的人总在乎外在的声势，大智慧者总能把握事物的本质规律。

6. 愚蠢的人得意忘形，智慧的人得意收敛。

7. 那些敢于放低自己的人，往往是充分自信的人，不会伤人，反而还会讨人喜欢。

8. 总喜欢表现自己的，常常都是没有雄厚人生资本的人。

9. 那些总是争强的，往往就是自己不强的人，显露出来的是自己的虚弱。倒是那些自己勇猛精进，不断查找自己弱点并加以改正的，往往能够成为真正的强者。

10. 那些遇到问题总是将责任推给部下，自己永远正确的人，往往是没水平的领导。相反，敢于承担责任，将荣誉让给部下的人，才会真正受到部下拥戴。

11. 自己总想多得好处的领导，往往得到的同时也在失去。相反，悟道的人总是给予别人，总是为别人着想，反而自己不会缺少什么。

【智慧与觉悟】

1. 两种状态。大部分人处在“自作聪明”的状态，似乎只有表现得很聪明才会赢得人们的尊敬。实际上，能够让别人感到聪明的人，才是智慧的人。只是很可惜，很少有人处在后一种状态之中。

2. “聪明”而“糊涂”的智慧。在人间，人年轻时往往喜欢表现自己的聪明。于是，事事都有自己的观点，并且自以为是很聪明的见解。等到成熟了，就不会处处表现自己，反而知道在很多问题上赞同别人的观点，在关键的问题上也学会了坚持原则的艺术与方法。在名利等敏感问题上，智慧的人不再只为自己，而是为众人，最终成就了伟大的事业。

3. 觉悟与品格。知道了“聪明会出卖自己”的道家智慧，一个人就开始变得成熟了。这是个心理年龄问题。有的人到了很大的年纪，依然喜欢表现自己的聪明，让人觉得幼稚可笑。一个人越是处处表现聪明，就越是对别人构成压制，就越是会引起反弹。当你能够真心欣赏、赞美别人具体的优点与长处时，别人就会感激你。欣赏赞美你所同意的观点，请教你所反对的意见，感恩别人给你的任何细小启示，才是一个人成熟的标志。

4. 人生智慧。明白了道家“智慧”的思想，我们就可以超越“聪明”的幼稚状态，就能减少遭人耻笑的概率。若是达到了“智慧”的境界，就不会再做可笑的事情，就会受人爱戴。

①聪明只是年轻人的状态，成熟的人知道欣赏别人的聪明！

②总喜欢表现自己的聪明，就会对别人产生压制性的效应！

③处处总表现出高人一等，是不懂赢得人心与成事的关系！

④总为自己私利盘算的人，时间一久就会被人看穿并遭唾弃！

⑤喜欢表现自高自大的人，实际上暴露的是自己缺乏自信！

⑥遇到问题不敢担责任的人，已在部下面前暴露了内心的虚伪！

⑦总喜欢为自己敛财的人，实际上暴露的就是精神的卑贱！

⑧喜欢刻意追求奢华的人，反映的是精神世界的极度空虚！

⑨人间最难受的是装样子，始终像在演戏的人虚伪可笑！

⑩做人做事的质朴和厚道，永远是自在和赢得尊重的前提！

贵贱理论

【箴言】站在巅峰的人发现了一个规律：卑贱者最聪明，高贵者最愚蠢。

【反问：撞见智慧】

世间绝大多数人都追求高贵而厌恶卑贱。

若是有人夸你高贵，你心中肯定美滋滋的。若是被人视为卑贱，肯定会心生怨恨。

世间人人追求高贵，有谁愿意追求卑贱吗?

哈哈，太不可思议了，怎么会是这样呢?这正是道家智慧的独到之处。“贵贱”理论，是基于道家思想、超越世俗聪明的高级智慧，只有真正理解了道家的“贵贱”思想，一个人才有可能摆脱卑贱，才有可能变得真正高贵。

【“贵贱”的世俗定势】

说到“贵贱”，大多数人想到的是物质上的富有与贫穷，更多的想到的是地位的尊卑。于是，我们看到不少富有的人在“炫富”，有权者在“弄权”，以及贫穷者的自卑与无权者的媚相。而炫富者又遭到很多人的仇视，弄权者遭到很多人的憎恨。深入来看，炫富者不也正在表现自己精神的卑贱吗，弄权者不也正在表现自己被权力绑架之后的变态吗，这哪里有丝毫的高贵可言?

可见，现实中以物质富有和权位高等来定位人生成就的人犯了一个大错！对此，许多人却全然不知！

老子的《道德经》揭示了“贵贱”的真相，你将会从老子道学的“贵贱”智慧中看到世俗的肤浅。

【心灵的拷问】

1. 自以为“贵”的，往往呈现出来的是卑贱，只是自己不知，如同“皇帝的新衣”。你是这样的人吗？

2. 从人们的愿望来看，人莫不求贵而弃贱，可自以为高贵的就会变得卑贱，一心为自己的就会越来越卑贱，因一时成功而傲慢的就越是卑贱，总是用所谓高贵的东西装饰自己的就是在证明自己卑贱，总是标榜自己高贵的就是在说自己卑贱。你是这样的人吗？

3. 骂人的话中有一句说“这人不是个东西”，也就是说这人在东西之下，即他是被东西控制和奴役的人。孔子在《论语》中提出了“君子役物”的思想，提醒人们不要变成物奴；可是，现实中很多人还是落入了“小人役于物”这一“贱”的陷阱之中，成为物质的奴隶。你是这样的人吗？

4. 你若不想贱，就不要总显摆自己的高贵，其实显摆的往往就是自己缺少的。你是这样的人吗？

【老子的“贵贱”思想】

第九章：富贵而骄，自遗其咎。

第十三章：宠辱若惊，贵大患若身。何谓宠辱若惊？宠为下，得之若惊，失之若惊，是谓宠辱若惊。何谓贵大患若身？吾所以有大患者，为吾有身，及吾无身，吾有何患！故贵以身为天下，若可寄天下；爱以身为天下，若可托天下。

第三十九章：故贵以贱为本，高以下为基。是以侯王自谓孤、寡、不穀。此非以贱为本邪？非乎？故至誉无誉。是故不欲琭琭如玉，珞珞如石。

第五十一章：是以万物莫不尊道而贵德。道之尊，德之贵，夫莫之命而常自然。

第五十六章：故不可得而亲，不可得而疏；不可得而利，不可得而害；不可得而贵，不可得而贱，故为天下贵。

六十四章：是以圣人欲不欲，不贵难得之货。

七十二章：是以圣人自知，不自见；自爱，不自贵。

【“贵贱”要义】

利人则“贵”，利己则“贱”。

“贵”是精神战胜物质，“贱”是物质高于一切。

“贵”是不以为贵，“贱”是自以为贵。

“贵”是为“贱”服务，“贱”是献媚富贵和鄙视贫弱。

“贵”人敢于弯腰自示卑贱，于是在人心中成就高贵。

【“贵贱”陷阱与破解】

许多人不明白“贵贱”的原理，于是依照对“贵贱”的错误理解采取行动，最终不管贫穷与富有，不管平民与高官，都落得卑贱的下场。

1. 现实中，许多富有者以为自己高贵，实则变成了物质的奴隶；觉醒者，即使富有也保持简朴与谦卑，反而显示出高贵之气。

2. 现实中，一些有权者以为自己高贵，实则是忘记了自己权位的本质——服务众生有拥戴，飞扬跋扈栽跟头。觉醒者，掌权时知道那是众人的委托，服务众人是自己的责任与荣幸，保持公仆的谦卑、真诚与热情，反而赢得了众人的拥戴。

3. 用物质标榜自己，多半是精神上处在贫穷的状态。物质贫穷却标榜自己高贵，多半是在玩“阿Q精神”。处于强势地位而又谦卑待人，多半是懂得了高贵的本意。虽然身陷贫穷，但人穷志高并学习精进，就能不断地远离卑贱。

4. 一个人以战胜别人为胜利，说明自己还不够高贵；以战胜自己为胜利，就会越来越拥有高贵的品质！

5. “贵”是“精神对物质的胜利”，“贱”是一味追求物质而出卖自己的精神和人格，最终会将未来一切利益网络切断，落得个“人财两空”的卑贱结局。

【智慧与觉悟】

1. 贵贱走反。当某些人自视高贵或者标榜高贵时，就会变得卑贱；当某些人懂得谦卑，努力为别人服务时，就会变得高贵。

2. 主人与奴隶。当某些人为外在的财富、权位、能力、学历、荣誉和成就而自傲时，其灵魂已经被外在力量主宰，自己已经沦为奴隶，于是，变成了不值钱的贱人。当某些人不会因为外在的各种力量而改变自己灵魂的方向时，他就是自己的主宰，也是外在力量的主宰，他就是自己的主人。于是，权位不会令其傲慢，财富不会令其骄狂，荣誉不能令其失态，成就不会令其迷茫，他就是外在力量不能左右和决定的高贵之人。

3. 觉悟与品格。当人们明白了“贵贱”的原理，就会生出两种重要的生命力量：位高时谦和，位卑时自强；能力强时谦虚，能力差时奋发；荣誉多时低调，平庸时踏实勤奋。总之，就是和自己的现状“叫劲”。这就是一种主人的姿态，能够自我约束，能够自我激发，能够恪守中道。

4. 人生智慧。明白了人间“贵贱”的真相，就可能拥有超越自我的智慧。

①得意时谨慎，失意时冷静。

②位高时助人，平凡时用心。

③荣耀时低调，低谷时奋发。

④有钱时简朴，贫穷时发愿。

⑤被赞时夸人，受辱时感恩。

不争理论

【箴言】争小成小人，不争成圣人！

【反问：撞见智慧】

如果有人说“此生不与人争”，你会相信吗？

如果你看到与世无争的人，会不会觉得他们过于消极颓废？

现实中争名夺利的现象由来已久，也让人们苦恼不堪。即使你不跟别人争，别人也要跟你争，让人无处躲藏。可是，在这种争端四起的氛围中，很多人都感觉不舒服，可又没有办法回避。中国的圣人老子为人们找到了一条新的道路——“超越世俗的竞争，最终达到‘不可争’的境界。”“不争”是老子的独到见解。

【“不争”的世俗定势】

在生活中，我们很多人已经习惯了事事处处与别人竞争的人生模式。从幼儿园到上学，再到以后的工作，几乎在每个人生阶段中人们都处在与人竞争的关系中。

即使不喜欢这种处处竞争的局面，又有什么办法呢？不争，谁会给你送来现成的？不争，岂不就是自甘落后？不争，难道天上会掉馅饼？不争不就是“躺平”吗？颓废！堕落！投降！

那人们又都在争什么呢？简单点说，大部分人在争名夺利。在现实生活中，这种“争”变得十分具体：为一句话的理，争得不可开交；为一个面子，争得彼此失去了和气；为一点小利，争得没有了人格和尊严；为了在一群人中争个第一，彼此钩心斗角。总之，人们每天的生活和工作，就是在跟人争。至于什么也不争的人，要么让人瞧不起，要么让人觉得不合群，甚至于觉得不争的人是怪人。

人生中存在一条不争而达不可争境界的道路吗？

【心灵的拷问】

1. 为了一个理争得伤了和气，你觉得值得吗？

2. 为了一件不影响生活的事情非要争个高低，你觉得有意义吗？

3. 为了一点面子，非要争口气，真的有必要吗？

4. 为了跟人比个高低而去竞争，是自己人生的本意吗？

5. 看看那些争名夺利的人，真的有最后的胜者吗？杀敌一千，往往自损八百啊！

6. 在历史与现实中，总有些“不争”的人，而且其中不乏高人，难道是他们发现了什么玄机吗？

【老子的“不争”思想】

第三章：不尚贤，使民不争；不贵难得之货，使民不为盗；不见可欲，使民心不乱。

第八章：上善若水。水善利万物而不争，处众人之所恶，故几于道……夫唯不争，故无尤。

第二十二章：夫唯不争，故天下莫能与之争。

第六十六章：以其不争，故天下莫能与之争。

第六十八章：善为士者不武，善战者不怒，善胜敌者不与，善用人者为之下。是谓不争之德，是谓用人之力，是谓配天古之极。

第七十三章：天之道，不争而善胜，不言而善应，不召而自来，绰然而善谋。

第八十一章：圣人之道，为而不争。

【“不争”的要义】

老子洞察了“争”的无聊和无益，告诉人们凡是沉湎于那些与人竞争且没有多大意义的事情之中的人，都是在浪费生命。

老子发现了“不争”的妙处，告诉人们只有放弃无聊的恶争，才能真正让自己的心回归本位，才能凝聚自己的心力，才能看清楚人生的根本追求。

与其与他人恶争没有意义的事情，不如将心集中在人生大事上。恰恰在人生大事上，很多人是糊涂的，仅就竞争的“错位策略”而言，这样的“不争”也是智慧的。

俗人只为自己的私利而争，一个人若是拥有了更高的境界，就可以奉献自身，为众生谋福利，进而得到众人的信任与拥戴，这种“不争”而达成的结果，是一般人没法争得的。

俗人只为自己争，你若是为他而争，又有谁会拒绝呢？如此这般，还有谁会成为你的对手和敌人呢？

当你成就了众多人时，这不就是你的成就吗？历史上一些著名的政治家恰恰是达到了这样的境界。只是一般人根本不在意政治智慧，甚至错误地以为政治智慧只是政治家的事，这是严重缺乏政治意识、误解政治本质的低级认识。

【“争与不争”的误解与破解】

许多人最容易犯的错误是，要么为没有意义的事情争个不休，要么就抱着看破一切的态度消极混世。

1. 凡是世俗中可见的竞争，皆是人间俗利和小利。至于不少人为什么把这些看得那么重，核心原因是没有找到自己生命中真正重要的、根本的、终极性的价值。也就是说，看不到真正的大，只能去抓无谓的小；看不到一大定乾坤，必然为抓无数的小而疲于奔命。

2. 争小，就会遭遇众多小人。争小争得久了，自己也会变成小人。算清楚人生这本账就会发现，对于小理、小利、小名，不争又何妨？争只是个习惯而已，再算算账就会发现，这些“小”无数多，若是争，就会耗费很多精力、心思、感情，甚至会降低人格。最终无非出现两种结局——争到了或者没有争到。争到小，对自己有多大意义？争不到，自己又郁闷生气，何必呢？

3. 世间也有些“不争”的人，他们多半会回避人生中很多事情，过着与世无争的生活。作为纯粹的个人生活方式的选择，这也无可非议，但这也不是值得所有人效仿的人生模式。即使这样的“逍遥”可以在国内的和平环境下得以自安，但若是很多人都如此，长此以往恐怕也难长治久安。况且，生命若是没有高度，哪里会有风景？人生没有高度，怎可以高枕无忧？

4. 很多人陷入小理、小名、小利的无意义的竞争中，反而看不到那些大理、大名、大利，自然也就很少有人去争了。在这条“不争”的大道上，即使遇到同行者，也是伙伴而不是对手。

5. 等人真正想明白了，最终会发现，人生一世本不需要太多，竞争只是生命中的一场游戏，这当中真正的对手不是别人，而是自己。当一个人不断地超越自我，每日纠偏纠错，每日学习别人的长处而有所进步，日日有新生的感觉时，也许一切都不用争，一切皆属于你，与你心性相配的都会自来。这才是生命的真相和生命的最高意义。

【智慧与觉悟】

1. 突然间生命空间的扩大。人们之所以感到压抑、紧张，是因为生命的空间太小了。之所以感到生命的空间太小了，是因为里面填满了我们的各种念头，尤其是很多可有可无的微小利益，因为看得太重，所以成了我们的负担。懂得“不争”的真谛，掌握“不争”的智慧，你会发现在去掉很多没有意义的在乎、在意之后，心灵变得轻松，心灵的空间突然被放大了。

2. 人生只为一件大事而来。在为很多具体的事务忙碌之时，很多人忘记了自己此生真正要做的大事，也就是使命。每个人都是带着使命来的，其他的事务和活动，只是历练自己的过程，只是在一堆沙子中寻找自己人生的金店。如果你眼前所做的小事都是在为一件人生终极的大事而忙碌，无关的或者关联小的事都会被删除，你的心智就会集中、聚焦，就会产生滴水穿石的效果。

3. 觉悟后的逍遥。掌握了“不争”的道家智慧，就祛除了很多没有意义的消耗，就会在众人忙忙碌碌之时得以享受一份逍遥自在。而这份逍遥的背后，是自己的不断自新，是战略目标的不断清晰，更是向着人生终极目标的不断靠近。如此，美哉！如此，妙哉！

4．不争而平安。明白了“不争”的思想，人就可以规避与众人在小理、小名、小利上无休止的争端，从而得以营造与众人相处的平和的环境，这首先就得到了人生一份最重大的利益——和谐与平安。而在人生大事上，很多人不想、不懂，因此也就很少有竞争者。

5．不争而达不可争。因为对小理、小名、小利的摒弃，因为将竞争焦点集中在自身的充实、提高与连续的突破上，十年磨一剑，终究会练出绝世的功夫，谁能与其相争？如此这般，此生才算是活明白了。

玄德理论

【箴言】

人生所面临的核心问题是主观意识与客观规律的相合程度。

当你做对了，是你幸运地启动了大道的力量。注意，不要自我得意，否则，紧接着就会自己打脸。

当你不顺时，定是你用主观意识在与大道规律对抗。当一个人总是不顺时，就是连续不断地在用主观意识与客观规律对抗。

玄德到底厉害在哪里？时时刻刻保持主观与大道同频，达到同频后绝不会生出新的主观毛病。

【反问：撞见智慧】

说到“玄德”，很多看过《三国演义》的人自然会联想到刘备，字玄德。

“道德”二字对于很多人来说十分熟悉，可“玄德”是什么呢？德性有什么玄妙的吗？

说起讲道德，没有人反对，毕竟这是维系人类社会秩序的心灵力量。尤其是当我们遇到缺德的人时，可能会很气愤。但是，“玄德”又是什么东西呢？

如果你遇到一个人在说自己的道德如何好，而且还有事实，头一次听时你可能会心生敬意。可他若是反复讲自己的道德如何好，你可能就有些厌烦了。在高品位的人那里，自己的德行好是从来不用说的，因为他觉得这是应该做的，不能自我夸耀。相反，他还总是赞扬别人的美德，甚至还拿自己做得不好的地方去给别人的美德作陪衬。遇到人们抨击某个人时，他总能找出这个人的优点和美德给予赞许，并对其表现不好的方面找出很多客观原因给予理解，毕竟人间无奈的事很多，毕竟世间难有完美之人。这样的态度与做法，你能做到吗？这就是中国文化中的“玄德”。

【“道德”的世俗定势】

我们时常会谈到道德问题，指责别人道德有缺失的现象也较为普遍。

在生活中，我们谈到道德时，指责别人道德缺失的时候较多，较少见到有人主动反省自己的道德问题。

在家庭中，如果儿女不孝敬父母，会受到指责，可很少有人将父母对孩子的伤害与不孝顺联系在一起。

在中国的家庭伦理中，孩子常常被视为父母的私有财产，最终是要给父母养老的。

在人际交往中，“好心未得好报”是会得到同情的，不报恩的人是会被指责的。不仅如此，报恩应该是很长久的，正所谓“滴水之恩，涌泉相报”。

在现实生活中，如果一个人帮了某个人，这就是恩情和恩人，是要报答的。如果没有得到回报，帮人的人是很生气的。

可是，当人们听到不一样的故事时也会感动：一个人帮了别人，被帮的人要报答，但他被婉言谢绝了：“你也用爱心去帮助别人吧，就算是给我的报答了。”

看来，道德的话题真是说不尽啊，也真是多姿多彩啊！在各种各样的道德当中，有什么更深的玄机吗？

【心灵的拷问】

1. 在生活中，你对人好时有什么目的吗？若有目的，这个看起来对别人的好，是不是就变味了？

2. 你对别人好时，期望别人报答你吗？如果是，这有点像做交易了吧？

3. 如果你对别人的好没有得到报答，你会气恼吗？你会因此恶语相向吗？如果是这样，是不是就把你对人好的私心全都暴露出来了？

4. 你会把自己对别人的好向很多人说起吗？你会反复地跟别人讲自己对别人的好吗？你希望很多人知道你做了对别人好的事吗？若是，这会不会让被帮的人有些尴尬？

5. 你会把别人对你的好牢记心间，却又会把自己对别人的好忘记吗？

6. 你会感恩让你帮助的人吗？你会同时检讨自己的不足吗？

7. 你会将别人的些许恩德牢记一生并感恩、报答一生，还是感谢或者酬谢一次就算了事呢？

算了，就到此吧。人间的道德问题若是这样问下去，会让一些人精神崩溃的。

【老子的“玄德”思想】

第十章：生之畜之，生而不有，为而不恃，长而不宰，是谓玄德。

第三十八章：上德不德，是以有德；下德不失德，是以无德。上德无为而无以为，下德为之而有以为。上仁为之而无以为，上义为之而有以为，上礼为之而莫之应，则攘臂而扔之。故失道而后德，失德而后仁，失仁而后义，失义而后礼。夫礼者，忠信之薄而乱之首。前识者，道之华而愚之始。是以大丈夫处其厚，不居其薄；处其实，不居其华。故去彼取此。

第五十一章：故道生之，德畜之：长之、育之、亭之、毒之、养之、覆之。生而不有，为而不恃，长而不宰，是谓玄德。

第六十五章：古之善为道者，非以明民，将以愚之。民之难治，以其智多。故以智治国，国之贼；不以智治国，国之福。知此两者，亦稽式。常知稽式，是谓玄德。玄德深矣，远矣，与物反矣，然后乃至大顺。

【“玄德”要义】

予人之恩谓之德，有德不以为有德谓之道，感恩所予之人谓之玄德。

纯心为人，不分对象，没有期许，不论回馈，绝不动摇，是玄德的精髓。

助人不做恩人，有德不去彰显，反过来感恩对方，进一步表达自己的不足，是谓玄德之玄。

反之，只记自己对别人的恩情、一味要求回报、回报不满意时心生怨恨，进而中断利他之行，是谓伪德。

【“道德”陷阱与破解】

大部分人是赞成人应该有道德的，但很多人的道德并不纯粹，并不是自己的信仰，而是一种交易的筹码。很多时候，道德行动变成了一种“投资”、一种根据对象有区别的“投资”、一种没有回报就会心生怨恨的“伪善”、一种无法连续不断的真心。

1. 有道德并不意味着实际行动时能够处处有德。

2. 助人又做恩人，期待回报，就是打着道德的幌子做交易。

3. 回报让自己不满意时就会心生怨恨，其实是自己在展现伪德的真实面目。

4. 只对有用的人施与善行，本身就是功利主义的典型表现。

5. 将自己的善行到处宣讲，就是自我作践，即自贱。

【智慧与觉悟】

1. 连续的道德。人做几件好事很容易，难的是一辈子做好事。

2. “玄德”的玄妙。心中只有做好事这一个信念，时间上不间断，对象上没分别，结果上不求报，效果上总自省，对人上永感恩，一生中不反悔，永不生二念。

3. 觉悟与品格。玄德”这一道家智慧告诉了人们穿透人心的道法。人间一个基本规律是：你对别人好到什么程度，别人就会呼应到什么程度。在此过程中，好的程度越低，呼应的恶的比例就越高。通过别人的回应，也可以观照自身对别人好的程度。在这个问题上，不能只用自己内心的感觉来评判。当对别人的好到达极致的时候，两个生命的心灵就可以实现无条件、无障碍、无缝隙的融合。

4. 人生智慧。明白了“玄德”的智慧，也就具备了识别自己伪善和伪德的能力，也就可以驾驭“玄德”的生命智慧了。

①一心为人好，绝不求回报，此为真善。

②对所有的人好，对象不加区别，此为普善。

③不计别人的反应，持续改进善行，此为至善。

④忘记对别人的恩，记住对别人的过，此为诚善。

⑤感恩别人滴水之恩，终生不怠，此为永善。

⑥真正的道德就是玄德，不是只对自己好，因为不用对自己好，因为自己的好已经具足!

⑦真正的道德就是玄德，是单向的对别人好，而不追求回报，因为回报已经发生，还会持续发生!

能够领悟玄德的智慧，此生就走向了至人、神人、天人的境界。

自胜理论

【箴言】真正的无敌，不是战胜敌人，而是根本没有敌人，因为已经没有人有资格成为对手了！

【反问：撞见智慧】

如果说你能打败别人只是另外一种懦弱，你会认同吗？

如果说你的自豪常常是跟弱者的比较，你会同意吗？

如果说你没胆承认和改正自己的错误，你有感觉吗？

道家所进行的发问总是直指人心，总是让那个不断遮掩的自我无处躲藏。但是，也正因为道家发问的“残酷”，才会让我们有机会认识自己的“心坎”，才能走出为“小我”不断辩护的愚昧，最终才能成为可以战胜自己的战士。当一个人战胜了自我，也就达到了“自胜”的境界。

【“自胜”的世俗定势】

在各种竞争中，我们已经习惯了为战胜对手的人鼓掌。

很多时候，我们会莫名其妙地把别人想象成对手

在被别人触犯时，我们很容易气恼。

受到伤害时，我们很容易将自己打扮成受害者，一味地指责别人，喋喋不休地向人诉说，从而博取他人的一点同情。

当别人指出我们的问题时，我们总是本能地为自己辩护。

当我们做错了事情时，第一反应往往是给自己寻找客观理由。

我们经常在为自己的辩护中让自己的错误一再重复。

【心灵的拷问】

在生活中，遇到挑战的对手，我们往往不是兴奋而是苦恼。我们到底是虚弱的还是强大的？

在与人的交往中，我们总是喜欢迎合我们的人，回避让我们不舒服的人。我们是虚弱的还是强大的？

我们自以为很强大，但往往又会被生活中遇到的小事（一句话不顺耳、一个做法不满意）激怒。我们到底是真强大还是真虚弱？

我们在为自己的错误辩护时，心里发慌吗？

我们到底是强大的人，还是虚弱的人？这是个问题！

【老子的“自胜”思想】

第三十三章：知人者智，自知者明。胜人者有力，自胜者强。知足者富。强行者有志。不失其所者久。死而不亡者寿。

第七十一章：知不知，尚矣；不知知，病也。圣人不病，以其病病。夫唯病病，是以不病。

【“自胜”要义】

1. 人生就是修行，一切人和事都是我们观照自己的镜子。

2. 世界上只有一个敌人，就是懦弱而愚昧的自己。

3. 被人骗固然可悲，自己骗自己才真是可怜。

4. 做真正的自己，承认错误是一种智慧，改正错误是一种幸运。

5. 战胜虚伪、愚昧和懦弱的自己，是每个人一生的任务。

【“自胜”陷阱与破解】

许多人是愚昧而懦弱的，他们宁愿让自己活在自己构筑的虚幻之中，却没有勇气让自己变得真正强大。

1. 知道自己错了，却没有决心和勇气彻底改变。

2. 被别人指出错误，非但不感激，反而心生怨恨。

3. 在无关紧要的事情上争风吃醋，却自以为得意。

4. 不懂装懂，却看不明白别人内心对他的耻笑。

5. 已经出现了灾难的苗头，自己还在自我欺骗。

6. 已经出现了灾难的征象，却还活在幻想之中。

7. 已经付出了代价，还认为只是自己运气不好。

【智慧与觉悟】

1. 两个高度。人的心智有两个不同的高度，一个是自我欺骗的满足与欣慰，另一个是不断超越自我的兴奋。当人们沉迷于世俗的层次对待自己时，就让自我陷入了原地打转的陷阱。当一个人走入连续不断自我超越的模式时，就会走上螺旋式或直线式上升的觉悟人生。

2. “自胜”与自我新生。当能够不断战胜自我时，一个人就能不断地创造自己新的生命。这是灵魂的觉醒，这是对小我的超越，这是缔造大我和无我、让有限的生命变成无限生命的再造。

3. 觉悟与品格。“自胜”的道家智慧，让我们从“两个高度”看到了现实中的自我，看到了自我愚弄、故装可怜、懦弱和愚昧的小我，也让我们拥有了走向未来的方向与智慧。

4. 人生智慧。明白了“自胜”的思想，我们就可以突破自我辩护的思维困境，就有可能获得不断走向新生的能力。

①让你痛苦的人和事，都是因为点中了你的死穴。

②对现在的自我的辩护，都是让自己停滞的把戏。

③憎恨别人是愚昧，感恩别人的刺激才是智慧。

④找到自己的错误是幸运，为自己错误辩护是愚昧。

⑤只要心中有一个伟大的自己，现实中的自我就会不断地被超越。

自私理论

【箴言】自私的结局必然是自贱，无私的结局必然是圆满！

【反问：撞见智慧】

遇到唯利是图的人，我们总会说“你太自私”。

自己想事时，总在想如何对自己最为有利。

好像有个西方人说过这样的话：“人都是自私的。”

战国时期的杨朱有言“拔一毛而利天下者，吾不为也”，可以说是自私论的鼻祖了。

可是哲学家说：“人人皆自私，人人都不能自私。”

人生的终极结果一再证明：

那些一心自私的人，最终变得一无所有，不仅没有人生利润，还会有满满的负债。又在不经意间，用自己的人生和生命为他人和后人写就了一本“反面教材”，也算是用自己的人生为他人和社会做了彻底的贡献。

那些无私的人，干净了自己的内心，增长了超凡脱俗的智慧，放弃了私念私利的累赘，用奉献将自己与所遇的生命结成一体，使得所有人面对他们时放弃了敌对和抵抗。因为他们已经将自己的荣辱得失、功名利禄从内心中移除，却又客观地形成了生命的“洼地现象”：一切都在向着他汇聚，自动自发；没有要求别人，却赢得了人心的汇聚；连续的奉献，在正向上不断循环。那般的无私，又成就了一般人眼中那样的“大私”，人们将其称为“大公”，成就卓越，人生荣耀至极，这是何等的成功啊！

说到这里，也许不少人被搞糊涂了，这到底是怎么一回事啊？

也许你会渐渐地对“人都自私，但无法自私”这句箴言有所领悟了！

人和动物一样，有其趋乐避苦的本能，可为何人世间总是“苦多乐少”呢？

【“自私”的世俗定势】

在生活中，我们几乎无法回避“自私”这个话题。

人出生后，对父母的无尽索取，几乎是不少人界定“人是自私的”这个论断的初始依据。

人与动物一样，生来就有“趋利避害”的本能，谁又会“趋害避利”呢？你看，人都是自私的吧？

历代封建王朝不都是摆脱别人的压迫让自己坐天下的一幕幕自私大剧吗？

每个时代，那么多高智商的人前赴后继地为自己捞好处、积家产，甚至不惜去贪污受贿、拉帮结伙，最终落得个诛灭九族的悲惨下场，不都是因为自私吗？

在生活中，你对别人好，别人才会对你好。好与不好，不也是心中的自私在不断地进行权衡吗？

说来说去，“人生无处不自私”似乎是个定论了。可是，人生真的如此吗？会不会是众人陷入了迷途而不自知呢？

【心灵的拷问】

1. 在生活中，你处处为自己考虑，难道别人不是吗？若是彼此这样相遇，人生还会有什么真诚和信任？没有了这些，人生会快乐幸福吗？

2. 看看生活中那些总想自己合适、总想占点便宜的人，是不是会被人瞧不起？一旦被众人瞧不起，你说这符合自己的私利吗？

3. 你的朋友中可能就有只为自己考虑、只想占你便宜的人，对于这样的人，你会从心里喜欢他吗？

4. 你可能知道大成就者都是甘心为众人奉献的人，你愿意做那样的人吗？你是不是只想做那样成功的人，却不想像他们那样奉献，对吗？

5. 你即使对别人好，也是在为自己得到收益而播种，若是你对别人好了，别人没有你期待的回应，你还会继续这样做吗？

6. 你若真的自私，能够善待对你不好的人吗？你知道这本身的收益是什么吗？

7. 你若真的懂得私利的产生，能说出你的私利包括哪些类型吗？你若在乎自己的私利，懂得不同类型的利益之间是如何相互作用的吗？

算了，就问到此吧。人生百年，实则短暂。“自私”或者“无私”这样的话题肯定是绕不过去的，早点明白，早点解脱！

【老子关于“自私与无私”的思想】

第七章：天长地久。天地所以能长且久者，以其不自生，故能长生。是以圣人后其身而身先，外其身而身存。非以其无私邪？故能成其私。

第十九章：绝圣弃智，民利百倍；绝仁弃义，民复孝慈；绝巧弃利，盗贼无有。此三者，以为文不足，故令有所属，见素抱朴，少私寡欲。绝学无忧。

【“自私”要义】

自私，也就是维护自己的私利，在法律、道德范畴内，本无可厚非。

个人私利包括很多种，最起码包括物质与精神、短期与长期、良性与恶性等类型。需要特别小心的是，贪图小利者、喜欢占小便宜的人容易识别，但内心不尊重别人、想法霸道、固守己见的“精神自私者”更加危险。坚守正义和熟用善法与那种固守己见和冥顽不化更难识别。

老子发现了人类最隐蔽的自私：一旦帮人，就期望别人终生回报；一旦救人，就期望别人忠诚于自己；一旦有成绩，就居功自傲且目无他人；一旦占据优势就飞扬跋扈且暴露卑贱。

老子也发现了无私的神奇：帮人不要回报，反过来却感恩别人；救人不借机要求别人，反而让别人自由；有成绩时念别人的恩、找自己的不足，有了权势更加谦卑助人而与民众一心。这样的无私，反而让其人格增值、心胸扩大、境界提升、智慧自发，越是不求反而越多，越多越助人，形成良性循环。

想想看，众人往往陷入自私陷阱，你若无私，即是不俗，不俗就会有人生重大收益：轻松、自在、纯真、高尚、无争、无敌、无忧、无缺！

世俗中的自私，都是不会算账的人“损人不利己”的典型错误。

世俗中的自私，在乎的都是小利。因为在乎小利，所以失去大利！

世俗中的自私，都是想通过非法且缺德的方式获利，实则是增加自己的负债。

世俗中的自私，人人熟悉。你若自私，必被看穿。被人看穿，就失去了他人的信任和自己的人格价值，实则是亏大了！

若是选择无私，就是选择了一种超凡脱俗的人生模式。只是老子的大道放在这里，也不会有几个人有勇气、有智慧真正踏上去啊！

【“自私”的陷阱与破解】

大部分人是反对自私的，但很多人又摆脱不了自私。有趣的是，最终，自私的人反而达不成自私的目标。这样的不遂人愿，肯定是天意了。天意又是什么呢？就是超越人的主观算计的客观大道啊！只是人自私起来总觉得是正当的，总觉得自己是聪明的，即使有时醒悟一会儿，转眼还是会陷入心智痴迷、精神昏迷的状态。可惜的是，许多精英那般聪明能干，就是跳不出这个陷阱。

1. 反对自私，却又转脸就自私。你说，自己是什么人？真是自己打自己脸！

2. 自私像个魔幻的陀螺，人一旦进入，就会失去自我。这样的人生岂不是自残自毁？

3. 自私让人迷恋于金钱物质和权位，陷入“小人役于物”的奴才陷阱。一个人被外在的力量控制，自己又在哪里？

4. 自私让自己等同于一般俗人，尽管自己瞧不上俗人，可又让自己变成自己讨厌的模样。看明白了，就觉得自己好可笑！

5. 自私是世间人人熟悉的怪象，你若自私，就一定会被别人看穿、看低，从此再无尊严。你愿意输成这个样子吗？

6. 不管你做了多少好事善事，只要让人看穿你的自私，你就变得一钱不值，任何正确的道理、善意的举动都会被解读成虚伪。

7. 自私之愚昧就在于切断了“物质与精神”“现在与未来”“平安与幸福”“收入与奉献”等一系列人生循环，导致自己的人生片段化，这也是愚昧对人生的肢解。

8. 老子对自私各种弊病的剖析，为我们打开了智慧之窗。老子对无私秘密的揭示，为我们指明了光辉的道路！

【智慧与觉悟】

1. 真正的“自私”。人若看透了人间的迷局，就会放弃自私，从而成就大我、无我和神一样的境界。

2. “无私”的玄妙。无私，听起来很不现实，但唯有无私，才能超越现实。“无私”的本质，是超越小私，成就大私，就是大公，也就是将自己交付一项伟大的事业。因为没有小我、小私，反而让自己变得伟大。伟大即是质朴，即是与万众一心，与天地一体。

3. 觉悟与品格。道家智慧为人们揭示了自私的种种骗局，找到了人生痛苦与失败的根源。明白了这些道理和规律，人们就如同大梦方醒，就会突然飞升到俯视红尘的境界，就能看清世间各种迷局，就能拥有无限的智慧。看穿自私，才能明白无私的奥秘，才能走上真正成就人生的正确道路。无私的人，是人人喜欢的人，是天下无敌的人，也是众生的“守护神”。

4. 人生智慧。明白了自私的危害，也就具备了走向无私的可能，也就能够摆脱人生中众多“啃骨无肉”或者“得此失彼”的困局。

①识破自私迷局，方能得人生解脱和大自在。

②超越红尘自私陷阱，方能挖出人生的苦根。

③回视自己的自私，方能真正察觉自己的愚昧。

④再看众人的自私，方知愚昧如何捉弄世人。

⑤自己试试无私，才发现人生觉悟近在咫尺。

人的一生，若是能够洞察自私对人的愚弄，能够领悟无私的智慧，就走向了真正自由的境界。

第六篇

信念正法

篇首语

理解《道德经》中大道万物的规律、小我人生的本质，还需要信念和修行。善法、皈道、悟道、修道理论，将道家智慧化为信念并坚定地执行，变成困惑时的自觉反应和掌握人生的万能钥匙。

皈道，皈依的是自然历史的客观规律，是用最智慧、最伟大的文明程序来优化自身的信念系统，武装灵魂。

善法理论是时刻反躬自省，优化自己的思维程序和做事方法的艺术，走出自我，以求无我无碍。

悟道，并非顿悟，而是在循序渐进中悟出规律，在持续不断中直达究竟的真理。悟道理论指引我们对人、对事、对万相超越经验的局限，看清自我，离开“我执”，达到“悟道”的境界。

修道是悟道之后的坚持，遇到问题要内求自己，只有改变自己，不断地自我超越，才能改变自己的世界。

本章用《道德经》中信念的力量，渡人悟道修道，成就自己。

皈道理论

【箴言】人心，总是有所依规，要么是狭隘自我，要么是无限大道！

【反问：撞见智慧】

如果让你完全认同、绝对服从一种思想或者力量，你愿意吗？

现实中你会心甘情愿地跟随一个人或者一种思想一直走下去吗？

我们都有自己的想法，也有自己的追求，让我们跟随别人，我们总会觉得贬低了自己。

实际上，静下心来想想，你会发现，每个人都是跟着某种思想走的。即使是断言自己什么也不信的人，也是跟着某种信念走的。当然，优秀的人是跟着卓越的力量走的，而落魄的人也一定是跟着一些腐朽的信念走的。人类历史上出现了一些被人类认定为圣人的人、被历史认定为至高智慧的思想，相信并跟随圣人与圣典思想的人，成了优秀而伟大的人，这就是人类命运的终极密码。

中国的哲圣老子为人们找到了一条出路：超越自己那有限而未经历史严格检验过的所谓经验和个人念头，服从于自然历史的客观规律，即“皈道”。

【“皈道”的世俗定势】

在生活中，一说起“皈道”，人们很容易联想到“皈依”。一说起“皈依”，很多人马上会想到“信仰宗教”。一说起“信仰宗教”，很多不明白宗教的人又会联想到那些嘴里总是念念叨叨和烧香磕头的人。

“皈依”，其本质的含义是让自己的思想臣服于一种真理的信念。实际上，每个人的思维和行动都是由自己所坚信的一种信念驱动的，即使是那些声称“我什么也不信”的人，实际上也是被自己所坚信的一种信念驱动的。从广义上说，每个人的思想与行为都是有所“皈依”的，唯一的区别是不同的人所坚信的信念内容不同。有的人因为坚信正能量，心中有正信正念，行动上能守住底线，不断追求崇高的境界，因而成为高尚的人，甚至是伟大的人；有的人因为坚信的是自己的私利、个人有限的经验和一些狭隘的意识，所以成了自己都厌恶的那种小人或者坏人。

【心灵的拷问】

1. 我们在进行思考时，你意识到自己的思考标准了吗？

2. 你知道正是你心中坚信的信念在决定着你的一切行动乃至命运吗？

3. 你知道现实中所有的人都有自己的一套自以为是的信念系统吗？

4. 你知道大部分人根本说不清楚支配自己行动背后的信念到底是些什么内容吗？你知道自己心中正在坚守的是哪些信念吗？

5. 你知道你现在的生活和事业（不管是满意的还是失意的）正是你心中坚守的信念形成的外部局面吗？

6. 你知道优秀的人正在使用人类历史几千年积累下来并被证明是智慧的那些信念和智慧吗？

7. 你知道如何优化自己心中坚信的信念系统吗？你能用最智慧、最伟大的文明程序来武装自己的灵魂吗？

【老子的“皈道”思想】

第二十一章：孔德之容，惟道是从。道之为物，惟恍惟惚。惚兮恍兮，其中有象；恍兮惚兮，其中有物。窈兮冥兮，其中有精；其精甚真，其中有信。自古及今，其名不去，以阅众甫。吾何以知众甫之状哉？以此。

第五十五章：含德之厚，比于赤子。蜂虿虺蛇不螫，猛兽不据，攫鸟不搏。骨弱筋柔而握固，未知牝牡之合而朘作，精之至也。终日号而不嗄，和之至也。知和曰常，知常曰明，益生曰祥，心使气曰强。物壮则老，谓之不道，不道早已。

第五十九章：治人事天莫若啬。夫唯啬，是谓早服。早服谓之重积德，重积德则无不克；无不克则莫知其极；莫知其极，可以有国。有国之母，可以长久。是谓深根固柢，长生久视之道。

第六十二章：道者万物之奥。善人之宝，不善人之所保。美言可以市，尊行可以加人。人之不善，何弃之有！故立天子，置三公，虽有拱璧以先驷马，不如坐进此道。古之所以贵此道者何？不曰：求以得，有罪以免邪？故为天下贵。

【“皈道”要义】

1.“皈道”是将自己平时无意识坚信的信念或者飘忽不定的信条做一个清晰化梳理并进行正、误的选择。

2.“皈道”是将个人有限的认识、经验和知识，升级到人类、人类集体文明的高度。

3.“皈道”是用一种超越自我现实状态的理想级的信念来引领自己的思维与行动。

4.“皈道”是选择一种人类文明高度的信念和行动体系作为自己心灵的内容，并一生坚信和践行。

【“皈道”的真伪与破解】

现实中的许多人都在寻找自己皈依的方向，只有愚昧的人才完全相信自己所掌握的有限的知识与内容。

当然，“皈道”的专业性也使不少人遇到了难题。

1.“皈道”是皈依于某一个宗教吗？实际上，“皈道”的本质是确立自己一生的信仰。皈依于某一个宗教是信仰的一种选择，但皈依并不限于宗教。对于某种人类智慧的思想或者主义的选择，也是一种皈依。

2. 如果我只是坚信要做好人，能算是“皈道”吗？这只是一种朴素的信念，但不系统，也不全面，更缺乏一个文明系统的内涵，也缺少一个组织的支撑。因此，这种朴素的信念的力道、全面性和正确性就很难有保障。

3.“皈依”某一个宗教的人是不是就是“皈道”者？严格来说，只能算是开始，因为信教是否走正道、是否能够修行到很高境界依然存在疑问。

4.“信教”往往只能唯一，也就是对其他宗教具有排斥性，这有道理吗？坚持正信正念的各派宗教，应该是具有包容性的，既然要爱所有人，当然也就包括去爱普通民众和其他教派的信众。宗教徒的信仰唯一性，一方面是为了让人们能够深入进去，避免浅尝辄止；另一方面也有维护本教派利益的考虑。但对个人来说，如果发现现实中的某个教派在思想和做法上有很多不妥，完全可以更换自己的信仰。不过，真正的信仰是自己的私事，跟别人如何做没有关系，也不应该以别人做得好坏作为自己信仰的选择与更换的依据。

5. 信仰上皈依了的人就能成为好人或者优秀的人吗？这不一定。皈依往往只是一种选择，后续的是一生的修行，修行到什么层次就会成为什么样的人。如果形式上皈依了，心里却还是为自己求私利，把皈依的信仰当成能够为自己谋私利的工具，就背离了信仰的本意，因为真正的信仰是利他的，是奉献自我的。

6. 假如你看到皈依某个教派的人在赞美自己信仰的同时又在贬低或者诋毁其他形式的信仰，这就是一个处在信仰低级阶段的人。如果你听到宣扬自己信仰的唯一正确性并否定其他信仰的论调，这种宣传本身就是在制造门派对立甚至是冲突，当然是错误的。

【智慧与觉悟】

1. 走出小我。“皈道”让人的精神依附于人类共同的文明体系，不再受自我认识的限制。

2. 皈道合人。真正“皈道”的人，对其他生命都是尊重的，不会唯我独尊，不会分帮、分派，能够尊重不同的人，并在交往中求同存异。

3. 开启智慧。“皈道”的人，能够认识到自己的局限性，能够尊重并学习别人的长处，勇于突破自我的局限性，不断追求思想与行动更好、更高的境界。

4. 智慧人生。“皈道”的人，会开启自己的智慧人生。

①不再喋喋不休地说自己，而会用心地倾听别人的想法。

②不再简单鲁莽地与别人争论，而会在不同意见出现时保持开放的心态并向对方虚心请教。

③不再自以为是，而是善于整合别人优秀的想法，哪怕是一丁点儿优秀的片段。

④不再坚守过去和现在的念头，而是会不断地寻求自我的突破。

⑤不再进行自我标榜，而是勇于认错和改错，不再对自己的错误进行辩护或者遮掩。

⑥不再吝啬对别人的赞美，不再害怕放低自己。

⑦不再盲目冲动，而会先看、先听而不急于表达，然后再进行礼貌的讨论。

善法理论

【箴言】人类最典型的愚蠢，就是停留在美好愿望和动机状态，而无法完成与结果的统一！

【反问：撞见智慧】

如果说“好心总是办坏事就是坏人”，你会认同吗？

如果说一个人要求别人理解时就是不理解别人，你会同意吗？

世界上的万事万物，都有着各自不同的规律和表现形态，要真正地认识事物的真相，就必须先走出自我的认知定势，纯心净心地进入事物的内部或者人的内心世界，才可能知道对象的真相。

明白了不同于自己理解的万事万物的真相和规律，我们才能有正确的对接方式，只有有了正确的对接方式，才能使双方达成最佳的效果。

即使按照上述的程序来做，也依然会有无法理解或掌握不了的规律与方法，也必然会遇到不断发生的变化带来的各种新的情况。对此，是否能够反躬自省，进而通过实践不断地优化自己的思维程序和做事的方法艺术，就成了每个生命一生的功课。这就是圣道之“善法”。

【“善法”的世俗定势】

世间最难的第一步，是如何走出自我，如何无我无碍。

世间最长的路，是一个人走进另外一个人心灵的心路。

世间最难的事，是如何让你的善心在对方心田结出善果。

现实中，我们听到了太多的感叹和困惑：

“好心没好报”，这好人还能做吗？难道做坏人吗？坏人没恶报吗？

“理解万岁”，可有谁能真正理解别人呢？不能理解别人，却要求别人理解自己，这种指令会有效吗？

"随缘罢了"，做不好时就认为无缘，这理由立得住吗？缘分已至，却无能力抓住，对于失去的缘分，"随缘"又算什么心态？

"问心无愧足矣"，你的心无愧，可你愧对别人，自心无愧岂不是逃避和自慰？

"我是真心为他好，为什么他不领情呢？"那是因为"好"是你认为的，你并不懂别人的需求。人家吃饱了你还让人家吃，这是好意还是自我贩卖好意？

【心灵的拷问】

1. 在生活中，说自己是好心的时候，我们的好心很纯粹吗？若是夹杂着私心，被人看穿会很尴尬吧？

2. 感叹"好心没好报"，难道求报的心还是好心吗？这种所谓的"好心"不得好报，不也是再正常不过了吗？

3. 期望别人理解，你理解别人了吗？你是用自己的标准理解别人，还是懂得了别人所有行为的个体合理性的发生机理？

4. 对人好时，考虑过别人的感受吗？自己认为正确正当时，考虑过别人的感受吗？当别人对你的缺陷给予反馈时，你是气恼，还是感恩并立即调整自己呢？

5. 你已经活了这么多年，做了那么多事，你跟他人的心灵感觉对接方面进步了多少？一个打靶的人，会根据报靶情况调整自己的瞄准和动作，若是不顾及报靶结果，也不进行任何调整，你认为此人是在打靶，还是纯粹通过浪费子弹来发泄情绪？

6. 人间有一种自私，是更加隐晦的自私，就是将自己的好意强加给别人。你是不是经常这样做？

【老子的"善法"思想】

第八章：水善利万物而不争。居善地，心善渊，与善仁，言善信，政善治，事善能，动善时。

第二十七章：善行无辙迹，善言无瑕谪，善数不用筹策，善闭无关楗而不可开，善结无绳约而不可解。是以圣人常善救人，故无弃人；常善救物，故无弃物，是谓袭明。故善人者，不善人之师；不善人者，善人之资。不贵其师，不爱其资，虽智大迷，是谓要妙。

第四十九章：圣人常无心，以百姓心为心。善者，吾善之；不善者，吾亦善之；德善。信者，吾信之；不信者，吾亦信之；德信。圣人在天下，歙歙焉，为天下浑其心。百姓皆注其耳目，圣人皆孩之。

第五十四章：善建者不拔，善抱者不脱，子孙以祭祀不辍。修之于身，其德乃真；修之于家，其德乃余；修之于乡，其德乃长；修之于邦，其德乃丰；修之于天下，其德乃普。故以身观身，以家观家，以乡观乡，以邦观邦，以天下观天下。吾何以知天下然哉？以此。

第七十九章：和大怨，必有余怨，安可以为善？是以圣人执左契，而不责于人。有德司契，无德司彻。天道无亲，常与善人。

【“善法”要义】

1. 有好心必有善法，不好的结果要么证明是坏心，要么证明是愚蠢之心。

2. 只顾贩卖自己的好心，却不知道别人的感受，这是一种深刻的自私。

3. 好心若是不纯粹，是打着好心旗号的伪善，必然被唾弃。

4. 只用自己的方式理解别人，却不愿意理解别人的合理之处，这是一种基于愚昧的自私。

【“善法”陷阱与破解】

现实中有个有趣的现象：办事十分讲方法的人，往往不够厚道；做人十分厚道的人，做事又不太讲究方法。真是的，你说造物主是怎么给人安装心灵程序的？怎么把一个个心灵程序残缺不全的生命丢到人间来的？造物主回答：这就是人生，人生就是觉醒和进行自我的创造与升级。

1. “好心”必须有善法，才能结出善果。

2．“好心”不能图报，否则就是伪善。

3．“好心”若没有好果，就要反躬自省。

4．“好心”若总是动摇，就是心有内贼。

【智慧与觉悟】

1. 两个高度。人类的“善”有两个不同的高度，一个是世俗的善，自称是好心，但经常达不到好的效果，这是因为缺乏善法的智慧；另一个是超越世俗的高度，善得纯粹、善得智慧、善得坚定，并总能得到善果。

2．“善法”是连续统一体。善的愿望、善的方法、善的艺术、善的坚定、善的结果、善的反思，若是不能形成连续统一体，善就会倒退成有理由的恶。

3. 觉悟与品格。“善法”之道家智慧，告诉了我们如何做一个真正的善人。没有好结果不要抱怨，而应该反躬自省。真正的善，不事张扬，不怕委屈，不求好报，遇到挫折绝不改变善的方向，一切善良的愿望都要以结果来证明。

4. 人生智慧。明白了“善法”的智慧，人类就可以走出“善恶”的思维困境，就会在善的方向上坚定不移。

①“善法”是善良的人必须具备的智慧。

②“善法”是证明自己愿望的必要艺术。

③“善法”是愿望、动机与效果的统一。

④“善法”是一个成熟好人的必备法宝。

⑤“善法”是人生成功、幸福的必由之路。

悟道理论

【箴言】悟道，懂得万事、万物、万人之道性，心中方无烦恼，人生才有智慧。

【反问：撞见智慧】

人生的一切经历都是为了悟道？你这样想过吗？

悟道，很多人以为那是出家修行者的事，自己还是多挣钱过好日子。可是，有谁知道每个人生来就是修行者，只是很多人不知道这个身份，错误地将修行悟道狭义地归给了出家人。

即使自己不知修行悟道之事，天地大道也在通过天地人间万事、万物、万人来提示，只是很多人不知道这一真相，于是将喜欢的变成伤害自己的，将厌恶的变成自身的灾难。这个事实，你知道吗？

"悟道"，就是知晓自身和天地间万事万物的道性与规律，不再用自己有限的知识经验和小聪明给万事、万物、万人"贴标签"，最终又用这些五颜六色的"标签"把自己搞得眼花缭乱。

【"悟道"的世俗定势】

我们知道如何学习知识，但对于悟道，很多人可能一辈子也没想过。

见过学富五车但依然不识风情的所谓"学问家"吗？见过受过现代专业教育、自以为什么都懂的"专家"吗？知识很重要，如何看待知识、如何组装知识、如何活用知识、如何超越知识是不是更重要？而这背后就是"悟道"的问题。

见过那些见多识广的人吗？他们把什么事搞透彻了？杂乱无章地堆砌在自己心中，到底是富有，还是混乱呢？

见过办成过很多难事的人吧？他们够能干了吧？他们能管好自己吗？

他们能从自己成事中提炼出真相和至高的智慧，还是只能跟水平低的人介绍他们几乎永远学不会的所谓经验？

圣人的智慧也许就是几句话，很多口才好的人并没有理解其中的真谛，却总是在夸夸其谈，你看看他们干成过什么伟大的事情？

【心灵的拷问】

你已经做了那么多事，找到万事、万物、万人的总规律了吗？

你似乎懂得很多，但你能悟到万象背后的真相吗？

你历练了那么多，是不是大多没有提炼过？是不是还停留在原始经验和初级感受阶段？

你有开启世间万事、万物、万人的规律之门的钥匙吗？你是有一万把，让自己身上挂满了钥匙，像个管仓库的，还是只有一把万能钥匙？

你的生命已经过去了很多年，未来你的生命还将重复过去的低级模式吗？

你的生命是用来干什么的？

吃喝？与动物有何区别？

占有？你能用多少？占有的同时知道失去了什么吗？

再算算账，看看是什么结果？

【老子的“悟道”思想】

第八章：上善若水。水善利万物而不争，处众人之所恶，故几于道。

第十九章：绝圣弃智，民利百倍；绝仁弃义，民复孝慈；绝巧弃利，盗贼无有。

第六十五章：古之善为道者，非以明民，将以愚之。民之难治，以其智多。故以智治国，国之贼；不以智治国，国之福。

第六十六章：江海所以能为百谷王者，以其善下之，故能为百谷王。是以圣人欲上民，必以言下之；欲先民，必以身后之。是以圣人处上而民不重，处前而民不害，是以天下乐推而不厌。以其不争，故天下莫能与之争。

第六十七章：天下皆谓我道大，似不肖。夫唯大，故似不肖。若肖，久矣其细也夫。我有三宝，持而保之。一曰慈，二曰俭，三曰不敢为天下先。慈，故能勇；俭，故能广；不敢为天下先，故能成器长。

第六十八章：善为士者不武，善战者不怒，善胜敌者不与，善用人者为之下。是谓不争之德，是谓用人之力，是谓配天古之极。

第八十一章：信言不美，美言不信；善者不辩，辩者不善；知者不博，博者不知。圣人不积，既以为人，己愈有；既以与人，己愈多。天之道，利而不害。圣人之道，为而不争。

【“悟道”要义】

1. 悟道的人，心中有一个纯粹的念头——利人利万物。

2. 悟道的人，不动心机，不要手段，不自我标榜。

3. 悟道的人，做人和待人，淳朴真诚，不工于算计。

4. 悟道的人，善于处下，与人不争，利人不自利。

5. 悟道的人，慈俭不争，平和谦卑，真人不露相。

6. 悟道的人，不武不怒，不与善胜，处他人之下。

7. 悟道的人，信言小美，为众生辩，唯利而无害。

【“悟道”的误解与破解】

许多人以为，明白了一个事情的道理或者听明白了别人的讲解就是“悟道”。实际上，别说悟道了，就连这个所谓的“明白”也是在用自己过去的“不明白”系统感受出来的，根本不是真明白，离悟道差得远呢！

1. 有些人对于别人的话或者事，觉得理解一些就可以沟通相处了。但是自己心里要清楚，你跟他的系统不同，你只是清楚一点点，还没有彻底明白。

2. 有些人学习了相关知识，在不如自己的人面前卖弄，以为自己是专家。实际上，在不懂得的人面前懂得多，或者被远不如你的人赞美而自豪，这是不是另外一种自我愚弄呢？

3. 积累了很多经验，在没经验的人那里就会有优势。但在比你经验多或者悟道的人那里呢？你是在跟水平高的人比较进而学习精进，还是跟水平差的人比较进而满足自傲呢？

4. 你跟人要小聪明时，知道别人怎么看你吗？大部分人看自己时会目盲，但看别人的心机时多半会有法眼。你的小聪明在法眼面前会是什么结果？你的灵魂突然像被剥光！

5. 你意识到自己言行不一了吗？知道别人会根据你的作为给你贴标签下结论吗？是谁出卖了你？是你自己啊！

6. 你在生活和事业上取得的成就，恰恰是埋葬你的智慧种子的泥沙。你能够剔除这些泥沙吗？你知道自己的得意和自以为是恰恰是愚蠢和倒退的源动力吗？

7. 你想、你判断、你自认为……都是你的"小脑"在运行。如果你坚信自己的现在是正确的，你就永远无法获得高级的正确。

8. 遇到人和事，你心中会有观点和判断吧？随之会有相应的情感反应吧？如果至此无法识别而付诸行动，你就一定会得到一种教训——大道对你的修理。如果此时你恼怒，想收拾别人，你就辜负了天意。

9. 遇到问题时，你是希望别人改变，还是找到自己的问题改变自己呢？难道你不认为你需要提高和改变了吗？若是别人改正了自己的错误而你没有改变，你觉得自己受益了还是停滞了？

10. 如果你已经开始修行——拜师、打坐、念经，你希望会怎样？是不是希望能够帮助自己去除罪孽赢得幸福美满？若是如此，你就又上了魔道了：世间修行者难有人觉悟者，就在于出发点本身就是错的——又是为自己！以往是在俗利上为自己，现在又多了一份隐蔽的自私——精神上为自己、生命上为自己。岂不知这正触犯了天条：凡是利己——不管是物质上的、名义上的、心灵上的，都是邪道，终不得救！

11. 开始修行了，你得意吗？喜欢在别人面前炫耀吗？此时之心即是贼心。刚刚开始修行的人，心底大部分还是过去的魔道，刚刚看到远处的一点亮光就开始洋洋得意，你就这么容易满足吗？你为还说不上是正道的一丁点儿力量而满足，怎么可能有大成？你为什么会为一丁点儿虚幻而满足？因为过去什么也没见过，见到一点儿就会大惊小怪，只能说明过去生命的阴暗与苍白。

【智慧与觉悟】

1. 三种状态。大部分人是不修行的，故而处在“自作聪明”的状态：自己的是对的，有问题那是别人的错（第一种状态）；有了一些修行的行动，但还是在过去魔性状态下修行，会为修行中的一点点感受而兴奋，会在不修行的人或者修行的人面前显示自己的没有功夫的功夫。于是，自我的优越感又出现了，形成新的魔障（第二种状态）；没有打坐、没有诵经、没有素食、没说修行，然而处处打坐、处处是经、心不吃肉、吃肉非肉非非肉、处处修行也无修行，无我无念，与天地万物相合，目光平和慈悲，没有表现聪明的犀利目光，只有一颗纯朴的心映照日月（第三种状态）。

2. “悟道”的智慧。在人间，万相没有分别，因为万物一理。对世间万物，没有喜好与厌恶，因为情绪是自我判断生出来的“毒花”。对名利，知是虚幻，该给别人的都给，给了就对了，霸着就是负担。对人间众生，悄悄地微笑着观看，有缘的接一点儿过去，没有了指责和怨恨。相遇的，都是上天派来的，应该善待、恭敬、请教、感恩。不管什么样的人和事，实际上都是假象，大道借人、事、物来开导我们，上帝借一切表达自己的存在，怎么还会去表达自己？跟过去，跟着走，就是与神灵最近的距离——成全别人就是遵守神祇旨意。实际上，哪有神祇，都是客观规律、大道的力量，只是人对此难以描绘，故而给起了各种名字。

3. 觉悟与品格。知道不等于悟道，悟道了才是真正的知道。一旦悟道，就懂得了自我认识是有局限性的，自我经验是过去的，自我念头往往是自私自贱的，自我坚持往往是愚蠢的，自我显摆往往是自卑的。一个人若是悟了道，就开始变得成熟了，就懂得了自己的渺小，就知道应该把自我破除，进而抛弃，而去皈依大道。皈依了大道，渐渐地就能看清过去的自己——也许就是前一秒钟的自己，就能看到别人的很多作为犹如自己的“前身”。悟了道的人，会安静平和顺应，会以真心进入他人之心，会将别人看成自己，会把对别人的善良与给予看成是对自己的，而没有了得失之心，没有了求报之心，更没有了后续的怨恨和气恼。总之，断绝了一切烦恼，心如明镜，面如平湖，命如太阳，生活如道场，处处如天堂。没有了“个性”和张扬，因为个性化成了道性和佛性，张扬化成了润物细无声的甘露。

4. 人生智慧。修行让人体悟到道家的“悟道”智慧，进而超越“小聪明”的幼稚，超越过时经验的局限，看清自我表现的愚昧，超越为我自私的卖弄，跨越与不同之人差异和冲突的藩篱，就能珍惜每一次与“道、神和佛”的相遇，而不会舍近求远；就会超越世俗得失的算计，就会离开自我的“我执”，还会超越“法执”等一切执着。达到“悟道”的境界，就不会再有自我得意、自我显摆、自我张扬、自我标榜等害怕别人不知的恐惧，就不会再犯这些低级而愚蠢的错误。

①悟道的人，知道欣赏别人的聪明，感恩别人的批评！

②悟道的人，明白一切问题的根源，全在自己的愚昧！

③悟道的人，懂得自我判断的谬误，倾心进入对方心！

④悟道的人，不再抗拒任何的变化，因为那都是引领！

⑤悟道的人，没有了得失自我算计，因为一切是自己！

⑥悟道的人，没有自作聪明的卖弄，因为张扬是自卑！

⑦悟道的人，没有一向的固执己见，从善如流即觉悟！

⑧悟道的人，没有了对别人的要求，因为一切都自足！

⑨悟道的人，没有了对名利的争夺，懂得要的是乞丐！

⑩悟道的人，没有了对过去的怨恨，一切都成为营养！

修道理论

【箴言】人生就是一场修行，道不需要修，而是用道修自己！

【反问：撞见智慧】

如果说人生就是一场修行，你会同意吗？

如果说你的不幸都是恩人对你的修理，你会认同吗？

如果说没人修理你就是人生大不幸，你会接受吗？

如果说要感恩那些修理我们的人，你能理解吗？

如果说一个人只有主动修理自己，才是灵魂的觉醒，你能明白吗？

如果说借事修行，直到极致，即可掌握万事万物的总规律，获得人生的万能钥匙，你能相信吗？

我们出生时实际上带了两样东西来世上，一个是不完美，留待我们自己去完善；一个是欲望，看你如何使用自己的巨大能量。

古往今来，有大成者，皆是修行人，只有在修行中才能体会人生的真滋味，才会看清楚人生所遇到的一切人和事对于我们真正的意义与价值，这就是道家“修道”的智慧。

【“修道”的世俗定势】

在生活中，一说到修道，很多人会联想到修道院；

在生活中，一说到修行，很多人可能想到的是出家人。

说到修行、修道，人们也会联想到修理、修正。

但很多人往往不会想到这些词汇跟自己的生命与生活有何关联。

实际上，不管你多大年纪，你的生活一直处在动态的修正当中，就像开车的人把握着方向盘不断地进行着调整一样。

若是不信你就看看：你每天的生活肯定不一样，你自己过上一段时间或者遇到一些事情之后，也会发生很多变化，这就是生命与生活的不断修正，只是很多人没有意识到这是生命的修行。

从生命与生活的事实来看，每个人或者被动或者主动、或者快或者慢，都在进行着人生的调整。明白了这一点，我们就可能将此过程变成一项人生有意识的、目标清晰的运动。

【心灵的拷问】

1. 你希望人间平等，可你看人时是平等的吗？你会鄙视弱小而献媚强富吗？

2. 你在行善效果不好时，是反过来自省，还是抱怨别人呢？

3. 你的欲望是不是不断地在增加和扩大？你能意识到这样的心态会毁了自己的生活吗？你能够将欲望升级为理想吗？

4. 在你将生活变得丰富多彩时，会意识到这样可能让自己变得越来越浮躁吗？

5. 你能让自己变得安静和沉稳吗？你能看懂年长于你的人为何变得越来越安静吗？

6. 你体会过安静到极致时智慧自动迸发的感觉吗？

7. 你知道过分忙碌往往就是干了很多不该干的事情吗？

8. 你知道“大智若愚”这个成语，但你能控制住不表现自己的聪明而让别人表现得更聪明吗？

9. 你已经会做很多事了，但你找到万事万物的总规律了吗？

10. 遇到事情时，你是先谈自己的看法，还是先把情况搞清楚、把规律摸准再发言和行动呢？

11. 见到别人比你好时，你是不是有点羡慕或者嫉妒？你能从别人那里找到提升自己的机会吗？

12. 你把事情做好了会感到得意吗？你会想到任何得意都会招来意想不到的灾难吗？

13. 在与人交往中，你会主动放低自己而去赞美别人吗？

14. 你喜欢跟别人谈自己的得意之事，还是常常谈自己的不足或者教训呢？

15. 你已经得到了很多财富，但是不是没有时间和心情生活了？身体是不是也付出了很多代价？算算账，到底是亏了还是赚了？

16. 你听到或者明白了人生的道理，听完你会去践行，还是过一会儿就忘记了？

17. 你是喜欢标榜自己或者喜欢张扬，还是喜欢低调和踏实地做事而不怕别人小瞧了自己呢？

18. 你会喜欢跟自己不一样的人吗？你能亲近反对你的人吗？

19. 你在拥有权力时是喜欢表现权威感，还是表现平等和亲近感呢？

20. 你会将帮助那些让你不满意的人看作自己的责任吗？他们有错时，你会承担自己的责任吗？

【老子的“修道”思想】

第五章：天地不仁，以万物为刍狗；圣人不仁，以百姓为刍狗。多言数穷，不如守中。

第八章：上善若水。水善利万物而不争，处众人之所恶，故几于道。

第九章：持而盈之，不如其已。揣而锐之，不可长保。金玉满堂，莫之能守。富贵而骄，自遗其咎。功遂身退，天之道也。

第十二章：五色令人目盲，五音令人耳聋，五味令人口爽，驰骋畋猎令人心发狂，难得之货令人行妨。是以圣人为腹不为目，故去彼取此。

第十五章：古之善为道者，微妙玄通，深不可识。夫唯不可识，故强为之容。豫兮若冬涉川，犹兮若畏四邻，俨兮其若客，涣兮若冰之将释，敦兮其若朴，旷兮其若谷，混兮其若浊。孰能浊以静之徐清？孰能安以动之徐生？保此道者不欲盈，夫唯不盈，故能蔽而新成。

第十六章：致虚极，守静笃，万物并作，吾以观复。夫物芸芸，各复归其根。归根曰静，是谓复命。复命曰常，知常曰明，不知常，妄作凶。知常容，容乃公，公乃王，王乃天，天乃道，道乃久，没身不殆。

第十七章：太上，不知有之。其次，亲而誉之。其次，畏之。其次，侮之。信不足，焉有不信焉。悠兮其贵言。功成事遂，百姓皆谓我自然。

第十九章：绝圣弃智，民利百倍；绝仁弃义，民复孝慈；绝巧弃利，盗贼无有。此三者，以为文不足，故令有所属，见素抱朴，少私寡欲。

第二十章：绝学无忧。唯之与阿，相去几何？善之与恶，相去若何？人之所畏，不可不畏。荒兮其未央哉！众人熙熙，如享太牢，如春登台。我独泊兮其未兆，如婴儿之未孩。儽儽兮若无所归。众人皆有余，而我独若遗。我愚人之心也哉！沌沌兮！俗人昭昭，我独昏昏；俗人察察，我独闷闷。澹兮其若海，飂兮若无止。众人皆有以，而我独顽且鄙。我独异于人，而贵食母。

第二十三章：希言自然。故飘风不终朝，骤雨不终日。孰为此者？天地。天地尚不能久，而况于人乎？故从事于道者，同于道，德者同于德，失者同于失。同于道者，道亦乐得之；同于德者，德亦乐得之；同于失者，失亦乐得之。信不足，焉有不信焉。

第二十四章：企者不立，跨者不行，自见者不明，自是者不彰，自伐者无功，自矜者不长。其在道也，曰余食赘行。物或恶之，故有道者不处。

第二十六章：重为轻根，静为躁君，是以圣人终日行不离辎重。虽有荣观，燕处超然，奈何万乘之主，而以身轻天下？轻则失本，躁则失君。

第三十章：以道佐人主者，不以兵强天下，其事好还。师之所处，荆棘生焉。大军之后，必有凶年。善有果而已，不敢以取强。果而勿矜，果而勿伐，果而勿骄，果而不得已，果而勿强。物壮则老，是谓不道，不道早已。

第三十一章：夫兵者，不祥之器。物或恶之，故有道者不处。君子居则贵左，用兵则贵右。兵者，不祥之器，非君子之器。不得已而用之，恬淡为上。胜而不美，而美之者，是乐杀人。夫乐杀人者，则不可得志于天下矣。吉事尚左，凶事尚右。偏将军居左，上将军居右，言以丧礼处之。

杀人之众，以哀悲泣之。战胜，以丧礼处之。

第三十五章：执大象，天下往；往而不害，安平太。乐与饵，过客止。道之出口，淡乎其无味，视之不足见，听之不足闻，用之不足既。

第四十一章：上士闻道，勤而行之；中士闻道，若存若亡；下士闻道，大笑之，不笑不足以为道。

第四十二章：人之所恶，唯孤、寡、不穀，而王公以为称。故物，或损之而益，或益之而损。人之所教，我亦教之。强梁者不得其死，吾将以为教父。

第四十四章：名与身孰亲？身与货孰多？得与亡孰病？是故甚爱必大费，多藏必厚亡。知足不辱，知止不殆，可以长久。

第四十六章：天下有道，却走马以粪；天下无道，戎马生于郊。咎莫大于欲得，祸莫大于不知足。故知足之足，常足矣。

第五十章：出生入死。生之徒十有三，死之徒十有三。人之生生，动之于死地，亦十有三。夫何故？以其生生之厚。盖闻善摄生者，陆行不遇兕虎，入军不被甲兵，兕无所投其角，虎无所措其爪，兵无所容其刃。夫何故？以其无死地。

第五十三章：使我介然有知，行于大道，唯施是畏。大道甚夷，而人好径。朝甚除，田甚芜，仓甚虚。服文彩，带利剑，厌饮食，财货有余，是谓盗夸。非道也哉！

第五十六章：知者不言，言者不知。故不可得而亲，不可得而疏；不可得而利，不可得而害；不可得而贵，不可得而贱，故为天下贵。

第六十六章：江海所以能为百谷王者，以其善下之，故能为百谷王。是以圣人欲上民，必以言下之；欲先民，必以身后之。是以圣人处上而民不重，处前而民不害，是以天下乐推而不厌。以其不争，故天下莫能与之争。

第六十七章：天下皆谓我道大，似不肖。夫唯大，故似不肖。若肖，久矣其细也夫。我有三宝，持而保之。一曰慈，二曰俭，三曰不敢为天下先。慈，故能勇；俭，故能广；不敢为天下先，故能成器长。今舍慈且勇，舍俭且广，舍后且先，死矣！夫慈，以战则胜，以守则固，天将救之，以慈卫之。

第七十章：吾言甚易知，甚易行，天下莫能知，莫能行。言有宗，事有君。夫唯无知，是以不我知。知我者希，则我者贵，是以圣人被褐怀玉。

第七十七章：天之道，其犹张弓欤？高者抑之，下者举之；有余者损之，不足者补之。天之道，损有余而补不足。人之道则不然，损不足以奉有余。孰能有余以奉天下？唯有道者。是以圣人为而不恃，功成而不处，其不欲见贤。

【“修道”要义】

1. 万物平等，只有心不善时，才会看人待人不平等。
2. 上善不争，利天下而无怨，只有伪善才会有分别。
3. 总想更多，很少人想更好，于是多了反而更不妙。
4. 丰富多彩，很少人懂简单，于是心迷失在繁华中。
5. 随着成功，人们会很得意，却不知有道者善低调。
6. 冥思苦想，能够成就很多，不知虚极静笃能通灵。
7. 敬业忙碌，干了不少的事，但该干的却没有干好。
8. 名利诱人，能够激发干劲，却没法满足更大欲望。
9. 众人洗脑，有道者喜安静，唯情绪平静方有平安。
10. 祈求好事，希望好事长久，却不知天道执掌平衡。
11. 总想更快，往往违背规律，乱了节奏就没有效率。
12. 见好就收，可避自招祸端，只是很多人刹不住车。
13. 得势猖狂，以为天下无敌，实则是自己制造敌人。
14. 有权逞能，有钱变得张狂，不知如此会自引灾祸。
15. 听明白了，却不能去行动，终究练不出盖世武功。
16. 自我标榜，实是自己心虚，明白了就会低调自谦。

17. 有了成功，欲望膨胀难制，得了福却又带来了祸。

18. 为自己好，好的会过了头，结果反而会伤到自己。

19. 夸耀成就，忘了众人贡献，像个强盗却又不知耻。

20. 高高在上，疏远了众兄弟，不知王者是众生之仆。

21. 自高自大，忘记慈俭不争，于是人生就功亏一篑。

22. 自以为是，忘记天道在上，一生没有了圣人引领。

23. 高傲自满，但天道掌平衡，于是遭遇天道的压制。

【“修道”的误解与破解】

许多人只是低头忙碌，却很少去想为何忙碌？是否可以更轻松自在？很多人只是想要成为成功者，要过上幸福的生活，没想过自己还要成为修行者、修道者。

1. 人来到世上，自身并不完美，甚至会有很多缺陷，唯有修理自己才能让自己更好。

2. 平时不修行，小问题不修理，最终就会酿成大祸。

3. 不主动修理自己，往往会被动地被修理。

4. 修行，是一个面对人生一切问题的共同程序，是处理一切事情时自我内在的处理程序。

【智慧与觉悟】

1. 两种修行模式。人的生活有两个不同的模式，一个是被动地“被修理”，一个是主动地“自修理”。那“被修理”的人，生活处处不如意，过着不断被折磨的日子，人生如同掉进了地狱。不仅如此，严重的还会憎恨社会、憎恨许多人，因为他心中充满了怨恨，过着生不如死的日子。偶尔遇到别人倒霉，这样的人会有一丝快感。但主动“自修理”的人，遇事总能自省，总能借事提高自己，于是，事事得到提高，越来越有智慧，错误越来越少。不仅如此，他还感激着所遇到的所有人和事，因为他明白了那让他感到痛苦的人和事都是来度化他的。这样的人，因为心中充满感激、感恩和感动，犹如生活在天堂一般。

2．“修道”才是人生正道。在人间，修行者越来越多。修行这件事很难通过看书或者自悟走上正途，因此，也就出现了各种求神拜佛、烧香磕头、看相算命、改风水，甚至是改名字、改电话号码等滑稽可笑的“假修行者”。从古至今、国内国外，正道的修行都是遇到问题要内求，遇到事情要感恩，只有改变了自己内在的心灵程序，朝向至善、上善、真善的大道，通过改变自己的心性、言行与举止，通过借人借事行善利他，才是真正用善因播种自己未来的福田。

3．觉悟与品格。“修道”的道家智慧，告诉我们唯有“主动自修理”和“感恩被修理”，才能洞明人生的原理，这为我们走出“憎恨被修理”和走上“主动自修理”的人生正道指明了方向。觉悟了的人，实现了两个重要的转变，即“憎恨被修理”到“感恩被修理”，从“被动被修理”升级到“主动自修理”。这是生命灵魂之愚昧程序向智慧程序的升级，是生命的重生。

4．人生智慧。明白了“修道”的两个核心思想（“感恩被修理”和“主动自修理”），人类就拥有了识别“被动被修理”真相的智慧，就有希望走出痛苦的人生。若是再能够走上“主动自修理”的人生正道，此生无忧。

①“被动被修理”时，睁开两只眼，一看自己被修理的原因，并加以改正。二看修理自己的人，那定是自己命中的贵人和恩人，要殷切真诚地表达自己的感恩之情。

②研习圣贤智慧，学习“主动自修理”的知识，结缘人生中的师父，接受他的引领与指导，走上事事、时时自修理的正道。

③掌握修行的正法，遇到问题，不怨天尤人，相反，要内求自己，只有改变自己，才能改变自己的世界。

④结缘“主动自修理”的道友，互相鼓励，互相监督，互相交流，共同进步。

⑤主动帮助“被动被修理”的朋友，能渡人者，自渡的速度将大幅度

加速，正所谓渡人就是渡己。

⑥人生就是来过事的，不管你留恋还是厌恶，很多事终将过去，只是事情过去了，在你心中留下了什么？若是留下了美好的感动与进步，你就没有辜负人生的教化；若是只留下痛苦的记忆、憎恨与原地踏步，你就辜负了命运的青睐。

⑦若是在连续不断的“主动自修理”过程中发生了“量变到质变”的飞跃，就有可能领悟万事万物的总规律和处理万事万物的“万能钥匙”。如此人生，将是极其绚丽而壮观的。到了这个地步，可谓不负此生！

附录：老子著作的流变版本

道德三字经

第一章

道可道，非常道，名可名，非常名。

无名者，天地始，有名者，万物母。

常无欲，观其妙，常有欲，观其徼。

此两者，本同出，只异名，同谓玄。

玄又玄，众妙门。

第二章

天下知，美虽美，斯恶已，善为善，不善已。

有无生，难易成，长短形，高下倾，音声和，前后随。

圣人者，为无为，教不言，作不辞，生不有，为不恃，功不居，故不去。

第三章

不尚贤，民不争，不贵货，民不盗，不见欲，心不乱。

圣人治，虚其心，实其腹，弱其志，强其骨。

民无知，亦无欲，虽有智，不敢为。为无为，无不治。

第四章

道冲用，或不盈。渊兮者，万物宗。

湛兮者，似或存，谁之子？象帝先。

第五章

天不仁，以万物，作刍狗，圣不仁，以百姓，为刍狗。

天地间，尤橐龠。虚不屈，动欲出，多言穷，故守中。

第六章

谷神者，谓玄牝，玄牝门，天地根，绵绵存，用不勤。

第七章

天地者，长且久。不自生，故长生。

圣人者，后其身，而身先，外其身，而身存。

以无私，成其私。

第八章

上善者，其若水。利万物，而不争，处众恶，几于道。

居善地，心善渊，与善仁，言善信，正善治，事善能，动善时。

夫不争，故无尤。

第九章

持而赢，不可已；揣而锐，不常保；

金满堂，莫能守；富贵娇，自遗咎。

功名遂，身引退，天之道。

第十章

载营魄，而抱一，能无离？

专气力，达致柔，能婴儿？

涤心智，除玄览，能无疵？

爱民众，治国家，能无为？

天门开，天门阖，能为雌？

明天道，达四方，能无智？

道生之，德蓄之，生不有，

为不恃，长不宰，谓玄德。

第十一章

三十辐，共一毂，当其无，有车用。

埏埴空，以为器，当其无，有器用。

凿户牖，以为室，当其无，有室用。

有之者，以为利，无之者，以为用。

第十二章

五色盲；五音聋；五味爽；骋田猎，心发狂；贵难得，人行妨。

圣人者，只为腹，不为目。故去彼，而取此。

第十三章

宠辱惊，患若身。宠辱何？宠为下，得之惊，失之惊，是谓之，宠辱惊。

大患何？大患者，为有身，若无身，有何患？

贵天下，若可寄；爱天下，若可托。

第十四章

视不见，名曰夷；听不闻，名曰希；搏不得，名曰微，此三者，不可诘，混为一。

上不皦，下不昧，绳绳兮，不可名，归无物。是谓之，无状状，无物象，谓惚恍。

前迎之，不见首；跟随之，不见后。执古道，御今有，知古始，谓道纪。

第十五章

善士者，古有之。甚微妙，致玄通，深不识。

虽难识，强为容：

豫涉川，犹畏邻，俨敬客；涣释冰；

敦若朴，旷若谷，浑若浊。

浊以静，而徐清；安以动，而徐生。

保此道，不欲盈，惟不盈，能新成。

第十六章

致虚极，守静笃，万物作，吾观复。物芸芸，复归根。

归根静，谓复命。复命常，知常明，不知常，妄作凶。

知常容，容乃公，公乃王，王乃天，天乃道，道乃久。

没不殆。

第十七章

太上者，不知有；次亲誉，其次畏，再次侮。

信不足，有不信。悠贵言。

功名遂，百姓谓，我自然。

第十八章

大道废，有仁义；慧智出，有大伪；

亲不和，有孝慈；国昏乱，有忠臣。

第十九章

绝圣智，民百利；绝仁义，复孝慈；绝巧利，无盗贼。

此三者，文不足，令所属。抱素朴，少私欲。

第二十章

绝善巧，无忧患。唯与阿，去几何？

善与恶，去若何？人所畏，不可轻。荒芜兮，其未央。

众熙熙，享太牢，登春台。我独泊，其未兆，如婴儿，儽儽兮，若无归。

众人者，皆有余；我不同，独若遗，愚人心，沌沌兮。

人昭昭，我昏昏；人察察，我闷闷。湛若海；飕无止。

众人者，皆有以，我独异，顽似鄙，贵食母。

第二十一章

孔德容，惟道从。道为物，唯恍惚。

惚恍兮，中有象；恍惚兮，中有物。

窈冥兮，中有精，精甚真，中有信。

古及今，名不去，阅众甫。

吾何知，众甫状？以此已。

第二十二章

曲则全，枉则直，洼则盈，敝则新，少则得，多则惑。圣人者，抱一式。

不自见，故而明；不自是，故而彰，不自伐，故有功，不自矜，故而长。

虽不争，天下物，莫能争。古之谓，曲则全，岂虚言！诚而归。

第二十三章

希言者，从自然。虽飘风，不终朝；虽骤雨，不终日。

孰为此？天与地。天与地，不能久，况乎人？

从道者，同于道；从德者，同于德；从失者，同于失。

同道者，道乐得；同德者，德乐得；同失者，失乐得。信不足，有不信？

第二十四章

企不立，跨不行，自见者，则不明；自是者，则不彰；自伐者，则无功；自矜者，则不长。

其在道，余食赘，或恶之。有道者，绝不处。

第二十五章

物混成，先天地，寂寥兮，独不改，行不殆，天下母。不知名，强字道，强名大。

大曰逝，逝曰远，远曰反。故道大，天亦大，地亦大，人亦大，域四大，人居一。

人法地，地法天，天法道，道自然。

第二十六章

轻重间，重为根。静躁间，静为君。

圣人者，终日行，守辎重。

虽荣观，处超然。怎奈何，万乘主，轻天下？

轻失本，躁失君。

第二十七章

善行者，无辙迹；善言者，无瑕谪；善数者，

不筹策；善闭者，唯键开；善结者，唯绳解。

圣人者，善救人，无弃人；善救物，无弃物，谓袭明。

善为师；恶为资。不贵师，不爱资，似智巧，实大迷。谓要妙。

第二十八章

知其雄，守其雌，天下谿，德不离，归婴儿。

知其白，守其黑，天下式。德不忒，归无极。

知其荣，守其辱，天下谷。德乃足，归素朴。

朴既散，则为器，圣人用，为官长。

故大制，却不割。

第二十九章

欲天下，为不得。天下器，不可为。为者败，执者失。

天下物，形不一，或行随，或歔吹，或强羸，或挫隳。

圣人明，心守静，不妄动，去除甚，去除奢，去除泰。

第三十章

道佐主，非兵强，德化民，事好还。师所处，荆棘生；大军后，有凶年。

善事者，知因果，不取强。果勿矜，果勿伐，果勿骄，果非愿，果勿强。

物壮老，谓不道，必早已。

第三十一章

佳兵者，不祥器，君子恶，有道者，故不处。

君子居，则贵左，外用兵，则贵右。

兵不祥，君子恶，不得已，慎用之，尚恬淡。

胜不美，美之者，乐杀人。乐杀者，不得民。

吉尚左，凶尚右；偏居左，上居右。

以丧礼，处兵事。杀人众，悲哀泣；虽战胜，丧礼处。

第三十二章

道无名，朴虽小，莫能臣。王守道，物自宾。天地合，降甘露，人莫令，而自均。

始制名，名既有，亦知止。既知止，可不殆。譬如道，在天下，犹川谷，于江海。

第三十三章

知人智，自知明。

胜人力，自胜强，

知足富，强行志，

不失所，人长久。

死不亡，真长寿。

第三十四章

大道泛，可左右。物恃立，生不辞，功不有。

养万物，不为主，常无欲，可名小；万物归，不知主，可名大。

不自大，成其大。

第三十五章

执大象，天下往。往不害，安平太。

乐与饵，过客止。道出言，淡无味。

视不见，听不闻。用不既。

第三十六章

歙必张；弱必强；废必兴；取必与。谓微明。

柔胜刚，弱胜强。鱼不可，脱于渊，邦利器，不示人。

第三十七章

道无为，无不为。王能守，万物化。

化欲作，镇以朴，无名朴，将不欲。

不欲者，自能静，能自静，天下定。

第三十八章

上德者，虽不德，实有德；下德者，不失德，实无德。

上德者，虽无为，无以为；下德者，虽为之，有以为。

上仁者，虽为之，无以为；上义者，虽为之，有以为。

上礼者，虽为之，莫之应，攘臂扔。

道后德，德后仁，仁后义，义后礼。

夫礼者，忠信薄，乱之首；前识者，道之华，愚之始。

大丈夫，处其厚，非其薄；居其实，非其华。故去彼，而取此。

第三十九章

昔及今，得一者：

天得一，是以清；

地得一，是以宁；

谷得一，是以盈；

物得一，是以生；

王得一，大卜止。

其致之。

天无清，将恐裂；

地无宁，将恐发；

神无灵，将恐歇；

谷无盈，将恐竭；

物无生，将恐灭；

王无贵，将恐蹶。

贵高者，贱为本；处高者，下为基。

王自谓，孤与寡，或不榖。贱本邪?

致誉者，则无誉。故不欲，碌如玉，珞如石。

第四十章

反成者，道之动，柔弱者，道之用。

天下物，生于有，夫有者，生于无。

第四十一章

夫道者，上士闻，勤而行；中士闻，若存亡；下士闻，大笑之，若不笑，不足道。

建言曰：明道昧，进道退，夷道纇。上德谷，大白辱，广德欠，建德偷，质直渝。

大方者，形无隅；大器者，却晚成；大音者，却希声；大象者，视无形。

道无名。夫唯道，善贷成。

第四十二章

道生一，一生二，二生三，三生万。物负阴，又抱阳，冲气用，以为和。

人所恶，唯孤寡，或不榖，而王公，以为称。故万物，损而益，益而损。

人之教，我亦教，强梁者，不好死，吾将以，作教父。

第四十三章

以至柔，成至坚。以无有，入无间。

吾是知，无为益。不言教，无为益，希及之。

第四十四章

名与身，孰亲疏？身与货，孰多寡？得与亡，孰病存？

甚爱费，多藏亡。知足者，故不辱，知止者，故不殆，可长久。

第四十五章

大成者，似若缺，用不弊；大盈者，似若冲，用不穷。

大直者，似若屈；大巧者，似若拙；大辩者，似若讷。

躁胜寒，静胜热。清静者，天下正。

第四十六章

合于道，马以粪；不合道，马生郊。

祸莫过，不知足；咎莫过，已欲得。

知足足，常足矣。

第四十七章

不出户，知天下。

不窥牖，见天道。

出弥远，知弥少。

圣人者，不行知，不见明，不为成。

第四十八章

学日益，道日损，损又损，至无为，无为者，无不为。

取天下，以无事；及有事，不足取。

第四十九章

圣人者，无常心，百姓心，为己心。

善人者，吾善之，不善者，亦善之，谓德善。

善信者，吾信之；不信者，亦信之，谓德信。

圣人者，在天下，歙歙焉，为天下，浑其心。

人皆注，其耳目，圣人者，皆孩之。

第五十章

出世生，入地死。

生之徒，十有三。

死之徒，十有三。

人之生，动于死，十有三。

夫何故？生生厚。

善生者，其陆行，无兕虎，其入军，不被甲。

兕无所，投其角，虎无所，措其爪，兵无所，容其刃。

夫何故？无死地。

第五十一章

道生之，德畜之，物形之，势成之。

万物者，皆尊道，且贵德。道之尊，德之贵，莫之命，常自然。

道生之，德畜之，长育之，亭毒之；养覆之。生不有，为不恃，长不宰，谓玄德。

第五十二章

天有始，以为母。既得母，以知子；既知子，复守母，没不殆。

塞其兑，闭其门，终不勤。开其兑，济其事，终不救。

见小明，守柔强。用其光，归其明，无身殃；谓袭常。

第五十三章

介然知，行大道，唯施畏。

大道夷，人好径。朝甚除，田甚芜，仓甚虚，服文采，带利剑，厌饮食，财货余，谓盗夸。非道也！

第五十四章

善建者，不易拔，善抱者，不易脱，其后者，祭不辍。

修于身，其德真；修于家，其德余；修于乡，其德长；

修于邦，其德丰；修天下，其德普。

身观身，家观家，乡观乡，邦观邦，以天下，观天下。

以此知，天下然。

第五十五章

含德厚，比赤子。

虫不螫，兽不据，鸟不搏。

筋骨柔，常握固。虽未知，牝牡合，常朘作，精之至。号不嗄，和之至。

知和常，知常明，益生祥，心使气，或曰强。物壮老，谓不道，皆早已。

第五十六章

知不言，言不知。塞其兑，闭其门；挫其锐，解其纷；和其光，同其尘，谓玄同。

故不可：得而亲，得而疏；得而利，得而害；得而贵，得而贱；是故为，天下贵。

第五十七章

正治国，奇用兵，以无事，取天下。吾何以，知其然？

以此故：多忌讳，民弥贫；多利器，国滋昏；多伎巧，奇物起；令滋彰，贼多有。

圣人云：我无为，民自化；我好静，民自正；我无事，民自富；我无欲，民自朴。

第五十八章

其政闷，其民淳；其政察，其民缺。

祸福倚；福祸伏。孰知极，其无正。

正复奇，善复妖。人之迷，其日久。

圣人者，方不割，廉不刿，直不肆，光不耀。

第五十九章

治百姓，事天下，莫若啬。

夫唯啬，谓早服。

早服者，重积德。

重积德，无不克。

无不克，莫知极。

莫知极，可有国。

有国母，可长久。

根也深，柢也固。

长生根。久视道。

第六十章

治大国，烹小鲜。以道莅，鬼不神。非不神，因其神，不伤人。

非其神，不伤人，圣人者，亦不伤。两不伤，德交者，道归焉。

第六十一章

大邦者，宜下流，天下牝，天下交。牝胜灶，常以静，静为下。

故大邦，下小邦，取小邦；故小邦，下大邦，取大邦。

下以取，下而取。大邦欲，兼畜人，小邦欲，入事人。

夫两者，得所欲，为大者，宜为下。

第六十二章

夫道者，万物奥，善人宝，恶所保。言市尊，行加人。

人不善，何弃之？立天子，置三公，虽拱璧，先驷马，皆不如，进此道。

古为何，贵此道？求可得，罪以免？天下贵。

第六十三章

为无为，事无事，味无味。大与小，多与少。遇有怨，报以德。

图其难，于其易，为其大，于其细；天下难，作于易；天下大，作于细。

圣人者，不为大，成其大。轻诺者，必寡信，多易者，必多难。圣人者，犹难之，终无难。

第六十四章

安易持，未易谋；脆易泮，微易散。为未有，治未乱。

合抱木，生毫末；九层台，起累土；千里行，始足下。

为者败，执者失。无为者，故无败，无执者，故无失。

民从事，几成时，常败之。慎终始，无败事。

圣人者，欲不欲，贱难得，学不学，复众过，辅万物，之自然，不敢为。

第六十五章

善道者，古有之。非明民，将愚之。

民难治，以智多。智治国，国之贼；不以智，国之福。

知两者，亦稽式。常稽式，谓玄德。玄德者，深且远，与物反，至大顺。

第六十六章

江与海，百谷王，善下之，故能为，百谷王。

圣人者，欲上民，言下之；欲先民，身后之。

处之上，民不重，处之前，民不害。

天下乐，推不厌。以不争，莫能争。

第六十七章

天下谓，我道大，似不肖。夫唯大，故不肖。若似肖，则久矣，细也夫！

吾三宝，持而保：一曰慈，二曰俭，三不敢，天下先。

慈故勇；俭故广；不敢为，天下先，成器长。

今舍慈，而求勇；舍俭广；舍后先，必死矣！

夫以慈，战则胜，守则固。天将救，以慈卫。

第六十八章

善士者，不以武；善战者，不易怒；

善胜者，常不与；善用人，为之下。

是谓之，不争德，用人力，天古极。

第六十九章

用兵言：不为主，而为客；不进寸，而退尺。

是谓之，行无行；攘无臂；扔无敌；执无兵。

祸之大，在轻敌，若轻敌，丧吾宝。抗兵若，哀者胜。

第七十章

吾之言，甚易知，甚易行。

天下人，莫能知，莫能行。

言有宗，事有君，夫无知，不我知。

知我希，则我贵。圣人者，外被褐，内怀玉。

第七十一章

知不知，其尚矣；

不知知，其病也。

圣人者，常病病。

故不病。

第七十二章

民不畏，大威至。

无狎居，无厌生。

唯不厌，是不厌。

圣人者，明天道。

能自知，不自见。

能自爱，不自贵。

故去彼，而取此。

第七十三章

勇于敢，则被杀，勇不敢，则可活。

此两者，或利害。天之恶，孰知故？

圣人者，犹难之。

天之道，

虽不争，而善胜；

虽不言，而善应；

虽不召，而自来；

虽绰然，而善谋。

天网恢，疏不失。

第七十四章

民不畏，死何惧。若使民，常畏死，为奇者，执而杀，孰敢乎？

夫常有，司者杀。代司杀，是谓之，代匠斫，伤其手。

第七十五章

民之饥，以其上，食税多，是以饥。上有为，民难治。

民轻死，以其上，求生厚，是轻死。无以生，贤贵生。

第七十六章

人之生，也柔弱，其之死，也坚强。

草与木，生柔脆，其之死，也枯槁。

坚强者，死之徒，柔弱者，生之徒。

兵强灭，木强折。强处下，柔处上。

第七十七章

天之道，犹张弓。

高者抑，下者举。

有余损，不足补。

天之道，损有余，补不足。

人之道，则不然，损不足，奉有余。

孰有余，奉天下，唯道者。

圣人者，为不恃，功不处，其不欲，自见贤。

第七十八章

天下柔，莫于水，坚强者，莫能胜，无以易。

弱胜强，柔胜刚，天下人，莫不知，莫能行。

圣人云：受国垢，社稷主；受不祥，天下王。

正言反。

第七十九章

和大怨，有余怨，安可善？

圣人者，执左契，不责人。

德司契，无德者，总司彻。

天之道，常无亲，与善人。

第八十章

国家小，民众寡。使有器，而不用；民重死，不远徙；虽有舟，无所乘。虽有兵，无所陈。复结绳，而用之。甘其食，美其服，安其居，乐其俗，邻国望，鸡犬闻，民至死，不往来。

第八十一章

信言者，或不美，美言者，或不信。

真善者，不争辩，善辩者，或不善。

有知者，或不博，广博者，或不知。

圣不积，既为人，不为己，却愈有。

既与人，不自恃，长不宰，却愈多。

天之道，利不害。圣人道，为不争。

道德四字经

第一章

恒道可道，非恒道也；恒名可名，非恒名也。

无名而名，天地之始；有名而名，万物之母。

无欲观妙，有欲观徼；徼妙同出，异名同玄。

玄之又玄，众妙之门。

第二章

天下皆知，美之为美，斯为丑矣；善之为善；斯为恶矣；

有无相生，难易相成；长短相形，高下相倾，音声相和，前后相随。

是以圣人，处无为事，行不言教；天下万物，作而不辞，生而不有。

为而不恃，功成不居；夫唯弗居，是以不去。

第三章

圣不尚贤，使民不争；圣不贵货，使民不盗。圣不见欲，使心不乱。

圣人之治，虚心实腹，弱志强骨；常使民众，无知无欲，使夫智者，不敢妄为。

为而无为，则无不治。

第四章

道冲而用，或似不盈；渊兮湛兮，万物之宗；

挫锐解纷，和光同尘。湛兮或存，不知谁子，象帝之先。

第五章

天地不仁，万物刍狗；圣人不仁，百姓刍狗。

天地之间，犹橐龠乎？虚而不出，动而愈出。

多言数穷，不如守中。

第六章

谷神不死，是谓玄牝；

玄牝之门，天地之根。

绵绵若存，用之不勤。

第七章

天长地久，所以能者，不以自生。

故以圣人，后身而先，外身而存。

以其无私，故能成私。

第八章

上善若水，善利不争；处众人恶，故几于道。

居善地利，心善胸渊；与善诚仁，言善语信。

政善统治，事善明智；动善吉时。

夫唯不争，故而无尤。

第九章

持而盈之，不如其已；揣而锐之，不可常保。

金玉满堂，莫之能守；富贵而骄，自遗其咎。

功遂身退，和天之道。

第十章

载营抱一，能无离乎？专气致柔，能婴儿乎？

涤除玄览，能无疵乎？爱民治国，能无知乎？

天门开阖，能为雌乎？明白四达，能无为乎？

生之畜之，生而不有，为而不恃，长而不宰，是谓玄德。

第十一章

辐拱其无，有车之用；埏埴其无，有器之用。

凿户其无，有室之用；有之为利，无之为用。

第十二章

五色目盲，五音耳聋；五味口爽，驰骋发狂，贵货行妨；

是以圣人，为腹去目，去彼取此。

第十三章

宠辱若惊，贵大患身。宠辱若惊？宠者为下，得之若惊，失之若惊。

何大患者？所以大患，唯吾有身，及吾无身，吾有何患？

贵以身者，奉于天下，可寄天下。爱奉天下，可托天下。

第十四章

视之不见，故名曰夷；听之不闻，故名曰希。搏之不得，故名曰微。

言此三者，不可致诘，混而为一；其上不皦，其下不昧。

绳不可名，复归无物；无状之状，无物之象。是谓恍惚。

迎不见首，随不见后；执古之道，以御今有。

能知古始，是谓道纪。

第十五章

善为士者，微妙玄通；深不可识，强为之容。

豫若涉川，犹若畏邻；俨若敬客，涣若冰释。

敦兮若朴，旷兮若谷；浑兮若浊。

浊静徐清，安久徐生；保此道者，尚不欲盈。

夫惟不盈，故能新成。

第十六章

空致虚极，灵守静笃；万物并作，吾以观复。

夫物芸芸，各复其根；归根曰静，是谓复命。

复命曰常，知常曰明；不明妄作，妄作则凶。

知常乃容，容乃合公；公乃合王，王乃合天。

天乃合道，道乃合久；没身不殆。

第十七章

上不知有，次者亲誉，再者畏侮。

信不足焉，有不信焉。犹兮贵言。

功成事遂；百姓解畏，谓我自然。

第十八章

大道荒废，而有仁义；

智慧欲出，方有大伪；

六亲不合，乃有孝慈；

国家混乱，才显忠臣。

第十九章

绝圣弃智，民利百倍；

绝仁弃义，民复孝慈。

绝巧弃利，盗贼无有。

三者为文，令有所属；

见素抱朴，少私寡欲。

第二十章

绝学无忧。

唯之与阿，相去几何？

善之于恶，相去若何？

人之所畏，不可不畏；

荒兮芜兮，其未央哉。

众人熙熙，如亨泰牢，如春登台。

我独泊兮，其似未兆，婴儿未孩，其儽儽兮，若无所归。

众人有余，我独若遗。愚人之心，其沌沌兮。

俗人昭昭，我独昏昏；

俗人察察，我独闷闷；

湛兮若海，飂若无止。

众人有以，我顽似鄙。

我异于人，而贵食母。

第二十一章

孔德之容，唯道是从；道之为物，唯恍唯惚。

恍兮惚兮，其中有象；惚兮恍兮，其中有物；

杳兮冥兮，其中有精；其精甚真，其中有信。

自古至今，其名不去；以阅众甫。

何知甫状，以此善哉。

第二十二章

曲全枉直，洼盈敝新；少得多惑，抱一为式。

不自见者，反而贤明，不自是者，反而心明；

不自伐者，反而功成，不自矜者，反能长久。

夫惟不争，天下莫争；曲则全者，岂虚言哉。诚全而归。

第二十三章

希言自然。

飘不终朝，雨不终日。天地为之。

天地不久，而况乎人？故从道者，

道者同道，德者同德，失者同失；

同于道者，道乐得之；

同于德者，德乐得之；

同于失者，失乐得之。

信不足焉，有不信焉。

第二十四章

企者不立，跨者不行；自见不明，自是不彰。

自伐无功，自矜无长；其在道也，余食赘行。

物或恶之，道者不处。

第二十五章

有物混成，先天地生。寂兮寥兮，独立不改，周行不殆。为天下母。

吾不知名，字之曰道，强名曰大。太大曰逝，太逝曰远。太远曰反。

道大天大，地大人大；域中四大，人居其一。

人必法地，地必法天；天必法道，道法自然。

第二十六章

重为轻根，静为躁君。

君子终行，不离辎重。

虽有荣观，燕处超然。

万乘之主，何轻天下？

轻则失根，躁则失君。

第二十七章

善行无迹，善言无谪；善数无策，善闭无开，善结无解。

是以圣人，常善救人，故无人弃；常善救物，故无物弃。

是谓袭明。

善人为师，恶人为资；不爱其师，不贵其资，虽智不慧，是谓要妙。

第二十八章

知雄守雌，为天下溪；常德不离，复归婴儿。

知白守黑，为天下式；常德不忒，复归无极。

知荣守辱，为天下谷；常德不足，复归素朴。

朴散为器，圣人用之，则为官长；大制不割。

第二十九章

欲取天下，为而不得；天下神器，不可妄为。

为者败之，执者失之。

或行或随，或嘘或吹；或强或羸，或载或隳。

圣人用事，慎者为重；除甚除奢，去安去泰。

第三十章

以道佐主，不以兵强，其事好还。

师之所处，荆棘生焉；大军之后，必有凶年。

善有果而，不敢取强。

果而勿矜，果而勿伐，果而勿骄，果不得已，果而勿强。

物壮则老，是谓不道，不道早已。

第三十一章

夫佳兵者，不祥之器；君子恶之，道者不处。

君子贵左，用兵贵右；兵者不祥，非君子器。

不得已用，恬淡为上。胜而不美，而美之者，是乐杀人。

乐杀人者，不可得民。

吉事尚左，凶事尚右；偏将居左，上将局右。以丧言礼。

杀人之众，以悲哀泣，以丧处胜。

第三十二章

道常无名，素朴虽小，天下莫臣，王侯守道，万物自宾。

天地相合，以降甘露；民莫之令，人而自均。

始制有名，名亦既有，亦将知止，知止不殆，

道在天下，犹如江海。

第三十三章

知人者智，自知者明；胜人者力，自胜者强。

知足者福，强行有志；居所者久，死不亡寿。

第三十四章

大道泛兮，其可左右；万物恃之，生而不辞。

功成不有，衣养万物，为而不主，无欲名小。

万物归焉，而不知主，可名于大。

不自为大，能成其大。

第三十五章

若执大象，天下必往；往而不害，安定平泰。

乐与施饵，过客欲止；道之出口，淡其无味。

视之不见，听之不闻，用之不既。

第三十六章

将翕必张，将弱必强；将废必兴，将取必与。是谓微明。

以柔胜刚，以弱胜强；鱼不离渊，国之利器，不可示人。

第三十七章

道常无为，而无不为。侯王若守，万物自化。

化而欲作，无名之朴。

无名朴素，夫将不欲，不欲以静，天下自正。

第三十八章

上德不德，是以有德。下德不失，是以无德。

上德无为，而无以为，下德为之，而有以为。

上仁为之，而无以为；上义为之，而有以为。

上礼为之，而莫之应，攘臂而扔。

失道后德，失德后仁，失仁后义，失义后礼。

夫唯礼者，忠信之薄，而乱之首。前者道华，而愚之始。

是大丈夫，处厚弃薄；处实弃华。去彼取此。

第三十九章

昔得一者，

天得一清，地得一宁，神得一灵，谷得一盈，物得一生，王得一正。

其致之也。

天无一裂，地无一废，神无一歇，谷无一竭，物无一灭，王无一蹶。

贵者虽贵，以贱为本。高者虽高，以下为基。侯王自谓，孤寡不毂。

道者心明，以贱为本。致誉无誉。琭琭如玉，珞珞如石。

第四十章

反者道动，弱者道用

物生于有，有生于无。

第四十一章

上士闻道，勤而行之。中士闻道，若存若亡；下士闻道，大笑不信。

建言有之，明道若昧，进道若退；夷道若类，上德若谷，大白若辱，

广德若欠，建德若偷。质真若渝，大方无隅，大器晚成；大音希声，大象无形。

道隐无名；夫唯道者，善贷且成。

第四十二章

道生玄一，一生玄二；二生玄三，三生万物。

万物一统，负阴抱阳，冲气以和。

人之所恶，孤寡不榖，王公为称。

损之而益，益之而损。人之所教，我亦教之。

夫强梁者，不得其死。以为教父。

第四十三章

天下至柔，驰骋至坚；入乎无间，出乎无隙。

我是以知，无为有益。不言之教，无为之益，天下希及。

第四十四章

名身孰亲，体货孰多，得亡孰病；

甚爱必费，多藏必亡。

知足不辱，知止不殆，可以长久。

第四十五章

大成若缺，其用不弊；大盈若冲，其用不穷。

大直若曲，其用不折；大巧若拙，其用不笨。

大辩若讷，其用不讳。

躁胜寒冷，静胜炎热；清静无为，天下自正。

第四十六章

天下有道，走马以粪；天下无道，戎马生郊。

其祸之大，莫不知足；其咎之大，莫于欲得。

知足知足，则常足矣。

第四十七章

不出门户，遍知天下；

不窥窗牖，预见天道；

其出弥远，其知弥少；

是以圣人，不行而知，不见而名，不为而成。

第四十八章

为学日益，为道日损；损之又损，以至无为。

无为而为，无不为矣。取天下者，常以无事；

及其有事，不足以取。

第四十九章

圣人者也，无自心也；以百姓心，为自己心；

善者善之，恶者善之；信者信之，不信信之；

此之所谓，德善德信。

圣人歙歙，浑心天下。

人注耳目，圣人皆孩。

第五十章

出生入死。生死之徒，皆十有三。问其何故？生生之厚。

善摄生者，陆行平安，不遇兕虎。入军无伤，不被甲兵。

兕何不伤，无投其角；虎何不伤，无措其爪；兵何不伤，无容其刃。

夫何以故？以无死地。

第五十一章

道生德蓄，物形势成；天下万物，尊道贵德。
道尊德贵，常而自然；道生德蓄，长之育之，
亭之毒之，养之覆之。
生而不有，为而不恃；长而不宰，是谓玄德。

第五十二章

天下有始，为天下母。既得其母，以知其子。
既知其子，复守其母；没身不殆。
塞兑闭门，终身不勤；开兑济事，终身不救。
见小曰明，守柔曰强；用光复明，无遗身殃。
是谓袭常。

第五十三章

介然有知，行于大道；唯施是畏。
大道甚夷，民甚好径。
朝田荒芜，仓虚锅尽；
服采带剑，厌饮恶食，财货有余，是谓道夸。
非道也哉。

第五十四章

善为道者，建而不拔；抱而不脱，祀而不辍。
修身德真，修家德余；修乡德长，修邦德丰，修天德普；
以身观身，以家观家，以乡观乡，以邦观邦，以天观天；
以此可知，天下然哉。

第五十五章

含德之厚，比于赤子。毒虫不恃，猛兽不据，攫鸟不搏。

骨弱筋柔，常而握固，未知牝牡，常而朘作，精之至也。

号而不嗄，和之至也。知和曰常，知常曰明。益生曰祥。

使气曰强，物壮则老，谓之不道，不道早已。

第五十六章

智者不言，言者不智；

塞兑闭门，挫锐解纷，

和光同尘，是谓玄同。

不得而亲，不得而疏；

不得而利，不得而害；

不得而贵，不得而贱；

为天下贵。

第五十七章

以正治国，以奇用兵；常以无事，而取天下。

天下多忌，而民弥贫；天下多讳，民而越穷。

民多利器，国家滋昏；人多技巧，奇物滋起。

法令滋彰，盗贼多有。

故圣人云：

无为自化，好静自正，无事自富，无欲自朴。

第五十八章

其政闷闷，其民淳淳；其政察察，其民缺缺。

福祸所倚，祸福所伏；孰知其极，其无正也。

正复为奇，善复为妖，民迷固久。

是以圣人，方而不割，廉而不刿；直而不肆，光而不耀。

第五十九章

治人事天，莫若为啬，夫为啬者，是谓早服；

早服积德，则无不克。无不克者，莫知其极。

莫知其极，可以有国；有国之母，可以长久。

深根固蒂，长生久视。

第六十章

治理大国，若烹小鲜。道莅天下，其鬼不神；

非鬼不神，神不伤人，非神不伤，圣人不伤。

两不相伤，德交归焉。

第六十一章

大国下流。天下交牝，以静胜牡，以静为下。

大国以下，则取小国；小国以下，则取大国。

或下以取，或下而取。大国兼蓄，小国入事。

各得其所，大者宜下。

第六十二章

夫大道者，万物之奥；善人之宝，恶人所保。

美言可市，尊行加人；人之不善，何弃之有。

天子三公，拱璧驷马，皆贵此道。

有求必得，有罪以免。为天下贵。

第六十三章

为之无为，事之无事，味之无味。

大小多少，报怨以德。

图难其易，为大其细；天下难事，必做于易；天下大事，必做于细。

是以圣人，终不为大，故能成大。

轻诺寡信，多易多难；圣人犹难，终无难矣。

第六十四章

其安易持，未兆易谋；其脆易泮，其微易散。

为之未有，治之未乱；合抱之木，生于毫毛；九层之台，起于垒土。

千里之行，始于足下；为者败之，执者失之；无为无败，无执无失。

民之从事，几成而败。慎终如始，则无败事。

欲人不欲，不贵难得；学人不学，复众人过，以辅自然，而不敢为。

第六十五章

善为道者，非以明民，将以愚之。

民之难治，以其智多。

以智治国，国之贼也。

弃智治国，国之福也。

知此两者，亦为稽式。

常知稽式，是谓玄德。

玄德深远，与物反矣，乃至大顺。

第六十六章

江河湖海，百谷之王，以其善下。

圣人欲上，其言以下；圣人欲先，其身以后。

处上不重，处前不害，乐推不厌。

以其不争，莫能与争。

第六十七章

夫唯道大，故似不肖。大道久已，其细也夫；

吾有三宝，持而保之。

一慈二俭，三不争先。

慈故能勇，俭故能广，不敢为先，故成器长。

舍慈且勇，舍俭且广，舍后且先，则必死矣。

夫唯慈者，以战则胜，以守则固；天将救之，以慈卫之。

第六十八章

善士不武，善战不怒；善胜不与，善用为下。

不争之德，用人之力，天古之极。

第六十九章

用兵有言，为客不主；

不敢进寸，但却退尺。

无行无臂，无兵无敌。

祸于轻敌，轻敌丧宝。

抗兵相加，哀者必胜。

第七十章

言易知行，莫能知行。其言有宗，其行有君，夫惟无知，以不我知。

知我者希，则我者贵；是以圣人，被褐怀玉。

第七十一章

知不知上，不知知病；夫惟病病，是以不病。

圣人不病，以其病病；夫唯病病，是以不病。

第七十二章

民不畏威，大威至矣。

无狎所居，无厌所生。

夫惟不厌，是以不厌；

圣人自知，故不自见；

圣人自爱，故不自贵。

圣人明道，去彼取此。

第七十三章

勇猛者杀，不敢者活，或利或害。

天之所恶，孰知其故？圣人犹难。

天地大道，不争善胜，不言善应。

不召自来，惮然善谋；天网恢恢，疏而不失。

第七十四章

民不畏死，何以死惧；民常畏死，孰敢执杀？

司杀者杀，代司杀者，代大匠斫，必伤其手。

第七十五章

其上税多，民是以饥；

其上有为，民以难治；

求生之厚，民以轻死；

无以生为，贤于贵生。

第七十六章

人生柔弱，其死坚强；草木柔脆，其死枯槁。

坚强死徒，柔弱生徒；兵强则灭，木强则折。

强大处下，柔弱处上。

第七十七章

夫天之道，其犹张弓？高者抑之，下者举之。

余者损之，欠者补之；天地之道，损余补欠。

人道不然，损欠奉余。唯有道者，损余以奉。

是以圣人，为而不恃，功成不处，不欲见贤。

第七十八章

柔弱若水，坚强莫胜，其无以易；

柔之胜刚，弱之胜强，天下皆知，莫之能行。

受国之垢，社稷之主；受国不祥，天下为王。

正言若反。

第七十九章

大怨虽和，必有余怨，安可为善?

是以圣人，手中执契，行则不责。

有德司契，无德司彻，天道无亲，常与善人。

第八十章

小国寡民。有器不用，重死不徙。

虽有舟舆，无所乘之；虽有甲兵，无所陈之。民复结绳。

甘食美服，安居乐俗。邻国相望，鸡犬相闻，民至老死，不相往来。

第八十一章

信言不美，美言不信；善者不辩，辩者不善；智者不博，博者不智。

圣人不积，为人愈有，与人愈多，天地之道，利而不害，圣人之道，为而不争。

道德心经

开经偈

太上老祖，无量天尊。

太上老祖，无量天尊。

太上老祖，无量天尊。

太上玄深众妙门，

如影随形难见真。

如今得幸归命母，

我誓全命追圣人。

出世无为法，虽妙离世远。

常诵世间法，无为真意现。

道可道，非常道。道衍万物，万物各藏其道。

有非有，无非无。有即有限，俗知为幻而真相隐其后；无即无限，澄虚内观全景方见。故执有则愚，绝意方可近道，弃念遂能感通。敬天地畏鬼神，人心方生德根。

大道至隐而无名，无字天书心眼可阅。大道至隐而无名，有道有理，无道无理，私理无道；合人理者无敌，执私理者自毁。

天地大仁，唯利无害，故利他善己，伤人恶己。道相若水，处下守弱，滋养万物，贵柔敛强，韬光养晦。不自生故长生，天之道也。

道法自然，尊道贵德，尊道有得，得而不私己，反私而为众，大私可得天下，至诚则可通天。故执则迷，多则惑，物壮几老，争强趋灭，私己速亡。

阴阳一体，福祸相依，善恶相随，生死相伴，苦乐不离，真相不二。

是以抱朴守真，知二归一，见正知反，破幻见真，性空而达无极。故喜无狂，逆无嗔，悲无伤，心明眼亮，接恩万象，执中守正，心静体养。

无为不争，道之妙用。得道不妄为，无为者道动，不为者他为；明道不争，不争者道清，弃俗皈道可聚心神，心明则可达不可争。长而不宰可自保，功成不居则无害。人与万物，皆乃天地之子，存续皆有数，占多必伤，居久必亡。天之道损有余而补不足，妄心不成。故强者处下，不争为上，顺道自成。此弃俗皈道之慧，唯有道者可及也。

邪径勿履，德心自贱，大道通天，至诚如神。善恶有缘，共生共存；善则吉神结缘，恶则凶衰引驻，善恶相伴，此消彼长。用道者，助善而化恶；废道者，消善助恶而自罪续久。故敬天地而修己身，诚心敬道以全天地，善莫大焉。

名利乃奴之所重，德乃俗人所据，道乃圣人所依。故悲莫过于名利奴人，贼莫过于德有心，愚莫过于以智搏道。天欲祸人，微福骄之，乃验其命贵贱；天欲福人，微祸警之，乃考其心智方圆。故圣人之道，破幻见真，以慈修己，以悲观人。生死如粒子聚散，人生如时空漂游。故圣人之道，去伪存真，无心而达元始，与天地共生乃久。

于常修真，无我修慧，静极修心，心斋则可为圣，性空而后为王。故名利若云随风自飘，绕而不缠故无伤，飘而不离故无憾，此乃圣人乘物以游心尔；德常居，道住心，器歪心正，风动心止，故无急无乱，无悲无喜，心道一体，万物一马也。是以圣人无执，故无失。

万物皆为镜，万般皆为镜中我，内观则可心明而无我他分别。众人皆为我，变幻天使度化了我，内观则可明恩在心而无怨恨。万罪皆缘我，寻到万罪我因，内观则可斩孽根而除祸源。心中念、口中言、手中行，皆在自己账上，自收自支。

万般皆幻象，唯有心性是真。故得道而开心眼，万般皆我，我即万般。喜化静，苦化智，怨化喜，恨化恩。天堂无处，自心即是。极乐无西，开心即是。心中有道，人即神灵，面若天使。为人若此，斯道器矣。

吕祖道德真经

天运初来。与人同得。此谓之道。与人同有。
此谓之德。动静有时。仿佛空虚。有身之感。
愚圣无分。情欲所羁。多遭疾苦。力能超鼎。
安免轮回。智可全军。焉能自全。功名香饵。
人何争吞。妄想如丝。图劳何益。在在可悟。
他心自迷。为昌为殃。皆所自肇。能动不久。
能锐易折。守其真神。毋损毋克。众灵初成。
先通至性。因无思虑。所以悠悠。人手最毒。
遭之不留。他在宇宙。与人何由。谁不爱生。
视之独轻。此在他物。或谓无关。人之一身。
何甘自戕。身虽为累。实道之基。此基一失。
复堕轮回。清静自如。不贪不痴。以心思身。
以身思情。何起何沈。静中一念。为善为凶。
防御功深。恶念自消。打空尘欲。守定清真。
形如枯木。心若寒灰。总皆弃物。乌用躇踌。
道非幽异。幽异非道。德不自知。自知非德。
太上虚心。光明如月。普照无穷。究竟无物。
有物即暗。如云掩月。云过月明。原无纤尘。
草色光光。隐隐动人。花草无心。人自为动。
心何不在。独在万虑。勉力驱除。若防寇然。
电光易过。见者目炫。当今之人。亦复如斯。
利味何汤。道味何淡。淡则长存。适意悦耳。
如物之蠹。道妙无穷。如月在空。深涧细流。
悠悠千古。野鹤孤松。神仙所契。性静心洁。
不近华靡。觉后易惑。况其未觉。即觉何惑。
心慧机多。恃其聪明。好为辩折。舌锋所触。

造业罪深。守吾定默。凝吾真神。若愚若屈。
功不易居。居之无益。还我本来。穆然无怀。
镜之对人。人自为现。镜本无心。妍丑毕现。
完全不亏。有如圆月。究竟非久。一室相聚。
终必有散。四大非无。百动从心。心能不动。
四大亦空。旷然无碍。魔亦自远。一着贪痴。
万魔已围。此时欲破。恐已无期。勿谓偶过。
正罪之基。所以一念。善恶自知。人何昧昧。
谤道曰非。大道尽此。敬修奉行。

大觉经

大道泛兮，主宰万物。万物起兮，皆有缘往。

天命为性，率性为道。善恶为种，自收自长。

上世之因，今世之果。今世作因，后世果尝。

诸恶莫作，众善奉行。守正善法，道义自彰。

执持仁恕，鬼神不伤。不慕名贵，暗学忠良。

小恶考心，鬼魅师长。遇人有难，我义命帮。

惠人不念，心魂不茫。受恩永报，天恩浩荡。

务本去功，灾难炼场。舍利去名，道生德养。

自省无惧，夜黑不遑。罪己回头，自救神谅。

生不由己，死速自伤。求乐招苦，祸在福妄。

名利烟云，人惑鬼唱。去躁守静，智慧天降。

万镜观我，自察心亮。万般为我，感恩天苍。

莲花坐心，桃花面祥。心慈口善，圣花满堂。

百年一瞬，人生过场。物为心奴，自性空芳。

万法归道，心斋至上。诸法无我，道法无量。

神不救恶，至善神想。勿再外求，命由心酿。